Omslagontwerp:	Erik de Bruin, www.varwigdesign.com
	Hengelo
Lay-out:	Christine Bruggink, www.varwigdesign.com
Druk:	Rikken Print
	Gendt

ISBN 90-76968-89-6

© 2006 Uitgeverij Ellessy
Postbus 30227
6803 AE Arnhem
www.ellessy.nl
http://home.hetnet.nl/~mpobooks

GEDRAGEN HAAT

M.P.O. Books

ELLESSY
CRIME

Voorwoord

Het is voor mij een groot genoegen mijn derde boek te kunnen presenteren. Het schrijven van dit verhaal vond plaats in de wisselvallige herfst van 2002. Die klus heb ik geklaard. Er zijn ook anderen die aan het uiteindelijke product meegewerkt hebben en die ik dank verschuldigd ben. Zoals mijn lezers, die in de nazomer van 2005 meededen aan de titelverkiezing. Met een overweldigende meerderheid van stemmen beslisten zij dat deze thriller 'Gedragen haat' heet.

Dit boek is er ook dankzij de inzet van andere personen die meegeholpen hebben om van mijn eerste twee boeken een succes te maken. Ik denk aan medewerkers van de verschillende media, van boekhandels en bibliotheken. Een woord van dank is op zijn plaats voor de vele lezers die mondelinge reclame voor 'Bij verstek veroordeeld' en 'De bloedzuiger' maakten. Geweldig! Betere lezers kan een schrijver zich niet wensen. Ik hoop dat ik weer op jullie mag rekenen. Wat mij betreft gaan we op naar deel vier!

Uiteraard gaat mijn dank ook uit naar de medewerkers van de uitgeverij die er weer een mooi product van hebben gemaakt: uitgever Larry Iburg, redactrice Connie Harkema en de vormgevers Erik de Bruin en Christine Bruggink. Tevens wil ik de families Petersen en Overgauw bedanken voor het uitknippen en bewaren van krantenberichten voor het archief.

Tot slot wil ik ook mijn ouders een pluim geven, zonder wie mogelijk geen van mijn boeken geschreven was. Onbewust schiepen zij voor mij de juiste omstandigheden om te kunnen schrijven. Ik geniet een voorrecht.

Marco

Hoofdstuk 1

Donderdag 3 oktober 2002 19.10 uur
Met de armen over elkaar duwde Kars Becker zijn rug
gespannen in het kussen van de autostoel. Het gedreun van
de autoradio overstemde moeiteloos de half hardop tegen
zichzelf gesproken zinnen, terwijl zijn blik de weg schichtig
afzocht. Hij was gewapend.
'Dat is een ander model. Dat is hem niet.'
Hij wachtte met het ongeduld van een jachthond voordat
het schallen van de jachthoorn heeft weerklonken, het start-
sein van de traditionele vossenjacht. Zijn lichaam stond strak
van de adrenaline. Dit was de eerste klus sinds zijn recente
vrijlating. Als het goed ging, was er veel geld mee te verdienen. Geld dat hij goed kon gebruiken sinds hij een week of
vijf weer een vriendin had. De relatie was nog zo pril dat zijn
oma, bij wie hij ingetrokken was, nog niet van Esmée wist.
Onwillekeurig dacht hij aan haar, terwijl hij zich op zijn
taak moest concentreren. Voor haar deed hij het, hoewel hij
betwijfelde of ze het goed zou keuren. Esmée was de dochter van de wiskundedocent die hij vroeger op de mavo had
gehad. Een stoffig mannetje met een afgeleefd gezicht en
monotone stem. Hij leefde niet meer. Zijn dochter had Kars
in een café in hun gezamenlijke woonplaats leren kennen.
Hij had haar achternaam horen noemen – dat was de zeldza-
me naam Bloemhard – wat de aanleiding was geweest een
praatje over haar vader aan te knopen. Van het één kwam het
ander. Hij was stapelverliefd op haar geworden. En zij op
hem.
Die gedachte liet hem niet los.
Alles had hij er voorover om het haar naar de zin te
maken. Ze hadden het er wel eens over dat ze later in Egypte
wilde gaan wonen. Ze had iets met dat land, een belangstel-

ling die ze van haar vader overgenomen had, die elke zomer naar het land van piramides en koningsgraven getrokken was. Esmée had twee penvriendinnen in Egypte, uit een Nederlandse en een Engelse familie, met wie ze maandelijks schreef. Het leek haar geweldig om in dat land met zijn aangename klimaat te wonen en er een hotelletje te hebben. Nou, als hij dat voor haar kon regelen, zou hij het niet nalaten!

Het was een droom die de moeite waard was om na te jagen. Een avontuur dat ze samen zouden aangaan. Want, wat bond hem aan Nederland? Zijn moeder leefde niet meer, en zijn naaste familie bestond uit een oma en haar broer. Zij gedoogden hem hooguit. Kars Becker wist dat de verhuizing wel eens heel spoedig kon plaatsvinden. Daarom had hij, zonder dat Esmée het wist, enige maatregelen genomen.

Voor haar zou hij tot het uiterste willen gaan. Tot dusver was zijn vrijgevigheid beperkt gebleven. Zijn financiële armslag was heel minimaal. Toch had Kars een kettinkje met een gouden hartje voor haar gekocht. Ze was er dolgelukkig mee. Het vervulde hem met trots als hij het kleinood op haar blouse tussen haar borsten zag rusten. Het was een voorschot, zo zag hij het, op wat komen ging.

Even had hij overwogen haar in vertrouwen te nemen, toen ze merkte hoe de onzekerheid een schaduw op zijn gezicht wierp. Ze wist niets van de klus en dat was beter ook, hoewel de verleiding om zijn hart te luchten zijn zintuigen prikkelde. Omwille van het risico dat zijn geheim zou uitlekken en haar halfbroer Johan ervan hoorde, had hij tot nu toe zijn mond gehouden.

Diezelfde Johan had haar twee dagen eerder nog verteld dat haar kersverse vriend een bajesklant was geweest. Ze was ontzettend geschrokken, omdat Kars haar dit niet zelf verteld had. Kars verweet het zichzelf. En toch, hij had dat deel van zijn leven verzwegen uit angst afgewezen te worden. Hoeveel van zijn eerdere relaties had hij al zien stuklopen?

Hij wist dat hij niet de meest begerenswaardige vrijgezel was en het besef groeide, dat zijn leeftijd zich tegen hem zou keren. Welke vrouw zag hem nog? Moest hij voor altijd alleen blijven? Hij haatte Johan dat hij Esmée over zijn verleden had verteld, maar hij haatte zichzelf nog meer dat hij het verzwegen had.

Gelukkig had Esmée begrip voor zijn uitleg getoond. Ze had verteld dat ze niets op had met haar halfbroer, die haar leven voortdurend vergalde. Niets van zijn criminele verleden had hij vanaf dat moment voor haar achtergehouden. Met het heden lag het anders. Hoe graag wilde hij dat ze ook begrip had voor wat hij nu ging doen! Want hij bleef zich voorhouden dat hij het voor haar deed. Zodat ze een gezamenlijke toekomst konden opbouwen, en daar had hij geld voor nodig. Veel geld.

Waarom zat hij opeens zo zenuwachtig op het stuur te tikken, synchroon met de muziek?

Hij moest opletten. Boven hem was het wolkendek verscheurd. De zon was al onder en in het schaars wordende licht tekende zich een wolkendek vol spleten en spelonken af, waar langs rafelige randen de eerste sterren aarzelend in de diepte van het heelal blonken. Het zou gauw donker worden. Duisternis waar hij handig gebruik van moest maken.

Volgens zijn horloge was het half acht. De auto stond geparkeerd langs de ventweg die parallel lag aan de N227 tussen Maarn en Doorn, te midden van de verlaten bossen en bovenop de Utrechtse Heuvelrug. Alsof hij een late wandelaar was die na een forse wandeling in de auto op adem kwam. Zijn blik zocht ondertussen onverminderd de weg vóór hem af, terwijl auto's en vrachtwagens met hun verblindende lichten langs hem raasden.

Drie minuten later gebeurde het. Hij herkende het opgegeven signalement van de auto, het type, de kleur, en op het laatste moment, terwijl de wagen passeerde, nam hij het nummerbord in zich op. In een flits meende hij ook de inzittende te herkennen. De begeerde vos van de jacht.

Hij startte de motor.

Zonder te willen opvallen, liet hij de auto met een matige snelheid de heuvel afdalen, tot hij van de ventweg de provinciale weg op kon. Tussen hem en de auto, die als een magneet op hem werkte, waren twee andere auto's geslopen. Het was niet erg, want hij kende immers het einddoel van het slachtoffer. Zijn levensritme was zo voorspelbaar!

De klus beviel Kars helemaal niet. En dat niet alleen vanwege zijn onervarenheid met dergelijke klussen.

Ik heb alleen ervaring met inbraken en gewapende overvallen, dacht hij. Dat heb ik al zo vaak gedaan dat ze een peulenschil lijken vergeleken bij dit. Het is vooral het tijdstip dat mij zorgen baart. Ik ben niet gewend om zo vroeg op de avond in actie te komen. Daar schuilt de onzekerheid in.

Hoe druk zou het op de parkeerplaats zijn?

Een paar uur geleden was hij er nog geweest en toen wemelde het van de mensen die aan het winkelen waren. Dat maakte het riskant. Het kon nooit vlekkeloos verlopen. Was het niet verstandiger om gemaskerd te zijn?

Geen tijd voor zulke vragen.

Hij had het grote kruispunt in het centrum van Doorn bereikt. De twee auto's voor hem gingen ieder een andere weg. Beide stonden ze links voorgesorteerd. Hij kwam rechts voor een rood verkeerslicht stil te staan, het verkeerslicht van de weg naar Driebergen. De witte Volvo van het slachtoffer had nog net het groen gehaald. Geen punt. De voorsprong was slechts tijdelijk.

Groen!

Kars kende het parkeerterrein dat zich van de provinciale weg, de N225, naar de tweehonderd meter daarachter liggende supermarkt uitstrekte. En dan waren er de parkeerplaatsen die vanaf de weg niet te zien waren, omdat er een verwaarloosde tuin was, om de bocht. De meeste mensen zetten hun auto dicht bij de winkel neer.

Volgens vaste gewoonte had zijn slachtoffer, Floris van der Zwan, de auto op een weinig gebruikt deel van de parkeerplaats neergezet. Kars Becker zag het, terwijl hij zijn eigen auto ook in die richting manoeuvreerde. Ze waren bij de plaatselijke vestiging van de Albert Heijn waar Floris elke donderdag, ook volgens de voorspelbare indeling van zijn agenda, tegen sluitingstijd kwam om boodschappen te doen. Het was tien over half acht.

Helemaal donker werd het hier door de straatlantaarns nooit. Floris had de Volvo strak naast de plek geparkeerd waar men winkelwagentjes kon pakken en wegzetten, het verste punt vanaf de ingang van de winkel en onzichtbaar vanaf de toegangswegen. Bijkomend voordeel waren de dichtgespijkerde ramen van de belendende panden. Al met al was het een stille hoek van de parkeerplaats, waar weinig kans was om gezien te worden. Alleen die ene lantaarnpaal.

De enige andere aanwezige was een oudere man die zijn winkelwagentje juist had teruggezet en naar de auto liep. Floris stond nu met een muntstuk van vijftig cent bij de wagentjes te hannesen. Met een ruk en een kletterend geluid kreeg hij een wagentje los en zette een boodschappentas erin. Hij had de gewoonte om nog even te voelen of de kofferbak gesloten was. Zó voorspelbaar.

Dit gaf Kars voldoende tijd om te zien, dat de enige toeschouwer ingestapt was en geleidelijk van het toneel verdween. Resoluut greep hij naar het wapen dat de hele tijd naast de zitting had gelegen en stapte uit. De motor van zijn auto draaide nog, evenals de autoradio.

Het slachtoffer zag hem komen. Het ogenblik was te kort voor Floris om te doorgronden wat er ging gebeuren, hoewel hij Kars Becker herkende. Kars handelde zonder aarzelen, trefzeker. De stroomstok die hij in zijn hand had, zwaaide in de richting van Floris, wiens vragende blik zich met afgrijzen vulde. Een knetterend geluid vulde de avondlucht.

Vrijwel onmiddellijk stortte het slachtoffer ter aarde neer. Het lichaam van Floris van der Zwan lag een moment te sidderen voordat het tot rust kwam, terwijl het winkelwagentje over de oneffen bestrating tegen hem aan rolde. Niemand had iets gezien. De autoradio had het geknetter van de stroomstok keurig en volgens plan overstemd.

Niets aan de hand.

Wat doet dit met mij?, dacht Kars.

Maar diep in zijn binnenste voelde hij het beuken van zijn hart.

Beheers je, riep hij zichzelf in gedachten toe. Dat moet, als ik wil slagen. Een aarzeling kan mij de das omdoen.

Hij tilde zijn slachtoffer op en droeg hem naar de auto. Het meest vervelende van de klus had hij gehad. Nu was het: niet nadenken, maar handelen! Het afgrijzen lag verstard op het jonge gezicht van zijn slachtoffer, maar dat deed weinig met Kars. Het mócht hem ook niets doen.

De kofferbak van zijn auto maakte hij open en zonder zachtzinnig te doen, deponeerde Kars het roerloze lichaam op de bodem. Er klonk een licht gekreun. Vervolgens knevelde hij Floris zo snel hij kon. De klep viel met een bons dicht. Voor de zekerheid keek Kars nog een keer om zich heen.

Inderdaad, niemand had iets gezien.

Met achterlating van het winkelwagentje, reed Kars Becker richting uitgang. Hij had de keus uit twee uitgangen. Of dezelfde weg terug, of via een smal weggetje naar de straten achter de Albert Heijn. Hij koos voor dezelfde weg terug, een keus die hij later zou betreuren.

Nu pas bemerkte hij weer hoe hard zijn hart in de borstkas tekeer ging. Het was meer de overwinningsroes dan de spanning, die dit veroorzaakte. Dat een ontvoering zo eenvoudig kon zijn, had hij zich nooit gerealiseerd! Dit was kinderspel. Van zulke opdrachten lustte hij wel meer! En het geld was goed.

En toch, die knagende onzekerheid.

Kars was er allesbehalve zeker van dat de volgende opdrachten hem zo gemakkelijk af zouden gaan als deze. Waar was hij aan begonnen?

Wat ik gedaan heb, realiseerde hij zich, is slechts het begin. Zou ik zover durven gaan als moord, de eventuele uiterste consequentie van een ontvoering? Heb ik dat voor de gezamenlijke toekomst met Esmée over? Of juist niet, omdat ik er niet aan denken moet als zij erachter komt? Of, zal ik bereid zijn te moorden om te voorkomen dat ze erachter komt?

Als hij niet besloten had met haar naar Egypte te vluchten, had hij wel móeten moorden. Floris kende hem. Als Kars hem niet zou doden, zou hij hem bij zijn vrijlating verraden.

Juist toen hij het terrein wilde verlaten, de provinciale weg op, gebeurde het.

Hij zag de tegemoetkomende auto en de man erin die een hand opstak. Een bekende die later zou kunnen getuigen, dat hij op het moment van de ontvoering daar was. Als bij een automatisme stak Kars Becker ook een hand op, hoewel hij liever beide vuisten gebald had. Of de middelvinger de lucht ingestoken had. Welke klootzak woont in Wijk bij Duurstede en gaat in Doorn naar de supermarkt! En waarom nou net hij!

Het was niet meer terug te draaien. Het was de beroerdste getuige die hij zich op dat moment kon wensen. Johan van der Heijden, de halfbroer van Esmée, had hem gezien. Johan was een smeris. *Shit*!

Hoofdstuk 2

Donderdag 3 oktober 22.10 uur
Terug in Doorn. Het was bijna tweeëneenhalf uur na de ontvoering. Kars Becker stapte uit de auto, die hij vlakbij de telefooncellen geparkeerd had. Hij was nauwelijks tweehonderd
meter van de plaats waar de ontvoering was begonnen. Alles
leek rustig. De Albert Heijn was inmiddels allang gesloten en
de parkeerplaats was nagenoeg leeg. Alleen vlak voor de winkel stond nog een auto. De winkel zelf was verduisterd.

Niet vanwege de dalende temperatuur had hij handschoenen aangetrokken. Het was een afgesproken voorzorgsmaat-
regel, net zoals hij de instructie had hier vandaan en om deze
tijd het belangrijke telefoontje te plegen. Wat een voorzorgs-
maatregelen!

Maar als ik daardoor minder kans loop gepakt te worden,
heb ik het ervoor over, dacht hij. Niet dat ik me er rustiger
onder voel. Waarom juist deze plek?

Weer bonsde zijn hart met het tempo en de intensiteit van
een loeiende politiesirene.

Dat ik juist aan een politiesirene moet denken, dacht hij.
Waarom laat ik mij opjagen door allerlei gedachten dat het
mis zal gaan? Alsof ik de sirene inderdaad kan horen, aangezwengeld door een razende aanstaande zwager. Toch zal de
jacht op mij weldra in alle hevigheid losbarsten. Met zo'n
vader als Floris heeft, kan dat niet anders.

Hij stapte de telefooncel binnen, frommelde in zijn jaszak
en haalde een papiertje met het telefoonnummer tevoorschijn. Hij toetste de tien cijfers en de telefoon ging over. Nu
was het wachten.

'Met Mignon van Elshout', klonk de stem van een vrouw
aan de andere kant, warm en vriendelijk.

Hij stamelde eerst van de weeromstuit iets dat onverstaanbaar was en vroeg toen of hij haar man kon spreken.

'Van der Zwan', zei de zware stem van de man met wie ze gehuwd was. Voor hun trouwen had Mignon al aangegeven erop te staan haar eigen naam te blijven voeren. Kars kende de familieverhoudingen. Het hoorde bij zijn voorbereidingen. Geen detail mocht aan zijn aandacht ontsnappen.

Hij had geoefend. 'Luister goed naar mij', dreunde hij de ingestudeerde tekst op, weliswaar met gedempte stem, om niet door toevallige passanten gehoord te worden. Rudolf van der Zwan kende hem alleen van naam, dus ging Kars Becker er vanuit dat zijn stem bij de ander geen herkenning opriep. 'Ik heb Floris hier. Als je Floris terug wilt, gaat dat een miljoen pegels kosten. En geen politie erbij, want anders kun je het schudden. Eén miljoen euro en ik geef je een week de tijd.' Hij wilde meer zeggen maar de ander onderbrak hem met bulderende stem.

'Zeg, wat heeft dit te betekenen? Met wie spreek ik en wat is dit voor een onzin?'

'Doe zoals ik zeg', sprak Kars onverstoorbaar. 'Je krijgt een week de tijd en als ik dan weer bel, wil ik dat het geld binnen een uur telefonisch naar een rekening wordt overgemaakt.'

'Flikker op, man!'

'Geen uitstel. Als je Floris terug wilt, zorg dan dat je doet wat ik zeg. En ik herhaal, geen politie, want daar word ik pissig van en dan kunnen er dingen gebeuren die ik later misschien betreur. Jij in elk geval.'

Voor de ander iets kon zeggen, hing hij op.

Het was vlug gegaan. Een peulenschil! Niettemin liet hij trillend de hoorn los. In gedachten zag Kars het echtpaar voor zich en de verontrusting die hij bij hen gezaaid had. Hoe meer ze verontrust waren, hoe beter. Tevreden fluitend liep hij terug naar de auto.

Toch kon hij het niet laten om de parkeerplaats verder op

te lopen en schijnbaar achteloos langs de plek te gaan, waar hij Floris overrompeld had. De mogelijkheid bestond dat de vermissing van Floris al ontdekt was, door de vriendin met wie hij samenwoonde, hoewel zij vanavond werkte. Het spoor zou linea recta naar de Albert Heijn leiden. Ook zij wist van de geijkte frequentie waarmee Floris het Doornse filiaal van de Zaanse grootgrutter bezocht.

Kars passeerde de auto die hij al eerder had zien staan. In het licht van de straatlantaarns zag hij daarbinnen een stelletje in een omhelzing elkaar zoenen. Een caissière die door haar vriendje was opgehaald? Ze zagen hem niet, want ze hadden enkel oog voor elkaar. De lange, zwarte (of leek de kleur in de duisternis zwart?) haren van het meisje schermden beide gezichten voor de buitenwereld af als een doek het toneelpodium. Hij hoorde de jongen iets mompelen, waarop zij giechelde. Stilletjes sloop Kars hen voorbij om hun geluk niet te verstoren. Hij had geen behoefte aan getuigen van zijn aanwezigheid, en zij op hun beurt ook niet.

Met de handen diep in de zakken van zijn spijkerbroek begraven, schuifelde hij zachtjes fluitend naar dat afgelegen deel van de parkeerplaats, waar hij aan het begin van de avond was geweest. Schijnbaar onverschillig wierp hij een korte blik in de juiste richting. Het winkelwagentje was weg. Maar de witte Volvo stond er nog. Geen politie te zien.

Hij kon met een gerust hart naar huis. Het werk van vandaag zat erop. Misschien had hij nog tijd om even bij Esmée langs te gaan. Dan konden ze ook doen wat het stelletje in de auto deed. Iets om naar uit te kijken!

-

Donderdag 3 oktober 22.20 uur
Mignon van Elshout zag dat het haar mans eerste impuls was

om tegen de hoorn te gaan schelden. Maar de lijn aan de andere kant was inmiddels dood. Wie gebeld had, was onduidelijk. Rudolf was te gierig geweest om een nummermelder aan te schaffen.

'Flikker op!', brieste haar man nog een keer en smeet de hoorn op het toestel terug.

Mignon van Elshout reageerde geschrokken. Ze was niet gewend dat haar echtgenoot dergelijke ruwe taal gebruikte. 'Wat is er, lieveling?' Ze keek naar zijn stevige postuur. Een trilling van ingehouden razernij leek door hem heen te gaan. Met gebalde vuisten stond hij als aan de grond genageld, zijn gezicht rood van woede en de lippen stijf op elkaar geperst.

'De één of andere gluiperd', siste hij.

'Wat is er?'

'Die flikker zegt dat hij Floris te pakken heeft genomen. Hij eist losgeld!'

'Wat?', klonk ze verbijsterd. Dit was gewoon niet te geloven. Een ontvoering!

'Hij wil een miljoen euro, binnen een week.'

'Dat meen je niet.' Ze zei het met een stem vol ongeloof. 'Is het misschien een misplaatste grap van iemand?'

'Daar zullen we gauw genoeg achterkomen.'

Van der Zwan nam de hoorn weer op en toetste het nummer van de gsm van zijn zoon in. De telefoon ging over, maar niemand nam op. Vloekend smeet Van der Zwan de hoorn er weer op. Vervolgens draaide hij het nummer van het thuisadres. Zonder resultaat.

'Bel anders Claire op', suggereerde zijn vrouw. Ze probeerde haar kalmte te bewaren, nu hij zo tekeer ging. Iemand moest het hoofd koel houden. Bovendien was het haar idee dat het een misselijke grap was en ze sprak de hoop uit dat ze gelijk zou krijgen. Ze dacht aan de eigenaardige vrienden die Floris had. Zij hadden al vaker rare grappen uitgehaald. 'Het nummer van haar mobieltje staat in de klapper.'

De vriendin van Floris werkte tot 's avonds laat in een studentencafé in Amersfoort. Pas als ze na middernacht klaar was, zou ze in haar auto stappen en naar de woning in Maarsbergen rijden die ze met haar vriend deelde. Misschien wist ze meer. Ze kon in de tussentijd contact met hem hebben gehad.

Het rumoer van het etablissement schalde door de luidspreker van de telefoon. Van der Zwan had die aangezet zodat Mignon van Elshout mee kon luisteren.

'Met Claire', klonk haar stem vrolijk aan de andere kant.

Ze had een opgewekt karakter. Maar als ze ook zo'n telefoontje van de onbekende man heeft gehad, besefte Mignon, zou ze vast niet zo opgewekt geklonken hebben. Ze was zich kennelijk nog van geen kwaad bewust.

Rudolf leek er niet van overtuigd dat het een misplaatste grap kon zijn. Het was veelzeggend dat híj was gebeld en niet Claire. De ontvoerder wist dat de vriendin van zijn zoon afwezig was.

'Spreek ik met de vader van Floris?' Mignon van Elshout begreep dat Claire op de display van haar mobieltje het nummer kon zien van degene die belde. Ze sprak haar onofficiële schoonvader nog altijd aan als de "vader van Floris" of als "meneer Van der Zwan". Hij liet zich ook door haar met u aanspreken en het gebruik van voornamen was taboe. Zo was hij opgevoed en anderen moesten daarmee genoegen nemen, hoewel hij anderen meestal wel tutoyeerde. Een kwestie van leeftijdsverschil, had hij eens gezegd. Mignon vond het overdreven. Maar ze wist dat hij Claire niet als schoondochter beschouwde, ook al woonde ze met Floris samen. Hij vond dat het eerst maar serieus moest worden tussen zijn zoon en haar. Mignon had van hem te horen gekregen dat hij niet wist of hij Claire wel als schoondochter wilde hebben. Blijkbaar zou hij het liefst zelf bepalen met wie Floris trouwde. Hij kon zich ergeren aan haar opgewekte toontje.

Hij vertelde haar van het telefoontje en daar schrok ze

toch een moment van. Maar daarna merkte ook zij op dat het een rare grap kon zijn. Dat was nou typisch Claire, bedacht Mignon zich. Zo optimistisch.

En toch...

Onmiddellijk beloofde ze naar Maarsbergen te rijden om de vader van haar vriend gerust te kunnen stellen dat er niets aan de hand was. Haar baas moest het in deze omstandigheden maar met een serveerster minder doen, zei ze. Ze zou terug bellen als ze meer wist. Ze beweerde dat het vast loos alarm zou zijn, maar oprecht klonk haar optimisme niet meer.

Twintig minuten later belde ze terug. Floris was niet thuis. Een korte inspectie van de koelkast toonde aan dat haar vriend die dag niet naar de Albert Heijn was geweest, zoals hij elke donderdag deed, wat ze eens zo hadden afgesproken. De huishoudelijke taken waren volgens een strak schema verdeeld.

Nu was er pas echt reden voor zorg, vond zij. Misschien had hij een ongeluk gehad. Deze gedachte deed haar ter plaatse besluiten naar Doorn te rijden, want nu begon ze zich werkelijk ongerust te maken. Dit was niets voor Floris, maakte ze haar toekomstige schoonouders duidelijk.

'Ik kan je nu al zeggen dat je hem daar niet zult vinden', sprak Van der Zwan kortaf. Hij was al zeker van de zaak. 'Hij is ontvoerd. Ik heb de gluiperd die het gedaan heeft aan de telefoon gehad. Nu weet ik het zeker.'

'Zal ik dan de politie bellen?'

'Ja, dat kunnen we beter doen', viel Mignon van Elshout haar spontaan bij. Ze stond naast haar man en kon Claire via de luidspreker horen die Rudolf ingeschakeld had.

'Zijn jullie gek geworden? Niets daarvan!', brieste haar man meteen. Ze merkte hoe hij de touwtjes in handen wilde nemen. Hij bepaalde wat er ging gebeuren. Zo hoorde het, leek hij te willen zeggen. 'Wil je soms dat Floris wat overkomt?'

'Maar we kunnen toch niet zomaar over ons heen laten

lopen', sprak zijn vrouw geschrokken, omdat hij zo tegen hen tekeer ging. 'Als iemand iets van de ontvoering gezien heeft, dan weet de politie dat vast. Misschien zijn de daders herkend. We moeten er alles doen om hem terug te krijgen. Floris is jóuw zoon.'

'Daarom juist! We hebben te maken met gevaarlijke gekken. Ze houden natuurlijk ons huis in de gaten en als ze zien dat we naar de politie gaan, dan ben ik bang dat Floris iets overkomt. Ik betaal liever dat geld dan dat ze hem iets aandoen. Daarna kunnen we nog naar de politie gaan. Eerst moet ik Floris terughebben!'

Mignon besloot niet tegen haar man in te gaan. Zijn enige zoon was in gevaar.

-

Donderdag 3 oktober 23.00 uur

Dat Johan hem gezien had, zat Kars toch niet helemaal lekker. Daarom had hij besloten niet naar Esmée te gaan, om het risico te ontlopen haar halfbroer weer te ontmoeten. Hij wist zeker dat Johan zou vragen wat hij in Doorn had gedaan. Of was het erger, en was al bekend dat er een ontvoering had plaatsgevonden, en was Johan daarvan op de hoogte?

In plaats van zijn vriendin te bezoeken, had Kars zichzelf ervan verzekerd dat zijn gevangene veilig opgesloten zat en dat niemand de provisorische gevangenis had ontdekt. Onderweg had hij voortdurend in de achteruitkijkspiegel gekeken. Tergend langzaam nam het besef toe, dat hij zich onnodig ongerust had gemaakt. Dat zijn verontrusting eerder voortvloeide uit de aversie die hij voor zijn toekomstige zwager voelde. Met een treiterig stemmetje had Johan Esmée verteld hoe hij achter het criminele verleden van haar vriend was gekomen. Dat zat Kars nog altijd dwars. Alsof Johan er alles voor over had om zijn aanstaande zwager in diskrediet te brengen. Alsof hij het voor Esmée wilde verpesten. Zij leek het in elk geval zo opgevat te hebben.

In de muffige krocht waar Floris vastgeklonken zat, had hij diens persoonlijke bezittingen doorzocht. Daarbij was hij op de portemonnee met geld en pinpas gestoten. Vijf euro cash was niet veel. De pas had hem op een ander idee gebracht. Het hoorde niet bij zijn opdracht, maar deze uitgelezen kans om een paar extra centen op te strijken kon hij toch niet laten liggen? Hij had alleen met de stroomstok hoeven te zwaaien om de doodsbange Floris de pincode te ontfutselen. Als Kars het geld had, kon hij meteen een café opzoeken waar hij om deze tijd nog een hapje kon eten. Hij constateerde dat hij trek had gekregen.

Om het spoor niet naar Wijk bij Duurstede te laten leiden, was hij naar Driebergen gereden. Daar stond hij nu bij een flappentap in het centrum. Het dorp begon tot rust te komen, om zich op te maken voor een nieuwe dag. Hij zag de tijd op de fluorescerende wijzers van de kerktorenklok. Vijf over elf.

De automaat slurpte de pas op. De pincode werd geëist. Voor de zekerheid had Kars het nummer genoteerd. Hij toetste de getallen in. *7361.*

'*Shit*!'

In de display kwam te staan dat de verkeerde pincode was gebruikt. Wat had hij fout gedaan? Of had hij de code verkeerd opgeschreven? Natuurlijk moest het 7301 zijn. De nul was slordig geschreven.

Weer gaf de display aan dat de code niet bij de pas hoorde. Onmiddellijk liet Kars de automaat de pinpas opgegeven. Als hij voor de derde keer de pincode fout had, zou hij de pas kwijt zijn.

Terug in de geïmproviseerde gevangenis. Floris kromp van afgrijzen ineen toen hij de stroomstok weer voor zich zag.

Of, vroeg Kars zich af, is hij een toneelspeler? Doet hij zich voor als iemand die door angst alles wil vertellen De eerste keer geloofde ik echt dat mijn gijzelaar de waarheid had gesproken. 7361!

Floris van der Zwan was een gewiekste duivel en daarom was hij hem gaan haten. Met alle macht schopte Kars tegen de schenen van de ander. Die kon niet ontwijken. Hij zat vast met een ketting die een aantal malen strak om zijn enkels gewikkeld en aan een betonblok bevestigd was. Daar kon hij onmogelijk los komen. Met een onderdrukte kreet incasseerde Floris de trappen die volgden. Zijn mond was met tape beplakt.

Hij zat met de rug tegen de muur, de benen gestrekt en de armen gebonden op de rug. Het was geen gemakkelijke houding om uren in te zitten, op de kilte van een stenen vloer. Nu brandde de lamp, maar die deed Kars uit als hij weg ging. Hoewel hij er tegenop zag als hij hem moest vermoorden, had Kars geen medelijden met Floris van der Zwan. Hij was opnieuw bedonderd.

'Als ik nu niet de juiste pincode krijg, zal ik je nog een keer met de stok geven', beet Kars hem toe. Zijn stem galmde met een verbitterde klank in de versteende ruimte. Hij had meer dan één reden om zijn gevangene te haten. Door zijn toedoen was hij de laatste keer in de gevangenis beland, terwijl Floris had beloofd voor een goede advocaat te zorgen. Hij had hem laten zitten. Kars had genoegen moeten nemen met een jonge, onervaren pro deo advocaat die de rechtszaak vervolgens verprutste.

Met gespeelde angst in de ogen knikte het slachtoffer. Kars vroeg zich af of de ander inwendig pret had dat hij hem bedot had. Maar hij liet niet met zich spotten. Niet meer. Hij trapte hem in de maag en zwaaide nogmaals met de stroomstok vervaarlijk dicht langs het gezicht van zijn slachtoffer. Dit was geen kinderspel en dat diende de ander te beseffen.

Hij trok de tape zo ruw weg dat Floris onderlip openscheurde. Bloed welde op en droop dik en kleverig over de kin om de jas te bevuilen. Onmiddellijk krijste het slachtoffer en schold zijn ontvoerder uit, waarbij minuscule spetters bloed in de rondte spetterden.

'Je gaat je gang maar met dat gescheld', sprak Kars Becker onverschillig. 'Niemand kan je horen.' Hij knielde naast hem neer en richtte de punt van de stroomstok op zijn gezicht. 'Vertel op, wat is de pincode?'

'Dat gaat je geen reet aan!'

Kars greep hem bij de haren en trok het hoofd ruw naar achteren, zodat de geringschattende blik die hij zo-even nog in de ogen van het slachtoffer meende te zien, verdween. In het gelige licht van de lamp leken de blonde haren eerder roodachtig.

'En nu is het afgelopen!', spuugde hij hem in het gezicht. 'Klootzak! Vertel op, wat is de pincode?'

Om de eis kracht bij te zetten, stootte hij het achterhoofd hard tegen de muur erachter. Het ging met zoveel geweld gepaard, dat Floris zijn ogen van pijn dichtkneep. In een reflex wilde hij naar zijn hoofd grijpen, maar de armen bleven haken in de kettingen op zijn rug. De huid was daar al beurs van verwoede pogingen los te komen.

'Jij hebt lef, jochie. Maar ik ken wel andere methodes om je aan het praten te krijgen.'

Hij legde de stroomstok naast zich neer. Terwijl hij met de linkerhand het haar van Floris in een ijzersterke greep hield die de trekkracht van de haarwortels danig op de proef stelde, trok hij zijn aansteker uit de achterzak van zijn spijkerbroek. Het ding vlamde op. Vuur likte al gretig aan enkele van de vette haarlokken. De penetrante geur van geschroeid haar vulde de ruimte.

'Hou op! Hou op!', smeekte Floris nu, met angst in zijn ogen.

'Ik vind dit anders wel interessant. Eigenlijk zou ik dit

moeten filmen om je ouders te laten zien dat je nog leeft. Met een hoofd vuurrode haren. Vuurrood!' Hij lachte spottend. Dat hij het meende, bewees de hernieuwde poging om de haren te laten vlammen.

'De code is 6173.'

'Oh, dus het was precies andersom? Kon meneer zich dat eerst niet meer herinneren?'

'Nee, Kars!'

Hij keek naar de ander, die hem met een spottende blik aankeek. De woede die nu in Kars opwelde, was sterker dan hij ooit gevoeld had. Hij greep het hoofd van Floris hardhandig beet, en sloeg hem meermalen achtereen tegen de muur. Opnieuw wilde hij de stroomstok gebruiken, maar hij zag dat zijn slachtoffer het bewustzijn had verloren. Daarom snoerde hij hem in plaats daarvan de mond.

Niet dat het nodig was, maar je kunt nooit weten, dacht Kars.

-

Vrijdag 4 oktober 00.45 uur

Ditmaal stond Kars Becker voor de flappentap bij het station Driebergen-Zeist. Als de familie onverhoopt toch de politie ingeschakeld had, kon men zo achterhalen waar de pas gebruikt was en dan zou het spoor naar Driebergen en omgeving leiden. Tactiek.

De pas werd opgeslokt. Nu de pincode. 6173.

In de display verscheen weer die irritante mededeling. De onjuiste pincode!

Woest timmerde Kars tegen het paneel. Nog een keer typte hij de nummers in. Weer die mededeling! Floris van der Zwan had hem voor de tweede keer bij de neus genomen. Kars had er veel zin in om hem alsnog een tweede behandeling met de stroomstok te geven. Zijn handen jeukten al bij die gedachte.

Maar hij had ook trek en daarom nam hij zijn eigen pas en pinde het geld dat hij nodig had. Eerst zou hij naar de kerker in Wijk bij Duurstede teruggaan om de eigendunk van zijn slachtoffer een flinke deuk te bezorgen. Hij zou hem verminken, castreren, de haren uittrekken. Daarna zou hij zichzelf trakteren op een nachtelijk buffet. Uit de muur?

Hoofdstuk 3

Vrijdag 4 oktober 10.25 uur
Het was hoogst ongebruikelijk, zo was hem te verstaan gegeven. Zijn verzoek. Met een flauwe glimlach op zijn gezicht moest Rogier van Middelstum denken aan zijn gesprek met de begrafenisondernemer, terwijl hij door de Dijkstraat slenterde. Achter hem rees de hoge "Rijn en Lek"-molen op, die gebouwd was op de middeleeuwse onderbouw van de Leutertoren die tevens de enige originele poort van de stad vormde. Een lang lint aaneengesloten monumentale panden met zicht op de oneindig stromende rivier, strekte zich van de poort tot de hoek met de Nieuwstraat uit, met als enige onderbreking de doorgang van de Oeverstraat.

Ondertussen dacht Rogier na over de te volgen route voor de grote dag. Verderop, op de hoge dijk die de door mensenhanden opgeworpen hindernis vormde tussen het altijd fluctuerende niveau van de waterspiegel en de stad, stond zijn trotse onderkomen. Een wit gepleisterd bouwwerk, een eenzaam maar oogstrelend staaltje van kunstzinnige menselijke inspanning. Het "Veerhuis", beginpunt van de route.

Het bouwjaar 1873 liet zich niet raden door de argeloze passant. Een ingemetselde gevelsteen van een eerder pand deed geheel misleidend de suggestie van de hand dat het "Veerhuis" in 1695 was gebouwd. Een andere gevelsteen, van de eerste steenlegging, gaf wel de juiste datum aan. Het huidige bouwwerk met zijn eclectische architectonische stijl, was daar op de dijk gepositioneerd, nadat het pand uit 1695 was gesloopt. En daarvoor had op die historische plaats in de late middeleeuwen de Onze-Lieve-Vrouwenkapel gestaan. Ook toen al een plaats die door de gemeenschap verstoten leek te zijn, zo ver buiten de bebouwde kom van Wijk bij Duurstede.

Daar was de residentie van de verschoppelingen van de

middeleeuwse maatschappij geweest. De leprozen. Het was de ironie van de geschiedenis dat de omschrijving enigszins ook voor hem, de nieuwste bewoner van dat stukje grond, gold. Toch vond hij dat isolement niet gelijkstond aan eenzaamheid.

Hij passeerde de Oeverstraat, wat de aanleiding was om een moment stil te staan en te leunen op zijn houten stok. Weer een straat met historische panden waarvan een aantal op de monumentenlijst stond, terwijl het geheel deel uitmaakte van het kenmerkende en inmiddels beschermde stadsgezicht. De straat doorkruiste met enkele naamswijzigingen en bochten de oude binnenstad als een gekanaliseerde rivier het landschap, om langs de rooms-katholieke kerk Sint-Jan Baptist en de Markt bij de andere toegang tot dit stadsdeel te komen, waar vroeger de "Veldpoort" had gestaan. Daarvan restten alleen de funderingen. De poort was afgebroken toen er een tramlijn was aangelegd. Die was nu ook weg, verdrongen door de opkomst van de bus.

Rogier van Middelstum was er nog niet over uit of hij de route hier langs de Dijkstraat en de Oeverstraat zou laten lopen. Want de Oeverstraat was eenrichtingsverkeer. Dus die optie viel eigenlijk al af. Dan bleef de route langs het kasteelpark over, om via de "Veldpoort" bij de Sint-Johannes de Doper-kerk, de Nederlands-hervormde kerk, aan de Markt uit te komen. Vóór 8 oktober moest daarover een beslissing vallen.

Dit was de stad waarvan hij hield. Hij kende elk straatje en steegje, elk huis, elke porie van de binnenstad die nog altijd iets ademde van de sfeer van vroegere tijden. Dankzij zijn onbaatzuchtige hulp én ogenschijnlijk grenzeloze rijkdom, waren verschillende gebouwen in het verleden gerestaureerd. Rogier moest denken aan de panden aan de Achterstraat, de Markt, de Volderstraat en het woonhuis aan de Dijkstraat, dat hij zojuist gepasseerd was. Sommige van die panden waren bijna ruïnes geweest. Zonder zijn hulp zouden ze nooit van een gewisse ondergang gered zijn. Aan Wijk bij Duurstede had hij zijn hart verpand. Deze stad was hem veel dank verschuldigd. De stad waar hij begraven wilde worden.

Het nieuws van zijn aanstaande dood was hem in het Utrechts Medisch Centrum gegeven. De onheilsbode was niet de internist zelf die zich er met een smoesje tussenuit geknepen had. Oh, hij had het vast te druk. Zijn assistente had Rogier daarom in het steriele kantoortje ontvangen en omstandig uitgelegd dat er geen hoop op herstel was. Het leven was een kwestie van aftellen geworden. En in plaats van in een diepe put te vallen en zijn zelfbeklag van de daken te schallen, had Rogier zich geworpen op de laatste uitdaging die voor hem stond: de voorbereiding van zijn begrafenis.

Binnen enkele dagen na de bekendmaking gonsde het nieuws door de binnenstad. Hij was niet terminaal vanwege een besmettelijke ziekte. En toch, sindsdien werd hij, de moderne verschoppeling, door zijn vroegere vrienden gemeden alsof het wel overdraagbaar was, alsof zijn leven al passé was. Daarmee was zijn huis al in rouw gedompeld zelfs nog voor hij gestorven was. Met een grote boog gingen ze om hem heen, deden alsof ze hem niet zagen. Hij zag ze wel, als ze zijn huis voorbijgingen op weg naar de veerpont voor de oversteek naar de Betuwe. Angstvallig ontweken hun blikken het "Veerhuis", net zoals vroegere generaties het leprozenhuis hadden genegeerd. Ze wisten niet hoe ze met een terminale patiënt om moesten gaan. Ze waren bang fouten te maken. Of, stak er meer achter?

Als weldoener van de stad had hij goede contacten met het bestuur gehad. Diezelfde personen lieten zich nu niet meer zien. De stad eerde hem niet langer voor de diensten die hij haar verleend had. De huidige wethouder kende hem niet. Er waren verkiezingen geweest. Een nieuw gekozen bestuur had de raadszetels ingenomen en een college gevormd. Alles vervluchtigde zo snel, de roem nog sneller dan de herinnering.

Rogier van Middelstum zette zijn wandeling voort. In de verte zag hij over de dijk een stoet auto's naderen die van de veerpont bij zijn huis kwam rijden. Zo'n zelfde stoet zou met tekenen van rouw zijn kist begeleiden, op weg naar de laatste rustplaats waarvoor de epitaaf op een brok natuursteen al gegraveerd werd, zodat later alleen de sterfdatum eraan toegevoegd hoefde te worden. Nog eenmaal zou hij de aandacht van de stad trekken met zijn opmerkelijke stoet. Nee, tweemaal!

In de afgelopen maanden had hij onophoudelijk over de begrafenis nagedacht. Hoe zou de ceremonie in de kerk moeten verlopen? Zou hij een rouwclown uitnodigen? Dat was een noviteit. Wilde hij bloemen? Waar zou hij opgebaard worden? Hoe moest het graf ingericht worden? Wilde hij een speeldoos op het graf, die elk jaar op zijn verjaardag zachtjes een liedje speelde?

Talrijke zakelijke vragen waren aan de orde geweest. Rogier had met verschillende personen overleg gevoerd. Het emotionele aspect was feitelijk niet aan de orde geweest. Misschien waren de voorbereidingen ook een vlucht daarvoor. Hij was nooit iemand geweest die zijn emotie openlijk uitte. Alles moest met perfectie nagestreefd worden. Zijn veiligheid was ermee gemoeid.

De bebouwde kom liet hij achter zich op de plaats, waar in zijn gedachten de denkbeeldige Onze-Lieve-Vrouwepoort had gestaan en waarvan alleen het cirkelvormige fundament van een toren restte. Rogier stak de dijk over en ging het Vrouwepoortpad op, dat onder de dijk langs naar "Veerhuis" en veerpont voerde. Rechts van hem zag hij achter de dijk de torenspits van de kasteelruïne Duurstede boven het geboomte uitsteken. Een fraai gezicht temidden van het uiterst traag bruin verkleurende herfstloof. Links stroomde de Lek onvoorstelbaar zwijgzaam, maar gestaag, door, terwijl het Wijkse veer geduldig wachtte op reizigers om overgezet te worden. En zo pendelde het veer al sinds mensenheugenis en onafgebroken, al voordat Wijk bij Duurstede in 1300 haar stadsrechten verkregen had. Het symboliseerde voor hem de eeuwigheid, die hem wachtte. Op een dag, die niet ver meer was, zou hij de rivier overgezet worden die dit leven van het onbekende hiernamaals scheidde. Maar dan was er geen weg meer terug.

Op tweederde van het pad passeerde hij het gedenkwaardige gedicht van Marsman, gebeiteld op een brok natuursteen. Een toepasselijk stuk poëzie op de rand van het stroomgebied. *Denkend aan Holland zie ik brede rivieren traag door oneindig laagland gaan...*

Net zo zeker als het water zijn weg naar de zee vond en de veerpont de oversteek waagde, zo zeker vloeide het leven uit hem weg. Met de krachten die hem restten, bereidde hij zich zo goed als mogelijk op de laatste grote dag van zijn bestaan voor. Rogier had zich geprobeerd voor te stellen hoe het zou zijn. In zijn geestesoog zag hij de elegante rouwkoets, gevolgd door de rouwstoet, die stapvoets de weg vond van zijn huis naar de kerk voor de herdenkingsdienst. Zou hij zelf bewust zijn van dat moment? Zou hij als een geest boven zijn kist zweven en zien hoe een ieder zijn dood verwerkte? Bij wie zou hij oprechte rouw ontdekken? Bij wie onverschilligheid? En wie zou achteraan sluipen, met de gefluisterde hoop in de erfenis te delen?

In zijn enthousiasme een beeld te krijgen van die grote dag was hij zo in de ban geraakt, dat geleidelijk het idee van een generale repetitie was ontstaan. Een dag waarop de begrafenis geoefend zou worden. De uitvaart zou een groots evenement worden en waarom zou hij als belangrijkste exponent daarvan geen voorproefje krijgen? Hij betaalde immers!

Het had heel wat voeten in de aarde gehad zijn uitvaartondernemer van dit plan te overtuigen. De politie die de stoet moest begeleiden, had verbaasd gereageerd. En zelfs de dominee had weinig gevoeld voor een stukje theater dat tot in zijn kerk opgevoerd zou worden. Maar Rogier van Middelstum was bloedserieus. Met de overtuigingskracht van het geld zou hij zijn zin krijgen. Alleen de kerkdienst zelf had de geestelijke pertinent geweigerd.

Op dinsdag 8 oktober zou de generale repetitie plaatsvinden. Hoogst ongebruikelijk, had de begrafenisondernemer bij herhaling gezegd. Rogier van Middelstum kon niet wachten!

-

Vrijdag 4 oktober 15.25 uur
Karin Ruitenberg zat met een groot dilemma. Ze was innerlijk verdeeld. Terwijl de dominee haar in zichzelf gekeerde gezicht afwachtend bekeek, draaide ze ongemakkelijk op de stoel die hij haar aangeboden had. Dat er iets moest gebeuren, stond als een paal boven water. Maar wat? Eén foute beslissing kon fataal zijn.

's Ochtends was ze bij haar goede vriendin Mignon van Elshout geweest. Ze kende haar al sinds hun tijd op de lagere school, in Lunteren. Toen waren ze al onafscheidelijk geweest en hadden ze geen hartsgeheimen voor elkaar gekoesterd. Mignon was een vrolijke jonge meid geweest die met een haast romantische kijk in het leven had gestaan. Hoewel de jaren hen in geografisch opzicht steeds verder uit elkaar gedreven hadden, was het contact gebleven. Pas recentelijk was de vriendschap opgebloeid, nadat Mignon uit haar vorige woonplaats Landsmeer naar Driebergen was verhuisd door haar tweede huwelijk, met Rudolf van der Zwan.

Haar eerste huwelijk met een allochtone man van wie

Karin de naam allang vergeten was, had een nare nasmaak achtergelaten. Mignon had hem in een chique nachtclub leren kennen. Karin wist alleen dat hij uit een land in het Midden-Oosten kwam. Hij leek eerst geweldig. Een beminnelijke buitenlander die wist wat hoffelijkheid tegenover een dame was. De romantisch ingestelde Mignon was daarvan wel gecharmeerd, tot ze door hem in de kou gezet werd, omdat bleek dat zij geen kinderen kon krijgen. Dat was voor hem kennelijk belangrijker dan haar welzijn. Hoewel het niet eens zeker was of de kinderloosheid aan haar te wijten was, had het haar in een diepe afgrond vol depressieve gedachten gestort, met een gedwongen opname in een psychiatrische kliniek als dieptepunt. Tot op de dag van vandaag was ze bij verschillende therapeuten in behandeling die haar zielenleven herhaaldelijk doorspitten.

De Driebergenaar Van der Zwan was jaren later in haar leven gekomen. Ze waren getrouwd, hoewel zij weigerde zijn achternaam te dragen. Een resultaat van haar eerdere huwelijk. Het gevolg van het tweede huwelijk was haar verhuizing naar Driebergen. Aangezien Karin zelf in Veenendaal was komen wonen, was de te overbruggen afstand zo verkleind, dat ze elkaar om de haverklap opzochten.

Door de jaren heen was Mignon wel enorm veranderd. Van haar vroegere vrolijkheid was weinig over. Ze was als een gekneusd vogeltje geworden, zo bang was ze verkeerde keuzes te maken die haar later zouden kunnen opbreken. Karin moest denken aan het pimpelmeesje dat laatst de vergissing beging een glazen ruit voor lucht aan te zien. Het diertje had de botsing overleefd. Het had enige tijd versuft op de grond gezeten, amper begrijpend wat hem was overkomen en bang weer dezelfde fout te maken. Zo beursgeslagen was Mignon ook. Geen wonder na zo'n rampzalig huwelijk!

Rudolf leek wat dat betreft uitstekend bij haar te passen. Karin kreeg de indruk dat hij een attente en hulpvaardige man was. Het enige negatieve dat op zijn conto kwam, was zijn natuurlijke drang tot dominantie. Maar Mignon kon daar meestal goed mee leven, omdat hij haar moeilijke beslissingen uit handen nam, waar ze anders dagenlang tegenaan gehikt zou hebben. Zo was de Mignon van vroeger zeker niet! Ze was ook een stuk minder mededeelzaam dan vroeger.

Dat was vanochtend nog eens gebleken.

Terwijl ze in de opgeruimde woonkamer hadden zitten babbelen over van alles en nog wat, was haar vriendin opgestaan om iets fris in te schenken. Karin had al opgemerkt dat ze haar hoofd niet bij het gesprek had. Als ze een grapje maakte, was te zien dat Mignons ogen niet lachten. Voortdurend reageerde ze afwezig, waardoor duidelijk was dat ze door grote zorgen gemangeld werd.

"Wil je jus d'orange?", had ze gevraagd, nadat ze een pak van het sap uit de kelder had opgediept. Ze hield het in de lucht.

"Graag."

Mignon van Elshout was naar de servieskast gelopen en had twee wijnglazen gepakt en op tafel neergezet. Toen ze Karin wilde inschenken, gebeurde het. Ze goot een flinke scheut jus d'orange naast het glas en raakte een moment daarna helemaal in paniek.

"Blijf zitten, dan maak ik het schoon", had Karin direct aangeboden.

Ze was naar de keuken gelopen om enkele tellen later met de keukenrol terug te keren. Het zure, oranje vocht lag in een plas op de zware eikenhouten salontafel, om zich in de lak vast te bijten. Met doelgerichte bewegingen had Karin het weggelekte vocht bijeengeveegd, terwijl het papier het onmiddellijk absorbeerde. Ze vermoedde dat de problemen waar haar vriendin mee zat, niet zo eenvoudig op te lossen waren.

"Ik ben geloof ik niet mezelf vandaag", had Mignon zich

vervolgens verontschuldigd.

Ze was met een zucht in haar stoel weggezakt en liet een hand op haar voorhoofd rusten, alsof ze last van migraine had. Haar van de zenuwen ingevallen wangen zagen grauw.

"Eigenlijk had ik je willen afbellen."

Ze had het niet gedaan. Karin begreep dat dit het gevolg was van haar gebruikelijke besluiteloosheid. Vervolgens had ze een sigaret opgestoken. De eerste van vele. Een gewoonte die ze onlangs opgepakt had. Haar hele leven had ze niet gerookt, ook niet tijdens haar tijd in het psychiatrische vangnet. Dat verwonderde Karin.

"Zo," had Karin Ruitenberg gezegd, nadat het karweitje geklaard was en ze weer op haar stoel plaatsgenomen had, "en nu vertel je mij wat er mis met je is."

Mignon had niets achtergehouden. De ontvoering was voluit ter sprake gekomen.

Ze had niet gevraagd of zij, Karin, de politie wilde inschakelen. Ze was duidelijk teruggeschrokken bij de gedachte aan dergelijke slagvaardigheid, bang als ze was een fout te begaan. Sindsdien zat Karin met het dilemma in haar maag gesplitst. Direct naar de politie stappen, had ze ook niet gedurfd. Daarom had ze bij de dominee haar toevlucht gezocht.

Nu ze echter bij de geestelijke op de bank zat, bekroop haar dezelfde twijfel als waardoor haar jeugdvriendin geplaagd werd. Een mensenleven was in gevaar.

Gelukkig wachtte de dominee geduldig af tot ze zover was om haar woordje te doen. Ze had hem bij haar thuiskomst gebeld, of ze langs kon komen. Aangezien ze niemand anders had om haar zorgen mee te delen – ze was ongetrouwd – was ze vaker aangewezen op het luisterend oor van haar begripvolle dominee, een grijze man die zijn emeritaat binnen handbereik had.

Wat bijzonder zwaar op Karins gemoed rustte, was dat de

man van Mignon duidelijk te verstaan had gegeven de politie niet in te willen schakelen. Als de dominee haar aanraadde om naar de politie te gaan en Floris overkwam wat, dan zou dat haar mede door Rudolf aangerekend worden. Wat dat betreft, kón ze haar hart niet luchten. Nu twijfelde ze al net zo erg als haar vriendin.

Ze deed verslag van haar gesprek met Mignon van Elshout zonder namen te noemen. Dat leek haar vooralsnog het beste. Ze schetste haar dilemma, terwijl de dominee aandachtig luisterde. Haar intuïtie zei haar, dat de politie ingeschakeld moest worden, hoewel ze daarvoor terugdeinsde.

'Mijn vriendin is ten einde raad', vertelde Karin ten slotte. 'Haar man is vanochtend gewoon naar zijn werk gegaan alsof er niets aan de hand is, ook al hebben ze vannacht geen oog dicht gedaan. Zij zit alleen in huis en durft niet weg te gaan. Ze is bang dat ze in de gaten gehouden wordt. Ook is ze bang dat de ontvoerder weer belt.' De vrees bestond dat ze weer in de kloof van vroeger terug zou vallen. Haar psychische gesteldheid was labiel. Het ene moment leek de oude Mignon op te leven, het andere vertrok haar gezicht verbitterd en stond razernij slechts om de hoek te wachten om zich volop te manifesteren.

De dominee knikte begripvol, maar nam nog niet het woord. Ze zag in zijn ogen dat hij wist dat ze meer op haar hart had.

Karin vervolgde: 'Haar man lijkt zich niets om de ontvoering te bekommeren. Hij wil het losgeld betalen en zolang de ontvoerders niet bellen, is hij niet van plan iets te ondernemen. Hij wil de politie er niet bij hebben uit angst dat zijn zoon iets overkomt.'

'Een begrijpelijke angst.'

'De daders hebben gedreigd met moord als er geen losgeld betaald wordt. Maar ze kunnen hem evengoed vermoorden, ook als ze het geld gekregen hebben. Want hun slachtoffer is de kroongetuige.'

'U denkt dat de politie misschien iets kan ondernemen om dat te voorkomen?'

Karin Ruitenberg knikte. 'Vindt u niet dat de politie ingeschakeld moet worden?' Ze hoopte dat de dominee het met haar analyse eens zou zijn. Het zou een geweldige steun in de rug zijn.

'Als de ouders het niet willen,' sprak hij peinzend, 'kunt u weinig beginnen. U zou uzelf in problemen brengen.'

'Ik heb de indruk dat mijn vriendin het wel wil, maar dat ze het vanwege haar man niet aandurft. Ze wil geen fouten maken.'

De dominee stond op en beende met de kin op de borst en de handen op de rug de zitkamer van de pastorie op en neer. Zijn gezicht was betrokken. Al wikkend en wegend leek hij tot een oordeel te willen komen. Uiteindelijk nam hij met een diepe zucht plaats op zijn stoel.

'Kent u Petersen? Bram Petersen?'

Karin schudde het hoofd.

'Hij werkt bij de recherche. Zijn vrouw zit in de diaconie van onze kerk. Ik ken hen beiden. Van hem weet ik zeker dat hij wil helpen, en hij is discreet. Ik kan hem vanmiddag opzoeken om te horen hoe hij erover denkt. Daar kan niets in steken, want ik ken de namen van de betrokkenen immers niet. Als hij mij verzekeren kan dat de politie met uiterste discretie te werk zal gaan, is het dan een goed idee dat u uw vrienden benadert met dat aanbod?'

'Oh, heel graag, dominee', was de dankbare reactie. Dit was een oplossing.

-

Vrijdag 4 oktober 16.05 uur

Hoewel ze voor die middag ingeroosterd stond, had Claire Huisman afgebeld. Haar vriend was weg. Onder deze omstandigheden kon ze onmogelijk haar werk doen. Toen ze haar baas belde, had ze om de waarheid heen moeten draaien. Ze had gezegd dat Floris ernstig ziek was geworden en dat er niemand anders was om voor hem te zorgen. Dat had ze gisteravond ook tegen hem gezegd. Wat haatte ze het om te moeten liegen! Ze was gek op haar werkgever, want hij was altijd belangstellend en juist dát werd haar op dit moment teveel.

Na het telefoontje met de ouders van Floris was ze naar Doorn gereden waar ze de witte Volvo op de parkeerplaats had aangetroffen. Het was waar. Floris was ontvoerd. De waarheid had haar hevig aangegrepen. Op de parkeerplaats had ze angstig om haar heen gekeken, alsof ook zij gevaar liep. Misschien werd ze in de gaten gehouden.

Claire was naar huis gereden en had niets anders gedaan dan huilen. De hele nacht door. Ze kende Floris nu twee jaar. Bij de kennismaking werkte ze in een chauffeurscafé, waar Floris regelmatig kwam. Zo waren ze bevriend geraakt. Ze gingen vaak stappen en toen hij een huis in Maarsbergen kon krijgen, was het vanzelfsprekend dat ze bij hem introk.

Waar was hij nu?

Het idee dat ze de daders misschien ooit ontmoet had, liet haar niet los. Ze wist dat haar vriend niet het type was dat geboren was voor werkdagen van negen tot vijf, met een gedwongen verblijf op de achtste verdieping van een kantoorgebouw. Hij had een baantje, maar daar kon hij onmogelijk de woning van bekostigen waarin ze zaten. Zover zij wist, was er niet eens een hypotheek.

Bij het stappen had ze vele van zijn obscure vrienden ontmoet. Louche types die van het vriendelijkste soort leken als je geld had. En dat had Floris. Hoe kwam hij eraan? In elk geval kwam het niet van zijn vader. Die was nog te gierig om voor zijn vrouw een nieuwe auto te kopen. Er moest iets zijn dat het daglicht niet kon verdragen. Toch wist Claire dat niet zeker. Ze had zich er altijd afzijdig van gehouden. Dit was een vorm van gemakzucht, want zijn materiële voorspoed kwam haar ook goed uit. Het verzamelen van ivoren beeldjes was haar grote en kostbare hobby. Floris gaf haar regelmatig geld om iets te kopen, dat ze in een antiekwinkel had gezien. Hoe hij aan het geld kwam, had haar onverschillig gelaten. Nu het relevant was het te weten, moest ze constateren dat ze bijna niets wist van de dubieuze handeltjes van haar vriend.

De angst bekroop haar dat er meer achter de ontvoering zat dan zich liet aanzien. Was een van de louche vriendjes uit op meer dan alleen het geld, waarmee Floris' rijke vader over de brug zou komen? Een persoonlijke genoegdoening? Een poging om Floris te vernederen? Maar waarom dan? Van haar gebruikelijke optimisme was geen spoor meer over.

Wist ze maar meer!

De telefoon begon te piepen.

'Met Claire', antwoordde ze en het klonk trillerig van spanning. Ze had een man aan de lijn.

'Kan ik Floris van der Zwan spreken?' De stem had een zakelijke toon, en tegelijk bespeurde ze een ondertoon die haar niet beviel. Was dit een van de ontvoerders die erachter wilde komen of er ruchtbaarheid aan de ontvoering werd gegeven? Daar was de vader van Floris zo bang voor, dat ze nauwlettend in de gaten werden gehouden. Die gedachte had ze zoveel mogelijk uit haar hoofd willen bannen, maar nu drong zij zich toch aan haar op.

Ze probeerde de ongerustheid in haar stem te mijden, toen ze zei dat hij er niet was.

'Ik heb zijn vriendin aan de lijn, toch?'

'Ja?'

'Hij is er niet, hè? En hij komt voorlopig ook niet, toch?'

Dit was iemand die meer wist. Ze verbaasde zich over de woordkeus van de ander, alsof hij naar de ontvoering hengelde. Het bevestigde de gedachte, dat ze een van de ontvoerders aan de lijn had. Dus toch een test van haar loslippigheid? Als ze nu iets verkeerds zei, zou dat onmiddellijk de dood van Floris tot gevolg kunnen hebben.

'Ik weet niet waar u het over hebt.' Ze bedacht zich dat de ander zijn naam nog niet genoemd had. 'Wie heb ik aan de lijn? En kan ik een boodschap achterlaten?'

'Losgeld?'

'Dat krijgen jullie. Als jullie Floris maar niets doen!'

'Het volledige bedrag moet betaald worden.'

'Een miljoen.' De man werkte haar op de zenuwen. Tegelijkertijd was dit haar kans om hem te zeggen haar vriend geen kwaad te doen. 'Oh, doet u hem alstublieft geen kwaad.'

De ander verbrak de verbinding.

Hoofdstuk 4

Vrijdag 4 oktober 17.15 uur
Sinds juli 2002 had politiedistrict Heuvelrug een nieuw districtsbureau in Veenendaal. Het verzorgingsgebied van district Heuvelrug bestond uit de gemeenten Veenendaal, Rhenen, Amerongen, Leersum, Doorn, Maarn en Wijk bij Duurstede. Het nieuwe pand in het centrum van Veenendaal was al in gebruikgenomen, maar de officiële opening moest nog plaatsvinden.

Aan het eind van de middag zat rechercheur Bram Petersen in het kantoortje van zijn meerdere, districtschef Theo Griesink. Nog geen halfuur eerder was hij telefonisch door Magda, zijn vrouw, naar huis geroepen in verband met de onverwachte komst van dominee Schippers van hun kerkelijke gemeente.

Terug op het politiebureau waren de meeste collega's naar huis. Het was immers vrijdag en wie geen dienst had, wilde genieten van een lang vrij weekend.

Het verbaasde Petersen daarom toen bleek dat de districtschef nog wel aanwezig was. Dat was ongebruikelijk. Het kwam evenwel goed uit. Hij wilde met Griesink overleggen over de te volgen stappen.

Zonder omhaal van woorden legde Petersen op vlakke toon uit wat Schippers hem verteld had.

'Dus het gaat om een ontvoering?'

Griesink leunde met zijn armen zwaar op het bureaublad, dat onder het enorme gewicht van zijn bovenlichaam kreunde. Het was allang geen zomer meer, maar in het kantoortje van de districtschef was het altijd warm. Eigenlijk was het kantoortje niet van hem. In het nieuwe districtsbureau waren alleen gezamenlijke werkruimten met flexibele werkplekken en zogeheten "cockpits". Dit was een van die cockpits, een kamer waar een agent alleen en ongestoord kon werken. Maar sinds de ingebruikneming had men stilzwijgend aanvaard dat Griesink deze kamer alleen voor zichzelf gebruikte.

Het gezicht van de districtschef zag er ongezond grauw uit, terwijl zweet op zijn voorhoofd glom. De thermostaat kon best lager afgesteld worden, maar op dat idee scheen hij nooit te komen. Het was een overdreven zucht naar behaaglijkheid, die resulteerde in de geur van zweet in een toch al benauwd kantoortje. Geen wonder dat de collega's deze cockpit meden.

Hij was tien jaar jonger dan Bram Petersen die de vraag bevestigend beantwoordde. Maar door zijn stevige postuur was zijn lichamelijke conditie in alle opzichten slechter, waardoor hij volstrekt ongeschikt was voor het van tijd tot tijd inspannende werk van de ander. Soms leek Griesink net een dikke pad op een stoel, waarbij de vette onderdelen van zijn lichaam het zitvlak van de stoel aan alle kanten overkapten. Een stoel die hij zelden verliet, tenzij hij naar huis ging of een vergadering had.

Ook zijn ongezonde levensstijl was debet aan zijn abominabele conditie. Bijna onafgebroken smeulde er een sigaar op de asbak schuin voor hem op het bureau. Een zakje met vette nootjes voorzag in zijn onverzadigbare behoefte aan tussendoortjes.

Toch was het leeftijdsverschil tussen de twee – die elkaar al vijftien jaar kenden – goed te zien. Bram Petersen had bijna al zijn hoofdharen verloren en de haren die hij nog wel had, waren slechts millimeters lang, zodat hij van een afstandje kaal leek te zijn. Elke ochtend als hij zichzelf in de spiegel bekeek, had hij het idee dat er nog minder haren over waren dan de dag ervoor en dat de diepe groeven in zijn verweerde gezicht zich uitbreidden.

'Hebben we al eens eerder een geval van ontvoering meegemaakt?'

'Niet in mijn tijd', verklaarde de rechercheur in alle eerlijkheid. Wel een korte gijzeling maar dat was anders. Na een wilde achtervolging was die ergens in de bossen bij Austerlitz tot een goed einde gekomen, in elk geval voor de gegijzelde. Ronald Bloem, de vaste assistent van Petersen, was neergestoken maar had het overleefd.

De districtschef kauwde op een paar nootjes, terwijl hij nadacht. Een druppel zweet trok een zilt spoor van wang naar onderkin om ten slotte in een plooi te verdwijnen. Vervolgens nam hij nog een trekje van de sigaar en blies de rook schuin de hoogte in.

'Dus we hebben geen ervaring. Geen know-how hoe we zoiets moeten aanpakken.'

'De kwestie ligt zelfs moeilijker', drukte Petersen hem met de neus op de feiten. 'We weten niet eens of de ouders van de ontvoerde jongeman willen, dat wij ons ermee bemoeien. De vader van de ontvoerde zou als de dood zijn dat zijn zoon iets overkomt. Heel begrijpelijk.'

'Als dat waar is, moeten we de wens respecteren', vond Griesink, terwijl hij de sigaar weer op zijn plaats legde.

Bram Petersen was het met hem eens. 'Maar zelfs dan kunnen we wel onze voelsprieten uitgestoken houden. In dat geval moeten we wel meer weten. Namen bijvoorbeeld.'

'Heeft de ontvoering in ons district plaatsgevonden?' Kennelijk hoopte de districtshef dat de beslissing hem uit handen genomen zou worden door een korps met meer ervaring.

'Dat is onbekend. De vrouw die dominee Schippers benaderd heeft, komt uit Veenendaal. Maar dat zegt niets over haar vrienden.'

'Het is een delicate zaak', sprak Griesink met een zorgelijk gezicht.

'Dat is het.'

'Denk je dat de ontvoerders gevaarlijk kunnen zijn?'

'Dat is onmogelijk om in dit stadium te zeggen. Wat ik

weet, heb ik via de dominee gehoord, en die heeft het uit de tweede hand. Maar als de daders professionals zijn, dan hoeft de persoon die ontvoerd is niets te vrezen, zolang de ouders aan de wensen van de ontvoerders tegemoet komen.' Petersen had zich ooit in de vakliteratuur over dit onderwerp verdiept.

'Dus dan is de ontvoerde persoon veilig?'

Zo eenvoudig was het niet te stellen. 'In zo'n geval zou onze betrokkenheid een gevaar op kunnen leveren. Maar pas als de ontvoerders zich in het nauw gedreven voelen. De ontvoerde persoon is hun kip met gouden eieren en de professionals zullen hem zo goed mogelijk bewaren. Maar een professional deinst er niet voor terug bedreigingen uit te voeren. Anders is dat met amateurs.'

'Oh?'

'Dan weet je het nooit. Ze zijn onvoorspelbaar. Sommige amateurs zullen het niet aandurven om een moord te plegen. Ze willen wel gemakkelijk aan geld komen, maar bloedvergieten is een stap te ver. Maar er zijn ook amateurs die nergens voor terugdeinzen. Er zijn gevallen bekend van ontvoerders die al bij het minste of geringste teken tot het uiterste gaan, vooral als ze nerveus worden. In dat geval kan het slachtoffer al dood zijn. Het kan ook om een gestoorde dader gaan, een eenling, zoals bij de ontvoering van Gerrit Jan Hein.'

'Die vermoordde Hein dezelfde dag!'

'Dat is juist.'

'En,' vroeg de districtschef, terwijl zijn hand zich weer naar de sigaar uitstrekte, 'de ontvoerders in ons geval hebben gedreigd met moord als wij erbij betrokken raken?'

'Dat heb ik zo begrepen.'

'Dit bevalt me niet, Bram. Dit bevalt me van geen kant!'

'Je wilt dat we ons afzijdig houden?'

Griesink schudde het hoofd. 'We zullen uiterst omzichtig te werk moeten gaan. Vertel voorlopig aan niemand van deze kwestie. Zelfs je vrouw niet.'

'Magda is al op de hoogte.'

'Verder wil ik dat niemand ervan weet. Ik wil eerst dat je de ouders zo omzichtig mogelijk benaderd. Als zij ermee instemmen, zal er een discreet onderzoek ingesteld worden. Onze armslag zal wel beperkt blijven om uitlekken te voorkomen. Ik geef je alleen toestemming om je collega Bloem erin te betrekken. Voorlopig niemand anders, is dat duidelijk, Bram?'

Petersen knikte.

'Verzeker de ouders van onze discretie.'

-

Vrijdag 4 oktober 18.00 uur

In het oude districtsbureau had Bram Petersen een klein kantoortje gehad, dat hij met zijn collega Ronald Bloem deelde. In het nieuwe gebouw maakten ze gebruik van een van de grote werkruimten. De ruimte waar rechercheur Petersen meestal zat, deelde hij met vijf collega's. Van de vijf was alleen Steven Bosma aanwezig. Hij was ongetrouwd, had momenteel geen vriendin en hoewel hij het weekend vrij had, was zijn aandacht gevestigd op het papierwerk dat de nasleep van een rechercheonderzoek vormde. Hij vond het niet erg om een paar uur over te werken om de zaken op orde te krijgen, zodat de nieuwe week met een schone lei kon beginnen.

De financiële aspecten van het onderzoek kregen zijn aandacht in het bijzonder. Het was pittige kost die aan de andere collega's niet besteed was. Terwijl zijn rechterhand over zijn kaalgeschoren hoofd gleed, waar de puntjes van de haren al boven de huid probeerden uit te groeien, concentreerde Bosma zich op het werk.

Hij werd gestoord door het piepen van de telefoon op zijn bureau.

'Steven? Met Peter.' Het was de stem van de Peter van den Boom die achter de balie dienst had. 'Zijn de anderen al naar huis, ook Bram?'

'Bram moet er nog zijn. Hij is met Griesink in conclaaf. Moet ik ze storen?'

'Laat maar zitten. Ik heb iemand voor je aan de lijn. Zal ik doorverbinden?'

'Wie is het?', wilde Bosma weten.

'Iemand van de pers', vertelde Van den Boom. 'Hij wil nadere inlichtingen die ik hem niet kan geven. Weet jij iets van de zaak Van der Zwan?'

'Het zegt mij niets.'

'Zal ik hem afpoeieren of wil je hem spreken?'

'Verbind maar door. Ik zal eens horen wat die vent te zeggen heeft.'

Er klonk een klik en daarna hoorde Bosma iemand zwaar ademhalen.

'U spreekt met Ricardo Peek, *Utrechts Nieuwsblad*.' Hij zweeg een ogenblik om de mededeling aan de andere kant te laten doordringen. 'Mij kwam een gerucht ten gehore van een zaak die jullie onder behandeling zouden hebben. De zaak Floris van der Zwan.'

'De naam zegt mij niets, sorry', sprak Steven Bosma naar waarheid.

'Hij is gisteren ontvoerd na een bezoek aan de Albert Heijn in Doorn.'

'Bij ons is daar niets over bekend.'

'Jullie hebben de zaak niet in behandeling?' De stem klonk verwonderd.

'Juist.'

'Of wilt u er geen mededelingen over doen in verband met de gevoeligheid van deze zaak?'

Vrijdag 4 oktober 19.50 uur

Op het voorstel dat Petersen aan de vriendin van Karin Ruitenberg had gedaan, was met dankbaarheid gereageerd. Binnen een halfuur nadat hij de dominee op de hoogte had gebracht van het gesprek met Griesink, stond het vast dat Petersen in Driebergen welkom was. Hij kreeg de naam en het adres waar hij moest zijn. Maar Petersen besloot zich niet door zijn vaste assistent Ronald Bloem te laten vergezellen. Twee onbekende mannen die bij hetzelfde adres aanbelden, zouden opvallen.

Onderweg naar Driebergen was hij naar een bloemisterij gegaan om een prachtige bos anjers te kopen. Met die bos in de hand, belde hij aan bij een villa aan de Welgelegenlaan in het plaatsje aan de voet van de Utrechtse Heuvelrug. Het was inmiddels donker. Zijn horloge gaf aan dat het vijf voor acht was.

Terwijl hij wachtte, keek hij rond. Hij stond onder een overkapping en daarom liep hij terug om de voorgevel te kunnen zien. De gordijnen waren gesloten. Gluurde er iemand angstvallig door de gordijnen? Er bewoog iets.

Bram Petersen belde nog een keer aan. Hij vroeg zich af wat hij binnen zou aantreffen. De ouders moesten doodsbang zijn over wat er met hun zoon kon gebeuren. Het was niet hetzelfde, maar Petersen moest denken aan zijn jongste zoon die onlangs als sergeant met zijn eenheid naar Afghanistan was gestuurd. Ook daar waren mensen ontvoerd, door de Taliban of door bandieten die zich wilden verrijken. Vooral Magda liet regelmatig blijken dat zij grote zorgen had over hun zoon Richard. Ook hij maakte zich zorgen, hoewel hij dat meestal niet liet merken. Maar hij kon er soms wel van wakker liggen, zeker als ze een tijdje niets van hun zoon hadden gehoord. Wat maakte Richard daar door? Hoeveel gevaar liep hij?

Met de bloemen in de hand draaide Petersen om zijn as,

alsof hij ongeduldig was. Maar dit was slechts een onderdeel van de afspraak. Pas bij de vierde keer bellen zou ze opendoen.

De vrouw die in de deuropening verscheen, werd door de Veenendaalse rechercheur iets ouder dan vijfendertig geschat. Ze was gekleed in een zwart topje en een witte stretchbroek. Haar lange, donkere haar rustte losjes in een staart op haar rug. Haar roodgelakte lippen waren stevig op elkaar geperst en de algehele indruk die ze maakte, gaf aan dat ze gespannen was. Een verbitterde trek om haar mond tekende haar magere gezicht, maar toen ze Petersen zag, kwam er een opgewekte uitdrukking op haar gezicht.

'Oom Bram!', riep ze verheugd.

Haar stem moest goed in de buurt te horen zijn. Dit was afgesproken. Hij was de broer van haar moeder die ze jaren niet gezien had, en ze speelde haar rol overtuigend. Ze had zich voorbereid of ze was een geboren toneelspeelster.

'Ik had u niet verwacht.'

'Mignon! Ja, ik wilde je eens verrassen.'

'Oh', verzuchtte ze sprakeloos.

Hij bood haar de bos aan en drukte vervolgens drie kussen op haar wangen. Haar lippen kusten de zachte avondlucht. Wat een vertoning!

'Jij en Rudolf wonen prachtig', complimenteerde hij haar beleefd. 'Ik had al veel eerder moeten komen. Ik kom toch niet ongelegen?'

'Om eerlijk te zijn, wel.' Haar oude uitdrukking keerde onmiddellijk terug. 'Maar ik heb u al zo lang niet meer gezien. Komt u alstublieft verder. Ik ben een beetje ziek.'

Hij stapte de hal binnen. De voordeur werd gesloten en daarmee hield de vertoning op.

'Dank u dat u gekomen bent', sprak ze nu timide.

Ze ging hem voor, de woonkamer in. Het was een ruim ingerichte ruimte met een houten trap naar de bovenverdieping. Doordat het plafond van donker, gelakt hout was, en de vloer donker geplaveid, was het contrast met de witgesauste muren groot.

Petersen zag dat ze wat gebogen liep, terwijl haar voeten over de geplaveide vloer sleepten. Ze was duidelijk bezorgd en de reden van haar bezorgdheid bracht ze naar voren, terwijl ze de woonkamer binnengingen. Ze liep door naar de open keuken aan de achterkant van het huis.

Het viel hem op dat haar man niet aanwezig was. Hij keek rond.

'Rudolf is er niet', vertelde ze, waarbij ze de bos anjers op het aanrecht legde. Ze nam een emmer uit het kastje onder het aanrecht vandaan en liet hem met een krachtige straal uit de kraan halfvol lopen. Daarna zette ze de bos erin. Hij zag dat haar handen trilden. 'Hij is nog op zijn werk in Utrecht. Hij is directeur van de logistieke dienst van een handels-onderneming in farmaceutische producten. Soms denk ik dat zijn werk gewichtiger is dan de echt belangrijke dingen in het leven. Hij werkt over. Ik heb hem wel van uw komst op de hoogte gebracht, zodat het niet rauw op zijn dak komt. Maar ik heb niet gezegd dat u van de politie bent.'

'Wat hebt u dan wel gezegd?', vroeg de rechercheur verbaasd, omdat hij verwacht had welkom te zijn.

'Dat u een oude bekende bent uit de tijd voordat ik met hem trouwde.' Vervolgens legde ze uit dat ze niet wist hoe haar man zou reageren als ze hem meteen de waarheid vertelde. Waarschijnlijk zou hij in woede ontsteken, zo was haar angst. 'Ik ben pas een jaar met hem getrouwd.'

'Dus Floris is niet uw zoon?'

'Mijn stiefzoon. Zijn moeder leeft niet meer.' Ze liepen naar het voorgedeelte van de woonkamer. Hier was een zithoek. 'Gaat u zitten, meneer Petersen.'

Hij nam plaats op een zwartlederen fauteuil bij de open haard. Zij ging tegenover hem zitten. Petersen zag dat ze niet wist welke houding ze tegenover hem moest aannemen. Ongedurig zat ze in de stoel te draaien. Het ene moment was haar houding kaarsrecht met de armen over elkaar, het andere zat ze voorovergebogen en hield ze zich aan de zitting vast.

Op zijn verzoek deed ze de hele geschiedenis uit de doeken, terwijl ze een sigaret opstak waar ze vluchtig trekjes van nam. Voortdurend stelde Petersen vragen als hem iets niet duidelijk was. Hij wilde weten hoe laat de ontvoerder gebeld had, hoe hij geklonken had en of er achtergrondgeluiden te horen waren geweest. Hoe lang het gesprek had geduurd en of zij de stem zou herkennen als ze hem weer hoorde.

Terwijl hij haar een vraag stelde, gebeurde er iets waardoor Mignon van Elshout plotsklaps zenuwachtig werd en plooien in haar broek begon te trekken. Het krassende geluid van een sleutel in het slot van de voordeur weerklonk. Haar man kwam thuis. Opeens sprong ze op om hem in de hal tegemoet te gaan.

'Is je bezoek er?', hoorde Petersen de man in het halletje vragen, nadat de twee echtgenoten elkaar begroet hadden. Het klonk onwelwillend. Dat was begrijpelijk onder de huidige omstandigheden. Bezoek kwam ongelegen en hij deed geen moeite zijn onbegrip tegenover haar te verbergen. Zelfs het bezoek mocht het horen; de deur naar de woonkamer stond wijdopen. Dat zij het in haar hoofd gehaald had iemand uit te nodigen!

Ze had heel wat uit te leggen en dat deed ze zo goed ze kon. Toen hij hoorde dat deze "oom Bram" een politieman was, stapte hij furieus de woonkamer binnen. Zijn voetstappen klotsten hard op de donkerbruine plavuizen.

'Dus jullie bemoeien zich er toch mee?', sprak hij onvriendelijk tegen de rechercheur. Rudolf van der Zwan was een forse man gehuld in een driedelig kostuum en met een hooghartige uitdrukking op zijn rood aangelopen gezicht. Het dunne snorretje dat op zijn bovenlip groeide, trilde van ingehouden woede. Hij had de armen over elkaar. Een mobieltje zat op de riem van zijn broek vastgegespt.

Bram Petersen probeerde hem te verzekeren dat hij en zijn collega's de zaak uiterst voorzichtig zouden behandelen. Tegelijk verwonderde hij zich erover dat de ander zich zo opstelde.

'Uw aanwezigheid wordt hier niet op prijs gesteld', raasde Van der Zwan. 'U kunt mijn zoon zo in gevaar brengen, beseft u dat?'

'Als u het wilt, zal ik gaan', sprak de rechercheur die zijn gebruikelijke kalmte niet verloor. Hij was opgestaan om met de ander op gelijke hoogte te komen. 'Wij, van de politie, staan u ter beschikking als u hulp nodig hebt.'

'Ik,' zei Rudolf van der Zwan, waarbij hij met een wijsvinger op zijn borstbeen tikte, 'wil dat de politie zich ermee bemoeit als het mij uit komt. Ik wil eerst Floris terug. En dan wil ik dat jullie de flikkers opsporen die hierachter zitten.'

'Alsjeblieft, Rudolf', smeekte zijn vrouw meelijwekkend. 'Het is mijn schuld.'

'Alsjeblieft, zeg, ik heb gezegd dat ik geen politie wil.'

Mignon kon de spanning niet meer aan. Petersen zag het aan haar trillende handen die ze wanhopig bijeen hield voor haar buik. Het was duidelijk dat haar beslissing, om Petersen te laten komen, niet in goede aarde was gevallen. Toch wilde ze voor alles voorkomen dat de politieman zou vertrekken.

'Wilt u soms koffie, meneer Petersen?', vroeg ze in een poging het ijs te breken. Haastig liep ze naar achteren, naar de keuken.

Rudolf van der Zwan leek in te zien dat de komst van Petersen niet meer was terug te draaien. Hij nam op de stoel plaats waar zijn vrouw eerder gezeten had. Hij legde zijn rechterbeen over de linker en vouwde zijn handen, waarbij hij de politieman vorsend aankeek. Vervolgens streek hij de haren van zijn snorretje glad.

'Hoe bent u erachter gekomen? Heeft mijn vrouw u gebeld om te komen?'

Petersen ging weer zitten. Op vlakke toon deed hij verslag, waarbij de ander voortdurend met schampere opmerkingen zijn ongenoegen liet merken. Dat Karin Ruitenberg anderen op de hoogte had gebracht, beviel hem allerminst. Die roddeltante zou het sensationele nieuws vast aan heel Veenendaal door gebazuind hebben, zei hij. De politieman reageerde daar niet op.

Nadat Mignon met koffie was teruggekeerd, nam de rechercheur weer het initiatief. Hoewel de heer des huizes hem onbuigzaam bleef bejegenen, bewaarde hij zijn kalmte. Mevrouw Van Elshout leek daarentegen opgelucht te reageren dat de rook opgetrokken was.

'Staat de auto van uw zoon nog op de parkeerplaats?'

'Nee', was haar antwoord. Ze stak weer een sigaret op. 'Claire heeft die vanochtend naar Maarsbergen gereden.'

'Het is mogelijk dat er vingerafdrukken van de dader op de auto terug te vinden zijn.'

'Ik wil niet dat u naar Maarsbergen gaat om het te controleren', reageerde haar man. 'Ik denk dat we in de gaten gehouden worden.'

'Denkt u dat?'

Hij reageerde geprikkeld. 'Natuurlijk doen ze dat. Als ik hun was, zou ik het ook doen.'

'Had uw zoon boodschappen gedaan, of werd hij al eerder ontvoerd, voor hij de winkel binnen kon gaan? Zijn er boodschappen in de auto gevonden?'

'Ik denk het niet', antwoordde Mignon. 'Claire heeft mij vanochtend gebeld toen ze uit Doorn weer thuis was. Ze heeft niet over boodschappen gerept.'

'Betaalt uw zoon boodschappen met een bankpas?'

'Altijd.'

'Dan zou ik willen natrekken of de pas gebruikt is. Als u het telefoonnummer van uw schoondochter heeft.'

'Ik wil u die alleen geven,' sprak Rudolf van der Zwan streng, 'als u belooft dat u haar niet opzoekt. Ze mag niet lastig gevallen worden door agenten aan de deur.'

'Zo u wilt.'

Mignon van Elshout nam het woord.

'Er is vanmiddag iets anders gebeurd.' Ze vertelde hoe Claire door een onbekende man, vermoedelijk de dader, gebeld was. 'Ze was helemaal over de rooie door dat telefoontje. Ze is echt doodsbang. En ze is anders altijd zo'n vrolijke, opgewekte persoonlijkheid.'

Petersen knikte begripvol. 'Dan zullen we haar heel voorzichtig moeten benaderen. Misschien zal ze er behoefte aan hebben om een tijdje onder te duiken. We kunnen haar helpen.'

'Dat is attent van u', antwoordde zij.

'Ik zou willen vaststellen door wie ze gebeld is. Hoe laat gebeurde het?'

'Omstreeks vijf uur.'

Petersen maakte hier een aantekening van. Vervolgens vroeg hij Van der Zwan naar de man die hij aan de lijn had gehad en wat hij zich van het gesprek herinnerde. Deze kon het gesprek met de ontvoerder bijna woordelijk herinneren.

'Hij zou over een week terugbellen en dan moet ik het geld naar een rekening overmaken', zei Van der Zwan ten slotte.

'Naar een rekening?' Dit verbaasde Petersen.

'Dat zei hij.'

'En u kunt dat bedrag betalen?'

'Ik heb een pakket aandelen moeten afstoten, maar dat geld heb ik nu apart gezet. Zodra die vent belt, kan ik het regelen. Ik mag aannemen dat u de daders pakt, zodra Floris vrij is en kan vertellen wat er gebeurd is. En dan kan ik het geld weer terugkrijgen.'

Wat een reden voor de daders kan zijn om Floris voor altijd het zwijgen op te leggen, bedacht Bram Petersen. Ook het feit dat het opgeven van een rekeningnummer bijna zeker zou leiden tot het achterhalen van de identiteit van de dader, kwam bij hem op. Dat was een aanwijzing dat de beller een amateur was, met alle onvoorspelbaarheid die daarbij hoorde. Maar deze onaangename gedachte sprak hij niet hardop uit. Hij keek naar het verstarde gezicht van Mignon van Elshout. Ze had zojuist haar derde sigaret opgestoken. Wezenloos staarde ze voor zich uit.

'Als de daders uw schoondochter ook gebeld hebben,' besefte de rechercheur, 'dan kunnen ze u ook eerder dan volgende week bellen. Daarom wil ik voorstellen om uw telefoon af te tappen. Ik wil dat elk gesprek met de ontvoerders opgenomen wordt, zodat de opnames geanalyseerd kunnen worden.'

'Dus dan gaat u al onze gesprekken afluisteren?' Dit vooruitzicht leek Van der Zwan totaal niet aan te staan.

'Het is in ons belang, Rudolf', benadrukte zijn vrouw.

'In principe nemen we alleen verdachte gesprekken op', verzekerde Petersen het echtpaar. 'Als u ermee instemt, komt hier een agent logeren. Zodra de daders bellen, zal het gesprek opgenomen worden. Is het een privégesprek, dan zal de agent zich afzijdig houden.'

Als de ouders niet instemmen, dacht Petersen, zijn er ook andere methodes om de lijn af te tappen. Maar dan zullen we niet zo selectief te werk gaan. Anderzijds lopen die methodes minder in het oog dan een inwonend agent.

Of Van der Zwan dit ook bedacht, was niet duidelijk, maar na enig gemor stemde hij in.

'Morgenochtend zal de agent komen. Waarschijnlijk kunt u mijn persoonlijk assistent Ronald Bloem verwachten. Voor ik ga, zou ik ten slotte willen vragen of u enkele foto's van uw zoon ter beschikking kunt stellen.'

'U gaat toch geen opsporingsbericht verspreiden?', was de geïrriteerde reactie.

Petersen schudde zijn kale hoofd. Hij probeerde kalm te blijven onder de voortdurende stekelige opmerkingen van de ander. 'U begrijpt dat wij ook willen weten hoe hij eruit ziet.'

Mignon van Elshout zocht een drietal foto's op. De meest recente was van afgelopen zomer. Floris van der Zwan bleek een hoogblonde jongeman van rond de twintig te zijn, met een slank postuur en een stoere blik in zijn ogen. Petersen noteerde alle bijzonderheden. Uiteindelijk stond hij op.

Opeens schoot hem nog een vraag te binnen.

'Wat ik me afvroeg is waarom de ontvoerders juist úw zoon ontvoerd hebben.'

'Die vraag mag u beantwoorden', was de bitse reactie van Van der Zwan. Hij was gaan staan. 'Ik weet niet wie het zijn en ik ken hun motieven evenmin, behalve dat ze geld willen hebben. Ik wil eerst mijn zoon terughebben en daarna hoop ik dat u ze te grazen neemt! Maar,' voegde hij er met geheven vingertje aan toe, terwijl zijn snorretje weer trilde, 'als u iets uitlekt voor mijn zoon terug is, dan kunt u een andere baan zoeken!'

-

Vrijdag 4 oktober 20.50 uur

In plaats van in Driebergen de snelweg op te gaan richting Veenendaal, reed Bram Petersen door het dorp naar het oostelijker gelegen Doorn, om de parkeerplaats te zien waar de ontvoering had plaatsgevonden. Aan de hand van de beschrijving die hij gekregen had, vond hij de plek waar de witte Volvo gestaan moest hebben. Dit stuk parkeerterrein grensde enerzijds aan een langgerekte, flink verwilderde tuin en anderzijds aan bouwvallige panden waarvan de meeste ramen dichtgespijkerd waren. Verderop waren winkels waarboven zich appartementen bevonden. Zou iemand iets gezien hebben? Het was toen al donker. Jammer dat hij geen buurtonderzoek kon laten verrichten. Nog niet, in elk geval.

Terug in de auto belde hij Ronald Bloem op en legde uit wat er gaande was. Zijn collega toonde zich bereid om gedurende het weekend in Driebergen te logeren om maandagochtend door Inge Veenstra afgelost te worden.

'Ook wil ik dat de antecedenten van Van der Zwan worden nagetrokken', zei Petersen voor hij de verbinding verbrak. Dit was iets dat door een andere collega gedaan kon worden.

'Waarom?'

'Gewoon, een gevoel.'

Hoofdstuk 5

Vrijdag 4 oktober 21.25 uur

De oude routine. Ronald Bloem stond in zijn slaapkamer bij de kledingkast en koos zonder al te veel nadenken wat hij mee zou nemen. Automatisch gleed zijn hand over de stapel shirts en koos er twee uit. De weekendtas stond met wijdgeopende muil op zijn bed. Onderop lagen al een spijkerbroek en sokken.

Vroeger ging hij elk weekend naar Den Helder, naar het ouderlijke huis om de vuile was te bezorgen en 's maandags schone mee te nemen. De afgelopen twee jaar had hij zijn ouders steeds minder vaak gezien, omdat hij in het weekend in Veenendaal bleef waar zijn vriendin Manuela van Tricht ook woonde. Pas de laatste tijd dacht hij erover om weer eens naar de marinestad te gaan om de zilte zeelucht op te snuiven. Alleen.

Bloem pakte een keurig gevouwen blouse van de stapel en liet hem in de weekendtas verdwijnen. Hij verwachtte niet dat er dit weekend iets zou gebeuren. De ontvoerders zouden de familie een week de tijd geven om het geëiste bedrag te vergaren. Daarom moest hij boeken meenemen, want Petersen had hem duidelijk te verstaan gegeven dat hij onder geen beding het huis van de familie Van der Zwan mocht verlaten. Het zou een vervelend weekend worden.

Opeens bedacht Bloem dat hij zijn toiletspullen niet moest vergeten en liep naar de doucheruimte.

In de spiegel zag hij dat zijn blonde haar in de war was geraakt. Terwijl hij er een kam doorheen haalde, bekeek hij zijn spiegelbeeld. Door het felle schijnsel van de tl boven de spiegel werden de eerste sporen van rimpels meedogenloos aan het licht gebracht. Op de dag af zou hij, over precies drie weken, tweeëndertig worden. Hij vroeg zich af óf hij het zou vieren.

De deurbel klonk.

Wie zou dat zijn? Het was half tien. Bloem liep naar de deur en deed open.

Hij had het kunnen weten. De koopavond was juist afgelopen en Manuela was na het sluiten van de modezaak, waar ze werkte, naar zijn appartement gekomen. Met de zoete geur van parfum glipte ze de deuropening door direct in zijn armen. Eigenlijk wilde hij niet dat ze gekomen was. Hij wist onmiddellijk wat ze ter sprake wilde brengen.

Ze begroetten elkaar alsof er niets aan de hand was. Het gelukkige stel. Hij begon een luchtig gesprek over zijn werkdag en zij mopperde over een vrouw die haar beklag had gedaan over een vlekje in haar nieuwe broekpak. Pas toen zij de halfgevulde weekendtas zag, raakte ze ontstemd. Hij had niet gezegd dat hij weg zou gaan!

'Bram heeft tien minuten geleden gebeld', zei hij ter uitleg, waarbij hij in haar bruine ogen keek. 'Ik moet invallen.'

'Oh', sprak ze, uit het veld geslagen. Ze streek haar hand over haar donkere haren en keek ontstemd naar de activiteit. Hij ging onverstoorbaar verder met het pakken van zijn bagage.

'Had hij niemand anders kunnen vragen?'

'Het is een vertrouwelijke kwestie. Hij kan het aan niemand anders toevertrouwen.'

'Waar gaat het dan om?'

'Dat mag ik niet zeggen.' Dat had Petersen expliciet gezegd. "Zeg niets tegen je vriendin."

'Jeetje, Ronald,' reageerde zij op haar teentjes getrapt, 'je had toch wel even kunnen bellen dat je dit weekend weg bent?'

Echt iets voor haar om zich daar druk over te maken. Dit begon vervelend te worden. Ze hadden bijna twee jaar verkering, maar de laatste tijd kwam de sleet in hun relatie. Zij greep de minste aanleiding aan om ruzie te zoeken, vond hij. Nou, hij had er helemaal niet aan gedacht om haar meteen te bellen.

Dat ze heel direct kon zijn, bleek ook nu weer. Omdat hij schouderophalend reageerde, merkte ze op dat hij haar de laatste weken uit de weg ging. Altijd had hij een reden om haar niet te ontmoeten. Dan weer moest hij overwerken of invallen, of er was wel iets anders. Nu had hij haar niet gebeld.

Ze sprak de waarheid. Hij ging haar uit de weg. De laatste twee maanden had hij haar slechts twee of drie keer in haar flatje aan De Palmen Grift opgezocht. Vroeger was dat wel anders geweest.

Ironisch genoeg was het allemaal begonnen doordat hun relatie zich juist verdiepte. Voor die tijd gingen ze veel stappen, naar de film en werd de relatie gekenmerkt door een oppervlakkige gezelligheid. Ze konden goed met elkaar opschieten en deelden bepaalde interesses, zoals films. Vorig jaar had hij daarom zijn verjaardag groots gevierd, met Manuela aan zijn zijde. Het was de gelukkigste tijd uit zijn leven. Hij voelde zich tot deze vrouw met haar exotische uiterlijk aangetrokken, ook al was ze zeven jaar jonger dan hij.

Beiden waren ze onafhankelijk van elkaar tot de conclusie gekomen met elkaar verder te willen. De wijze waarop, dáárover was onenigheid ontstaan. Hij wilde samenwonen en zij – vanwege haar zwaar rooms-katholieke familie die druk op haar uitoefende om "toch eens te gaan trouwen" – wilde in het huwelijksbootje stappen. Daar voelde hij niets voor, voorlopig althans. Uiteindelijk had ze hem voor het blok gezet door hém ten huwelijk te vragen.

Van de zomer waren ze naar Bonaire op vakantie gegaan, waar haar familie vandaan kwam. Hoe vaak had hij niet de vraag te horen gekregen, wanneer ze gingen trouwen? Het was om waanzinnig van te worden! Die mensen dachten nergens anders aan. De vraag was niet óf ze gingen trouwen, maar wanneer. Wanneer konden ze het grote feest verwachten? Manuela had de kwestie zelf telkens aangezwengeld.

Het had hem zo geïrriteerd, dat hij gewenst had dat hij nooit met haar naar de Antillen was gegaan.

'Heb je nog iets te zeggen over het aanzoek dat ik je heb gedaan?', vroeg ze, terwijl ze de plooitjes van haar mantelpakje gladstreek. 'Je hebt nu lang genoeg bedenktijd gehad.'

'Dat is waar', zei hij, zonder haar aan te kijken. Het was de klassieke fout.

'Dit kan zo niet doorgaan, Ronald. Ik wil duidelijkheid. Ik wil weten waar ik en mijn familie aan toe zijn.' Inderdaad, haar familie! Haar moeder spaarde vast al voor de reis naar Nederland. Ronald kon pisnijdig worden, als hij dacht dat juist haar verwanten hen uiteen gedreven hadden. Het was niet alleen haar familie, maar de waarde die zij daaraan hechtte.

Hij ontweek haar vraag tactisch door een grapje te maken over haar moeder. Zij vatte dit echter helemaal negatief op, totaal niet zoals hij het bedoeld had! Alsof hij op haar familie wilde afgeven. Dat zou hij nooit in zijn hoofd halen.

'Jeetje, Ronald, houd nou eens op met die onzin! Maar ik begrijp het al. Ik denk dat het beter is als we elkaar een tijdje niet zien.'

'Hoe bedoel je?', vroeg hij, hoewel hij haar donders goed begreep.

'Is je dat nog niet duidelijk? Als jij niet serieus kunt zijn, is het wat mij betreft over, Ronald.'

-

Zaterdag 5 oktober 16.00 uur
Kars Becker zat met ingezakt lijf op het klapstoeltje aan de Kromme Rijn die door een somber landschap van Wijk bij Duurstede naar Cothen meanderde. Na de miezerige regen van de ochtend was het eindelijk droog geworden, hoewel er

een waas boven de weilanden hing. Prima weer om te vissen. In de emmer op het kletsnatte gras naast hem bubbelde al een kleine karper.

Tevreden sabbelde hij op een lolly, gekregen van Esmée. Gisteravond had hij haar nog gesproken en de plannen uit de doeken gedaan. Ze werkte nu, zoals elke zaterdagmiddag en avond, in een restaurant in Bunnik. Doordeweeks had ze een baan op de postkamer van een grote instelling in Zeist. Dat werk gaf haar geen voldoening. Het restaurant wel.

Ze had heel verrast gekeken, toen hij haar verteld had van zijn voornemen binnenkort naar het land van haar dromen te gaan. Bij de vraag of ze hem wilde vergezellen, had ze hem begerig aangekeken. Ze had er wel oren naar om de nattigheid van Nederland definitief de rug toe te keren. Dat hij voor de reis niet gespaard had, kon zij op haar vingers narekenen, maar ze had er niets van gezegd.

Hij bofte met haar!

Hun vertrek uit Nederland begon nu vaste vormen aan het nemen. Esmée had haar Nederlandse penvriendin in Caïro gebeld die al eens gezegd had dat ze altijd welkom waren. Daar zouden ze de eerste tijd doorbrengen, tot ze een eigen appartement hadden gevonden. Vervolgens zouden ze in een van de toeristencentra een hotel kopen. Kars Becker wenste dat hij daar nu al was, maar hij moest nog enkele stappen nemen. Hij zou alle officiële papieren waarschijnlijk niet allemaal op tijd in orde krijgen. Daar moesten ze maar genoegen mee nemen.

Over de weilanden heen kon Kars Wijk bij Duurstede zien liggen, waarvan de twee kerktorens prominent boven alles uitstaken. Sinds de ontvoering waren meer dan veertig uren verstreken, en nog was niet te merken dat er naar de schuilplaats gezocht werd. Nog een reden voor tevredenheid. Het enige dat hem echt dwars zat, was dat Floris van der Zwan wist wie hij was.

Ik moet het land uit, dacht Kars Becker, voordat de politie mij kan opsporen. Met het geld dat ik verdienen zal, kan ik me dat veroorloven. Ik ga in een ander land een nieuw leven beginnen. Met Esmée.

Ondanks de kou van de regen, kreeg hij het warm

Zijn gedachten werden onderbroken door het geluid van de mobiele telefoon.

'Kars', sprak hij op gedempte toon om de vissen niet te verjagen. Zag hij de dobber even onder het wateroppervlak verdwijnen of kwam het door de zachte deining?

Hij herkende de stem van de ander. 'Maar we hadden toch afgesproken dat we ze een week de tijd zouden geven?', was zijn verbaasde reactie. 'Dus ik moet ze nog twee dagen geven? Ja, ik ken de tekst... Stond het in de krant? ... Ja, hoe eerder het afgelopen is, hoe liever het mij is.... Dus, dan is het maandag voorbij? Goed, dan koop ik de vliegtickets alvast!'

-

Zaterdag 5 oktober 16.30 uur

Ronald Bloem keek op zijn horloge. De modezaak in Veenendaal waar Manuela werkte, had een halfuur geleden de deuren voor het winkelend publiek gesloten. Dat betekende dat zij inmiddels van haar werk naar huis op weg was of misschien al thuis was. Bloem zat op het bed in de logeerkamer van de familie Van der Zwan. Zou hij haar bellen?

Hij had zich in de kamer geïnstalleerd, maar er was sinds zijn komst weinig gebeurd, terwijl zijn hoofd vol was met sombere gedachten over zijn laatste gesprek met Manuela. Door de verveling bleven die gedachten opspelen. Op het boek waarin hij bezig was, kon hij zich niet concentreren. Eigenlijk had hij spijt van dingen die hij de afgelopen maanden gezegd had. Waarom konden ze niet ouderwets gezellig met elkaar praten? Waarom moest er altijd irritatie in de gesprekken sluipen? Zij wilde met hem trouwen. Was dat niet voldoende? Waarom wilde hij dan niet? Hij begreep het van zichzelf niet. Er was een innerlijke blokkade die hij probeerde te analyseren. Maar een antwoord vond hij niet, en dat benauwde hem. Het enige dat hij zeker wist, dat alles in hem zich verzette tegen het huwelijk.

Ook het donkere weer bevorderde zijn stemming niet. Vitrage hing voor het raam, zodat hij wel naar buiten kon kijken, maar niemand van buiten hem kon zien. Maar daardoor werd het extra somber in de kamer. Het temperde het licht dat van buiten naar binnen viel. Het regende daarbuiten flink.

Bloem had op advies van Petersen de kamer op de eerste verdieping gekregen. Hij had hem op het hart gedrukt daar zoveel mogelijk te verblijven, zodat de buurt onbekend bleef met zijn aanwezigheid. Daarom was hij gekomen toen het nog donker was. De auto die hij van de zomer met Manuela had gekocht, was door een collega terug naar Veenendaal gereden.

Op een teakhouten tafeltje in de slaapkamer stond de opnameapparatuur, waarmee hij elk telefoongesprek kon opnemen. Een koptelefoon lag erbij. De telefoon had in huize Van der Zwan ook op de bovenverdieping een aansluiting. Tot nu toe was er twee keer gebeld. In beide gevallen betrof het privégesprekken.

Ondanks de verveling dacht Bloem er niet over om, tegen het advies in, naar beneden te gaan. Daar was Van der Zwan. Die stelde zich bijzonder stug op. Zo kon hij het in het begin niet laten een vijandige opmerking te maken, waarmee hij duidelijk maakte dat hij de aanwezigheid van de rechercheur slechts gedoogde. Ook kwam hij zich persoonlijk vergewissen dat de privégesprekken niet opgenomen werden.

Dat wantrouwen was niet bevorderlijk voor Bloems humeur. Vanaf het begin had hij Van der Zwan met zijn belachelijke snorretje en hooghartige gedrag niet gemogen. Nu begreep hij ook, waarom Petersen wilde dat de antecedenten van de man nagetrokken werden. Bloem kon zijn vinger er niet op leggen, maar er was iets met hem.

Meer dan negen uren waren sinds zijn aankomst verstreken. De enige afwisseling was het korte gesprek met Mignon van Elshout die om twaalf uur met een dienblad zijn lunch boven had gebracht. Met haar kon hij direct goed opschieten. Zij was ook dankbaar voor wat hij voor hen deed.

Terwijl hij de broodjes opgegeten had, was Mignon (zij had voorgesteld elkaar bij de voornamen te noemen) naast hem op het bed komen zitten en hadden ze in een sfeer van vertrouwelijkheid over de ontvoering gesproken. Het was al gauw alsof ze elkaar al jaren kenden. Zij voelde zich volkomen op haar gemak in zijn nabijheid.

Ze was duidelijk vol twijfel of het goed af zou lopen, maar had niet het gevoel dat ze er met haar man goed over kon praten. Daarom was ze zo dankbaar dat hij haar een luisterend oor bood. Hoewel zijn eigen gedachten somber waren, had hij getracht haar op te beuren, wat zij eveneens gewaardeerd had. De spanning die 's ochtends bij zijn komst nog op haar gezicht te zien was geweest, leek weg te ebben.

Zij had ook belangstellend geïnformeerd of hij een vriendin had of getrouwd was. Ze was de eerste aan wie hij vertelde dat zijn vriendin het uitgemaakt had. Terwijl hij het laatste broodje had genuttigd, had hij haar van alles op de hoogte gebracht. Ook zij bleek een luisterend oor te hebben. Ze had hem aangeraden zijn vriendin toch eens op te bellen en een eerlijk, open gesprek met haar te hebben.

Er was geen twijfel meer, hij besloot Manuela met zijn mobieltje te bellen.

Aan de bekende galm die met haar stem door de verbinding klonk, hoorde hij dat ze terug in haar flat was. Ze wist wie ze aan de lijn had, want het eerste dat ze op zeurderige toon zei, was: 'Jeetje, Ronald, ik heb je toch gezegd dat ik je voorlopig niet meer wil spreken? Waarom respecteer je mijn wens niet?'

'Kunnen we praten?' Bloem wilde uit de impasse raken. Dat begreep ze toch wel?

'Wat valt er te zeggen? We hebben alles al gezegd.'

'Ik mis je.'

Manuela ging daar niet op in.

'Kunnen we niet afspreken om ergens te gaan eten?', opperde hij. 'Maandag? Ik betaal. Dan kunnen we nog eens praten.'

'Nee, voorlopig niet.'

'Waarom niet?'

'Zal ik je zeggen wat ik ervan denk?', vroeg zij.

'Ja, dat wil ik graag van je horen.'

'Wat mij altijd bij jou opvalt, is dat je grapjes begint te maken als ik het over iets wil hebben dat jou niet zint. En...' Ze werd onderbroken. De telefoon begon in huize Van der Zwan te piepen.

'Wacht even, Manuela', zei hij. In een reflex was hij van het bed gesprongen. Hij knielde bij het tafeltje neer en zette de koptelefoon op het hoofd. Alsof er een knop in zijn hoofd omgezet was, concentreerde hij zich op het nieuwe telefoongesprek. De recorder begon te lopen.

'Wil je nu met me praten of niet?'

'Ik moet nu ophangen. Ik bel je nog terug.'

'Je bekijkt het maar!', riep ze op dat moment door de hoorn, maar zijn vinger bewoog zich al naar de toets om de verbinding te verbreken. De ontvoerder was aan de telefoon. Bloem noteerde het nummer van de plaats waar de man vandaan belde, vervolgens de tijd. 16.40 uur.

Het eerste wat de man zei, was onverstaanbaar. Hij noemde in elk geval niet zijn naam. Daarna verdween de aarzeling en begon hij tegen Van der Zwan – die beneden de hoorn had opgenomen – te praten. Het was een stem die geknepen klonk, van spanning.

'Jullie krijgen nog twee dagen de tijd om het geld over te maken. Maandag bel ik om het nummer door te geven.'

'Twee dagen?', brieste Van der Zwan.

Ronald Bloem hoorde hoe ontstemd hij was over het veranderde ultimatum. Maar ditmaal liet hij het schelden achterwege. Van tevoren had Bloem het gesprek met hem doorgenomen. Het was de bedoeling de dader niet kwaad te maken, waardoor hij zich bedreigd kon voelen, maar wel om hem zo lang mogelijk aan de praat te houden. Dan zou de recherche een lange opname van de stem hebben om voor analyse naar het laboratorium te sturen.

'Je had ons toch een week gegeven?'

'Twee dagen', sprak de naamloze stem onverbiddelijk. Hij maakte zich duidelijk kwaad. 'En niets meer! Waarom zou ik mij aan de afspraak houden als jij de politie ingeschakeld hebt? Ik heb gezegd dat je dat niet mocht doen. Dat ik Floris heb gespaard, wil niet zeggen dat ik zo geduldig blijf. Wees blij dat je hem binnenkort terugkrijgt. Maar als de politie lastig wordt, garandeer ik niets!'

'Ik heb de politie niet ingeschakeld!' Strikt genomen had hij gelijk.

'Ik wil het geld zo snel mogelijk hebben', herhaalde de ontvoerder ongeduldig. 'Maandag bel ik terug.'

'Ik zal het geld betalen, maar geef mij meer tijd. Ik moet eerst een aantal aandelen verkopen om het geld bij elkaar te krijgen.'

'Twee dagen', herhaalde de ontvoerder. 'Of anders krijg je Floris niet terug.'

'Ik wil weten of mijn zoon nog in leven is. Geef op z'n minst een teken van leven van hem.'

'In de afvalbak onderaan de zandhelling in het Doornse Gat.'

'Wat?'

'Onderaan de zandhelling van het Doornse Gat staat een afvalbak. Onderin vind je een cassettetape.'

Van der Zwan probeerde een volgende vraag te stellen om het gesprek gaande te houden, maar de verbinding was al verbroken.

-

Zaterdag 5 oktober 17.00 uur

Klokslag vijf uur ging de voordeurbel van de rijtjeswoning, waar rechercheur Petersen met zijn vrouw Magda woonde. Petersen wist wie er voor de deur stond. Nadat de ontvoerder voor de tweede maal contact had opgenomen, had Bloem zijn leermeester in Veenendaal gebeld. Deze had zijn relaas aangehoord en daarna geadviseerd Van der Zwan naar Doorn te sturen.

Het Doornse Gat was een tot recreatieterrein gevormde voormalige zandafgraving. Deze bevond zich een paar kilometer ten oosten van de bebouwde kom van Doorn, temidden van de bossen van de Utrechtse Heuvelrug. Hoewel het zaterdag was, betwijfelde Bram Petersen of er veel recreanten zouden zijn. Sinds kwart over vier regende het onafgebroken. Het was zaak zo snel mogelijk de cassetteband in veiligheid te brengen.

"Waarom wil je dat Van der Zwan dat doet?", had Bloem gevraagd. "De ontvoerders weten al dat wij ons erin gemengd hebben. Ik denk dat Van der Zwan er zijn neus voor ophaalt die cassette uit een vuilnisbak te vissen."

"Maar Van der Zwan heeft ontkend ons ingeschakeld te hebben. Het kan geen kwaad dat voorlopig vol te houden, ook al weten de ontvoerders anders."

"Waarom niet?"

"We willen niet dat ze zich in het nauw gedreven voelen", had Petersen zijn collega ten antwoord gegeven. "Zorg dat Van der Zwan ook de tape van het telefoongesprek meeneemt. Geef hem mijn adres. Als hij nu vertrekt, kan hij over drie kwartier hier zijn."

Na het beëindigen van het telefoongesprek had Petersen Griesink opgebeld. De districtschef had vervolgens zijn toestemming gegeven om Marcel Veltkamp, van de technische recherche, in te schakelen. Er konden op de cassettetape in het Doornse Gat vingerafdrukken staan. Daarom had Petersen Ronald Bloem opdracht gegeven Van der Zwan te instrueren handschoenen aan te trekken.

Na het horen van de bel, liep Petersen naar de hal om de voordeur open te doen.

Van der Zwan kon nog niet gearriveerd zijn, dus moest Marcel Veltkamp aangebeld hebben. De technische rechercheur woonde zelf in Veenendaal, niet ver van Petersen. Daarom kwam hij naar diens huis, in afwachting op de cassette, zodat ze daarna gezamenlijk naar het laboratorium konden rijden.

'Marcel, ik ben blij dat je zo snel gekomen bent. Kom verder.'

Met een koffertje vol benodigdheden voor het dactyloscopisch onderzoek, stapte Veltkamp de hal in. De regendruppels dropen van zijn doorweekte, gitzwarte haar op zijn beige overjas. Hij zette het koffertje neer, en trok vervolgens de jas uit.

'Wat een weertje, hè!'

'Nou en of.'

'Als het zo doorgaat,' zei Veltkamp, 'en er komt een vorst overheen, dan kunnen we op de straten gaan schaatsen.'

'Daar is weinig kans op. Er zit geen vorst in de lucht. Het water is weer weg voor het gaat vriezen. Maar jaren geleden hebben we wel op straat kunnen schaatsen, nadat het een keer flink geijzeld had.'

'Dat kan ik me nog herinneren. Maar dat was in de jaren zeventig!'

'Daar kun je best gelijk in hebben, Marcel. Waar blijft de tijd!'

'Je wordt oud', grinnikte Veltkamp, die zijn koffertje oppakte.

Petersen ging zijn collega voor, de woonkamer in.

Marcel Veltkamp wilde volgen, maar bleef abrupt op de drempel staan. Toen Petersen achterom keek, moest hij onwillekeurig glimlachen. Omdat zijn collega zo lang was, dat hij nog net onder de bovendorpel door kon, keek hij tegen een slinger aan. Het was een koord waaraan kaarten hingen.

'Bram, ik wist dat je een groot ego had, maar is dit bedoeld om al jouw gasten voor je te laten buigen of zo?'

Petersen lachte. Marcel Veltkamp maakte een zwierige buiging, deed een paar stappen naar voren, en kwam weer omhoog.

'Magda was afgelopen woensdag jarig.'

'Gefeliciteerd! Als ik dat geweten had, had ik een bosje bloemen voor haar meegenomen.'

'Een buiging is voldoende, hoor!', zei Magda Petersen die nu de woonkamer binnenkwam. Ze keek de collega van haar man met een stralende glimlach aan. Kennelijk was ze aan het werk geweest, want ze had haar haren met een doek samengebonden. Ze maakte deze los. Een paar lokken grijs doorvlochten haar donkerblonde haar. 'Zal ik koffie zetten?'

Ze trok zich in de keuken terug, waarna Petersen en Veltkamp gingen zitten. De laatste zette zijn koffertje naast de bank op de grond. Vervolgens legde Petersen uit wat er aan de hand was. De anders zo laconieke technische rechercheur reageerde voor zijn doen ernstig.

'Ik moet er niet aan denken dat iemand een van mijn kinderen van mij afneemt', sprak hij ernstig. Hij had twee zoontjes en een dochtertje. Petersen had met zijn vrouw een keer op de kinderen van zijn collega gepast. Met name de zoontjes waren echte druktemakers. Veltkamp stoeide veel met ze. Hij was verzot op ze.

'Daarom houden we het onderzoek geheim.'

'Het is nog niet uitgelekt naar de pers?'

'Zover ik weet, niet.'

Om tien over vijf reed Van der Zwan de straat in. De plastic tas waarmee hij een minuut later aan de deur stond, bevatte de twee cassettetapes. Maar in de andere hand zwaaide hij woest met een krant.

'U mag mij uitleggen wat dit te betekenen heeft!', barstte hij los.

Het dunne snorretje op de bovenlip trilde van woede. Zijn gezicht was net zo rood als bij de eerste ontmoeting. Met grote stappen drong hij het huis binnen, een spoor trekkend over het vloerkleed met zijn modderige zolen. Hij wilde de woonkamer binnengaan, maar liep tegen het koord met kaarten aan. Nijdig trok hij eraan, zodat alle kaarten op de grond vielen.

Petersen volgde hem de woonkamer in, zag wat hij deed en hoe hij doorliep naar de salontafel. De man nam geen notie van de aanwezigheid van Veltkamp. Hij vouwde de krant op de tafel uit. Het was het *Utrechts Nieuwsblad*, de editie die 's middags bezorgd was.

'Hier', wees hij naar een kort bericht op de voorpagina. 'Dit hebben jullie gedaan!'

Hoofdstuk 6

Zaterdag 5 oktober 17.15 uur
De kop van de krant liet aan duidelijkheid niets te wensen
over. "Ontvoering in Doorn" stond erboven.

*DOORN - Afgelopen donderdag werd de in Maarsbergen
woonachtige Floris van der Zwan het slachtoffer van ontvoering. Die avond ging hij in zijn witte Volvo naar een
plaatselijke supermarkt in Doorn. Daar werd hij op de aanwezige parkeerplaats door een nog onbekende man over-
meesterd en weggevoerd. Kort daarop werden de ouders
gebeld en werd een losprijs van een miljoen euro geëist. Een
woordvoerder van de politie wilde desgevraagd niet op de
kwestie ingaan.*

'Hierdoor weet ik hoe de ontvoerders weten dat jullie je
ermee bemoeid hebben', raasde Van der Zwan. 'En als mijn
zoon daardoor iets overkomt, weet ik wie ik het moet aanre-
kenen. Neemt u van mij aan dat ik een proces aan uw broek
hang. Jullie lekken altijd naar de pers.'

Magda Petersen kwam de woonkamer binnen, met een
dienblad waarop drie kopjes stonden. Verwondering lag op
haar gezicht, terwijl ze van de gevallen kaarten naar de
woeste uitdrukking op het gezicht van Van der Zwan. Toen
deze haar zag, scheen hij zich te realiseren dat hij bij een
ander te gast was en dat het onbeleefd van hem was zo te
keer te gaan.

'Neemt u mij niet kwalijk, mevrouw', verontschuldigde
hij zich allervriendelijkst. Hij stak zijn hand uit om zich voor
te stellen. Daarna bukte hij zich om de kaarten op te rapen.
'Ik heb mij laten gaan.'

'Uw woede is begrijpelijk', sprak Petersen toegeeflijk.

Hij knikte naar zijn vrouw die daarna de kamer verliet. Hij nam het stapeltje kaarten van Rudolf van der Zwan over. 'Dit had nooit in de pers mogen komen. Maar hoe dit heeft kunnen uitlekken, is mij een raadsel.'

Van der Zwan sloeg zijn vuist tegen de palm van de linkerhand. Bram Petersen zag dat hij iets wilde zeggen, maar de ander zweeg grimmig.

'Hoe heeft uw vrouw hierop gereageerd?', wilde Petersen van hem weten.

'Zij weet het nog niet. Ze was niet thuis toen de krant bezorgd werd. Ik stond op het punt van huis te gaan. Mijn vrouw heeft eindelijk de moed verzameld om de vriendin van Floris in Maarsbergen op te zoeken. Die is ook helemaal kapot van deze kwestie. Ik moet er niet aan denken hoe Claire zal reageren als ze dit artikel onder ogen krijgt! Maar je kunt er gif op innemen dat ze al gebeld is. Floris wordt hier met naam en toenaam genoemd.'

'Was uw vrouw thuis toen de ontvoerder belde?'

'Nee, ze is om drie uur vertrokken. Maar ik denk dat ze inmiddels thuis zal zijn.'

'In dat geval kunt u beter nu teruggaan.'

'Dat geloof ik ook. Ze kan het beter van mij te horen krijgen.' Hij vouwde de krant op. 'Maar kan ik de cassetteband uit het Doornse Gat eerst niet horen?'

'Dat kan nog even duren', legde Petersen uit. 'Eerst willen we het op vingerafdrukken onderzoeken en dat zal op het bureau gebeuren.'

'Daar ga ik niet op wachten. Ik wil wel dat u mij de tape zo spoedig mogelijk laat horen. Voor ik ga, wil ik het over iets anders hebben.'

'En dat is?'

'Die jonge collega van u. Had u niet iemand anders kunnen sturen?'

'Hoezo?'

'Het is geen prettige vent. Hij loopt de hele tijd te mekkeren dat zijn vriendin het met hem heeft uitgemaakt. Alsof dat het ergste in de wereld is! Ik heb geen zin dat geklaag aan te horen, terwijl mijn zoon ontvoerd is.'

'Heeft Manuela het uitgemaakt?', vroeg Veltkamp verrast. Hij had zich tot nu toe afzijdig gehouden. Van der Zwan schonk hem een giftige blik.

Petersen die ook nog van niets wist, verzekerde de man dat Bloem afgelost zou worden. In overleg met Griesink zou hij zijn collega Inge Veenstra benaderen. Het was onzeker hoe snel hij haar kon bereiken, zodat zij op z'n vroegst in de loop van de avond in Driebergen kon zijn. Misschien veel later. Petersen zou vooraf bellen.

Van der Zwan reageerde tevreden. Met de krant stevig in zijn knuist geklemd en grote stappen nemend verliet hij het huis. Het was alsof een storm ging liggen.

-

Zaterdag 5 oktober 17.50 uur
'Wat een opgeblazen vent is dat', vond Marcel Veltkamp. 'Hij gaf jouw vrouw wel een hand, om zich voor te stellen en te verontschuldigen, maar mij gunde hij nog geen blik waardig.'

'Inderdaad.' Petersen bedacht dat het kenmerkend was voor de man. Zijn afkeer voor de politie. Maar hij toonde wel een oppervlakkige vriendelijkheid tegenover vrouwen. Alsof hij tegenover Magda niet de indruk had willen wekken dat hij een woesteling was. Maar Petersen wist inmiddels meer over Van der Zwan, en dat er vanonder dat oppervlak heel wat vuiligheid te peuteren was. Als de antecedenten van de Driebergenaar waren uitgezocht, zou er meer boven water komen. De politieman besefte dat hij de laatste confrontatie met de ander niet gehad had.

'Om dan ook nog van hem te horen, dat Manuela het met Ronald heeft uitgemaakt. Ik dacht dat die twee zo close waren.'

'Ik denk dat Van der Zwan zich aan alles irriteert, omdat hij liever niet met ons te maken krijgt.' Petersen legde uit wat hij van de man wist. 'Maar, dat van Manuela wist ik nog niet.'

'Ik kan het haast niet geloven. Maar, zullen we dan maar gaan?'

Het kostte Veltkamp in het laboratorium weinig tijd om vast te stellen dat de dader geen vingersporen op het pakketje had achtergelaten. De cassettetape zat verpakt in een aluminiumfolie dat met plakband omwikkeld was. Alleen als je er mee schudde, kon je horen dat het pakketje een cassettebandje bevatte.

Voorzichtig sneed de technisch rechercheur het pakketje met een vlijmscherp mesje open. Beetje bij beetje werd de cassetteband zichtbaar en toen het folie helemaal weg was, onderzocht hij ook het bandje op sporen. Dit bleef zonder resultaat. De dader was voorzichtig geweest. Alle vingerafdrukken waren nauwkeurig weggepoetst. Aan de kleefzijde van het plakband werden wel enkele vezels aangetroffen, mogelijk afkomstig van kleding van de dader.

Nu volgde het beluisteren van de opnames. Petersen stelde voor om eerst de tape van het telefoongesprek te beluisteren.

'Hij zal het bericht in de krant ook gezien hebben', concludeerde Petersen, nadat ze de opname voor de eerste keer hadden beluisterd. Het telefoongesprek had immers even na half vijf plaatsgevonden.

'Hou je het onderzoek geheim?'

'Publiekelijk, ja. Maar Griesink wil dat ik een groter team formeer, nu het in de krant staat. Ik heb om half acht een bespreking met Inge Veenstra en Steven Bosma. John van Keeken heb ik niet kunnen bereiken. Inge krijgt ook instructies voor ze naar Driebergen gaat om Ronald af te lossen.'

Marcel Veltkamp spoelde de band terug en liet hem nog een keer afspelen.

'Als je het mij vraagt, is dit een amateur', zei hij. 'Moet je horen hoe nerveus hij klinkt. Hij moet de tekst honderd keer gerepeteerd hebben en toch klinkt hij gespannen.'

Petersen was het met hem eens. Vooral het feit dat de ontvoerder vroeg om het geld naar een bankrekening over te maken, viel hem op. Hij dacht erover na welke risico's dat voor de dader met zich mee kon brengen. En er was nog iets anders dat hij opgemerkt had.

'Hij spreekt telkens in de ikvorm. Tot nu toe gingen we er vanuit dat er meer dan één dader zou zijn. Dat is vanaf het begin gesuggereerd, zowel door de dominee die mij op de hoogte bracht, als door de familie. Maar de krant heeft het ook over één ontvoerder.'

'Het klinkt alsof de dader in een telefooncel staat. Maar je kunt zijn stem niet goed horen. Het is alsof hij zijn stem opzettelijk vervormt.'

'Inderdaad.'

Velkamp stopte de volgende cassettetape in de speler.

Een ander persoon kwam aan het woord. Met een trilling in de stem die, óf door spanning óf door kou veroorzaakt werd, sprak de ontvoerde Floris van der Zwan. Aan het geritsel van papier was te horen dat hij iets uit de krant voorlas. Veltkamp herkende de tekst direct.

'Het komt uit de *Telegraaf*', zei hij, terwijl de opgenomen stem zweeg en alleen een geluid alsof de krant werd opgevouwen klonk. 'Van de voorpagina van vanochtend.' Dus Floris was 's ochtends nog in leven geweest. Dit hoopvolle bericht konden ze in elk geval aan de familie doorgeven.

Op het krantenbericht volgde een persoonlijke aanvulling.

'Vader,' zei Floris en het was te horen dat hij een vooraf

opgestelde tekst voorlas, 'op dit moment gaat het goed met mij. Ik word goed behandeld. Het is mij beloofd dat mij niets zal overkomen als u het losgeld betaalt.'

Dat was het. Een kort, krachtig statement.

'Hij zit in een kelder', wist de technisch rechercheur meteen. Hij spoelde ook deze band terug om hem voor de tweede maal af te spelen. 'Je kunt het aan het holle geluid horen. Het is in ieder geval een kale ruimte met stenen muren. Hij klinkt zo trillerig omdat hij het koud heeft. Ik durf erom te wedden.'

'Ik wil dat er van deze opname een kopie voor de familie wordt gemaakt. Die kan Inge vanavond meenemen.'

Het mobieltje van Petersen begon te piepen.

'Wie was dat?', vroeg Veltkamp, nadat de ander een halve minuut in gesprek was geweest.

'Steven Bosma. Hij belde om te zeggen dat er mogelijk een getuige is van de ontvoering. Iemand die het in de krant gelezen heeft.'

-

Zaterdag 5 oktober 19.20 uur
Bram Petersen begaf zich naar de ruimte waar hij meestal zijn werkplek had. Ondanks de flexibele werkplekken, had hij de gewoonte ontwikkeld op een bepaalde plek te gaan zitten. Steven Bosma zou hem daar opwachten.

De getuige bleek Johan van der Heijden te zijn, wijkagent uit Wijk bij Duurstede. Hij was bijna even lang als Marcel Veltkamp, met een kin bedekkende baard, waardoor hij er op het eerste gezicht ouder uitzag dan hij was. Petersen kende hem oppervlakkig, zoals hij de meeste collega's van district Heuvelrug min of meer kende. Van der Heijden was een jonge, ambitieuze agent. De keren dat Petersen met hem gesproken had, had hij zich geïrriteerd aan het slijmerige gedrag van de ander. De wijkagent sprak zijn meerdere altijd met "meneer" en "u" aan, terwijl Petersen keer op keer gezegd had, dat ze elkaar als collega's net zo goed konden tutoyeren.

Nadat hij op een stoel bij het bureau van Petersen had plaatsgenomen, vertelde Van der Heijden hoe hij donderdagavond naar de Albert Heijn in Doorn gereden was om een paar boodschappen te doen.

Bij zijn aankomst had hij de auto vlak bij de plaats willen parkeren waar de ontvoering kort daarvoor plaatsgevonden moest hebben. De witte Volvo had hij zien staan, en een winkelwagentje dat iemand achtergelaten scheen te hebben.

'Je denkt nu,' vroeg Petersen, 'na het lezen van het bericht in het *Utrechts Nieuwsblad*, dat het winkelwagentje van Van der Zwan was?'

'Ja.'

'Hoe laat was je op de parkeerplaats?'

'Kwart voor acht. Kort voor sluitingstijd dus. Er waren weinig mensen. Ik heb de indruk dat de ontvoering slechts luttele seconden voor mijn komst plaatsgevonden moet hebben. Daarom denk ik dat de vriend van mijn zus meer gezien kan hebben.'

'Je was niet alleen?', vroeg Steven Bosma.

Hij schudde het hoofd. 'Nee, het was eigenlijk heel toevallig dat ik hem tegenkwam. Terwijl ik het parkeerterrein opreed, kwam hij me met zijn auto tegemoet.'

Het gesprek werd verstoord door de komst van Inge Veenstra die met een gezicht dat rood van inspanning was en een "hallo allemaal" hen begroette. In haar hand hield ze een zware koffer. Ze was dankbaar het ding bij de deuropening neer te kunnen zetten. Hoewel ze Johan van der Heijden zag zitten, trok ze niets van zijn aanwezigheid aan. Ze had hem al vaker op het bureau gezien en zijn aanwezigheid was net zo vanzelfsprekend als die van de anderen.

Met zesentwintig jaar was ze de jongste rechercheur van het team van Petersen en ook de meest recente aanvulling. In april was ze het team komen versterken. Meestal werkte ze met John van Keeken samen.

Doordat Natasja Schuurman op zwangerschapsverlof was, was Inge de enige vrouw in het team, een feit waar zij zich niet druk over scheen te maken. Ze kon met vrijwel iedereen goed overweg. Dat ze momenteel geen vriend had, gonsde onophoudelijk door de gangen van het bureau.

Ze kwam naar hen toe gelopen. 'Zo,' sprak ze handenklappend, 'ik heb wel zin in een kop thee.'

'Haal dan ook koffie voor ons', merkte Bosma gemakzuchtig op.

'Als jij straks die koffer voor mij draagt!'

'Ook goed.'

Ze maakte haar lange, donkere haren los en bond ze daarna weer in een paardenstaart bijeen. Vrijdag had ze nog twee vlechten gehad. Ze varieerde het model van haar haren op z'n minst dagelijks.

Nadat Inge naar de keuken was gelopen, bracht Petersen het gesprek weer op de ontvoering. Hij had een kladblok en pen genomen en keek nu op naar Van der Heijden.

'Wat is de naam van je zwager?'

'Hij is mijn zwager nog niet', verbeterde de agent hem.

Petersen knikte begrijpend. 'Zijn naam?'

'Kars Becker.'

'Als je zijn adres geeft, dan zullen we ook zijn verklaring afnemen.'

Hij knikte. Vervolgens gaf hij het adres. 'Er is nog iets dat u hoort te weten. Laat ik voorop stellen dat ik hiermee geen beschuldigende vinger wil opsteken. Kars heeft een strafblad.'

-

Zaterdag 5 oktober 20.25 uur

Voor hij haar bij het adres in Driebergen afzette en Ronald Bloem oppikte, reed Steven Bosma met Inge Veenstra naar Wijk bij Duurstede naar het opgegeven adres aan de Peperstraat. Even voor half negen arriveerden ze. Petersen had hen meteen weggestuurd, zodat er geen tijd meer was geweest om naar de cassettebandjes te luisteren, waarop de stem van de ontvoerder stond. Wel had Veenstra een kopie van de tape uit het Doornse Gat meegekregen. Ze had hem in haar koffer opgeborgen die nu in de bagageruimte lag.

Terwijl ze reden, moest ze denken aan wat Petersen haar op het hart had gedrukt. Van der Zwan was een man die met de nodige voorzichtigheid benaderd moest worden, omdat hij de politie-inzet tegen wil en dank gedoogde. De geringste aanleiding zou bij hem in het verkeerde keelgat schieten.

Nou, dat beloofde wat voor de komende dagen! Ze zou tot dinsdagochtend bij de familie logeren, maar wie haar af zou lossen – mocht dat met het nieuwe ultimatum nodig blijken – was onduidelijk. Misschien werd de noodzaak duidelijk om langer te blijven. Geen prettig vooruitzicht, als ze de negatieve berichten over haar gastheer moest geloven.

Eigenlijk had ze heel andere plannen voor dit weekend gehad. Ze had al met twee vriendinnen afgesproken, met wie ze in Utrecht zou stappen. Op dit tijdstip hadden ze in een Italiaans restaurant aan de Oude Gracht kunnen zitten, als Petersen geen beroep op haar gedaan had. Nu had ze genoegen met een vlugge magnetronhap moeten nemen. Hopelijk kreeg ze bij de familie Van der Zwan lekker te eten. Ze had wel zin in iets.

Ze naderden het oude centrum van Wijk bij Duurstede.

De Peperstraat bleek een van de smalle straatjes in de oude binnenstad te zijn, beklinkerd en met zo weinig parkeerruimte dat de weg voor verkeer was afgesloten. Dit was tevens de belangrijkste winkelstraat, met aan weerszijden kleine, gezellige winkeltjes. Zonder zich iets van het rijverbod aan te trekken, parkeerde Bosma de auto strak naast het woonhuis. Er bleef voldoende ruimte in het straatje over voor anderen.

Het woonhuis bleek een statig pand te zijn, ingesloten door andere keurig onderhouden panden. Het had een witgepleisterde voorgevel en twee donkergroen gelakte toegangsdeuren. De ene gaf toegang tot een winkel op de benedenverdieping, de ander tot het woonhuis erboven, waar licht achter de ramen te zien was. Er was blijkbaar iemand thuis.

Nadat ze aangebeld hadden, hoorden ze een persoon een trap afkomen. Het waren de voetstappen van een man. De voordeur ging met een vreselijk piepgeluid open.

De man die opendeed, was Kars Becker zelf. Het type ruwe bolster. Kaal geschoren hoofd, stoppelbaardje en een stoere blik in zijn staalblauwe ogen. Hij droeg een wit T-shirt, waardoor gespierde armen met tatoeages te zien waren. Met de benen ver uit elkaar versperde hij de doorgang.

'Wat mot je?', vroeg hij aan Steven Bosma.

Deze stelde zichzelf en zijn collega voor en vroeg of ze binnen mochten komen voor een gesprek. Becker reageerde onwelwillend.

'Jullie kunnen mij nooit met rust laten.'

'Wij komen niet met u over vroegere veroordelingen praten', legde Bosma vriendelijk uit. 'U kunt ons wel helpen bij een lopend onderzoek. Wij zijn op u geattendeerd door Johan van der Heijden.'

'Dat dacht ik wel.'

Inge Veenstra zag aan zijn gezicht, dat hij zich liet vermurwen door de vriendelijke toon van haar collega. Ongetwijfeld was hij gewend met minachting behandeld te worden, terwijl Steven Bosma beleefd bleef. Becker stapte opzij om hen door te laten. De voordeur zwaaide achter hen dicht. Daarna ging hij hen voor, een trap op waarvan de tre-

den onheilspellend kraakten. Op een licht op de bovenverdieping na was het donker. In het spaarzame schijnsel was
wel te zien dat het interieur verwaarloosd was. Veenstra
snoof de geur van Indisch eten op.

'Ik verwachtte mijn vriendin, anders had ik niet openge-
daan', verklaarde hij op een bromtoon. 'Ik woon sinds kort
bij mijn oma in. Tijdelijk.'

Ze kwamen in een kamertje met hoogpolig tapijt waar een
oud vrouwtje gekromd in een antieke fauteuil zat. Becker
vertelde dat ze nagenoeg doof was. Ze knikte vriendelijk in
de richting van de twee gasten, maar liet zich daarna al mop-
perend en op wankele benen door haar kleinzoon naar een
achterkamertje begeleiden. Hij hield haar bij de hand vast die
knoestig was van de reumatiek.

Het interieur van de kamer bestond naast de antieke fauteuil uit een met een rood kleed overdekte bank, twee gemakkelijke stoelen en een van wilgentenen gevlochten salontafel,
waarop een druipkaars stond te walmen. De muren waren in
een zachtroze tint gesaust en gedecoreerd met enkele natuur-
schilderingen, donker omlijst, en een oude Friese staartklok
die zachtjes tikte. Zware brokaten gordijnen hingen voor de
ramen en reikten van het plafond tot op de grond. Een kunst-
haard met nephaardblokken verspreidde een warme gloed,
evenals de schemerlamp naast de fauteuil, waarin het oude
vrouwtje had gezeten.

Inge Veenstra vond het een knus kamertje.

-

Zaterdag 5 oktober 20.35 uur
'Zo,' zei Becker toen hij terug kwam, 'ik heb haar in bed
gestopt. Ze gaat altijd om negen uur naar bed.' Het feit dat
het nog niet zo laat was, liet hij achterwege. Hij wilde alleen

met de rechercheurs zijn, om onbelemmerd te kunnen spreken.

Het kwam hem zeer ongelukkig uit dat de politie gekomen was. Hij wist precies wat de reden van hun komst was, maar nu was er geen ontsnapping mogelijk, tenzij... Hoeveel wisten ze? Hij besloot zich op de vlakte te houden. Als ze maar niet merkten hoe gespannen hij was.

Hij gebaarde naar de stoelen. 'Ga zitten.'

Inge Veenstra nam plaats op een stoel, haar collega Bosma op de bank.

De laatste nam het woord. Hij vertelde over de ontvoering die al in het *Utrechts Nieuwsblad* had gestaan. Becker vertelde daarop dat hij niets van de ontvoering wist. Hij las die krant niet. Zijn oma ontving een ochtendkrant.

'De ontvoering,' legde Bosma uit, 'vond afgelopen donderdagavond in Doorn plaats. Op de parkeerplaats van de Albert Heijn. Van Johan van der Heijden hoorden we dat u daar die avond geweest bent.'

'Ik heb niets gezien', reageerde Becker onmiddellijk.

'Waarom was u daar?'

'Waarom ik daar was?', herhaalde hij de vraag. 'Wat maakt dat uit? Ik wilde een krant kopen. Er is daar vlakbij een boekhandel.'

'The Read Shop, in de Thorheimpassage?'

'Juist.'

'U hebt de witte Volvo niet zien staan?', drong Bosma aan. Zijn ongeloof klonk in de vraag door. Zijn aanvankelijke vriendelijkheid was als sneeuw voor de zon verdwenen.

Hij is niet veel anders dan de andere leden van het politiekorps, als ze met een eerder veroordeelde geconfronteerd worden, vond Kars Becker. Ze geloven mij gewoon niet. Niet dat het onterecht is, maar waarom kunnen ze nooit zonder dat irritante toontje praten?

'Ik had mijn auto daar niet geparkeerd. Maar,' loog hij

zonder blikken en blozen, 'nu ik erover nadenk, herinner ik me wel dat ik een witte auto in het licht van de koplampen zag toen ik erlangs reed. Het is toch bij die dichtgespijkerde huizen?'

Bosma knikte.

'Ik heb daar een man zien staan, in de tuin die eraan grenst. Ik dacht dat het iemand was die in de tuin werkte, omdat hij een stok in de hand had. Maar nu ik eraan terugdenk, was het wel vreemd. Het was al bijna donker en die tuin wordt al jaren verwaarloosd.'

'Kunt u die man beschrijven?', vroeg Inge Veenstra.

'Een man van één meter tachtig. Zeg, ik zag alleen een silhouet die even in het donker oplichtte door de flits van mijn koplampen. Meer weet ik dus niet.'

'Hij hield een stok vast?'

'Hij stond temidden van het struikgewas en daarom dacht ik dat hij een snoeischaar vasthield. Ik heb er verder niet over nagedacht. Maar bij nader inzien kan het ook een stok zijn geweest.'

Steven Bosma kwam met een heel andere vraag. 'Wat voor een werk doet u?'

De pijnlijke vraag! 'Ik ben werkzoekend. Heeft mijn zwager u dat niet verteld?'

Bosma schudde zijn kale hoofd. 'Waarom was u dan in Doorn, als u geen werk hebt? U kunt een krant ook hier in Wijk bij Duurstede kopen. Ik zag hier in de straat een boekhandel.'

En waarom, vroeg Kars zich af, was Johan van der Heijden in Doorn? Er zijn ook supermarkten in Wijk bij Duurstede. Hebben jullie hem dat ook gevraagd?

'Omdat,' antwoordde hij met gespeeld geduld hoewel hij zich als een verdachte behandeld voelde, 'ik donderdagmiddag naar Amersfoort ben geweest. Naar het arbeidsbureau.'

'Waarom in Amersfoort?', was de volgende achterdochtige vraag. Deze rechercheur probeerde zijn verhaal in twijfel te trekken. Kars merkte dat hij nerveus begon te worden.

'Zoekt u niet naar werk in deze regio?'

'Heeft mijn zwager niet verteld dat ik in de bajes heb gezeten? Voor ik heb zitten brommen, woonde ik in Amersfoort. Ik wil daar weer gaan wonen. Voorlopig woon ik bij mijn oma in. Hier ben ik opgegroeid. Eerst wil ik werk hebben, voor ik naar Amersfoort verhuis. Daarom kocht ik ook een krant in Doorn. Voor de advertenties.'

'Hebt u die krant nog?'

'Nee, weggegooid. Er stond niets bruikbaars in.'

'The Read Shop in de Thorheimpassage sluit om zes uur. Hoe kwam u dan aan de krant?'

'Ik ben alsnog de Albert Heijn ingelopen.'

Gelukkig gingen de twee rechercheurs al snel weg. Kars had de indruk dat de kale met het ringbaardje langer had willen blijven om meer lastige vragen te stellen. Hij geloofde hem niet. Gelukkig had zijn vrouwelijke collega veelbetekenend op haar horloge getikt.

Nauwelijks een minuut later werd er weer aangebeld. Gauw ging hij naar beneden, want deze keer moest het Esmée wel zijn. Ze viel hem meteen om de hals. Hij begroef zich in haar lange, loshangende roodbruine haren, die hun beide gezichten voor de buitenwereld afschermden en kuste haar in de hals. Met gedempte stem fluisterde hij haar in het oor dat hij de tickets geregeld had. Eindelijk konden ze weg!

Hoofdstuk 7

Maandag 7 oktober 8.00 uur
Voor hij de briefing voortzette, keek rechercheur Bram
Petersen een ogenblik afkeurend naar zijn collega die het
laatst gearriveerd was. Ze zaten in een projectruimte die in
het nieuwe districtsbureau speciaal was ingericht voor grote
rechercheonderzoeken. Ze waren allemaal voorzien van koffie. Een thermoskan stond op de vergadertafel vóór Petersen.
Aan de korte zijden van de tafel zaten hij en Bloem, tegenover elkaar, aan de lange Bosma en John van Keeken.

De laatste was in februari bij district Heuvelrug komen
werken, nadat hij wegens slecht functioneren uit Zeeland
was overgeplaatst. Hij had zich laten kennen als een collega
die zich, als hij er zin in had, op het werk kon storten. Maar
meestal was hij iemand die de kantjes er vanaf liep. 's
Ochtends kwam hij laat aan en 's middags vertrok hij meestal vroeg. Ook zorgde hij ervoor dat hij in zijn vrije tijd nauwelijks bereikbaar was en dat irriteerde Petersen. Zijn collega's wisten Van Keeken dan in de meeste gevallen te vinden
in zijn stamcafé, "Vinken", in het centrum van Veenendaal.
Maar afgelopen weekend hadden ze hem daar zelfs niet aangetroffen, ook al had Petersen meermalen gevraagd daar te
gaan kijken..

Nu zat Van Keeken er uitgeblust bij, aan de tafel waar
Petersen een werkbespreking hield. Met een vermoeid
gezicht en een ingezakte lichaamshouding roerde hij in zijn
koffiekopje. Hij zag eruit alsof hij nog een zwaarder weekend had gehad dan anders. De oogleden hingen zwaar over
zijn ogen. Normaal gesproken kwam hij op maandag niet
voor negen uur opdagen. Uiteindelijk had Petersen telefonisch contact met hem gekregen. Hij had erop gestaan dat
Van Keeken bij de vroege vergadering aanwezig zou zijn. Nu

bleek hij zelfs te moe om te mopperen. Zwijgzaam hoorde hij de uiteenzetting van zijn meerdere aan die over de stand van zaken vertelde.

Petersen vervolgde zijn verhaal.

Het weekend was zonder noemenswaardige incidenten verstreken, uitgezonderd enkele verontrustende berichten uit Maarsbergen. Daar was Claire Huisman als gevolg van het bericht in het *Utrechts Nieuwsblad*, tientallen malen gebeld. Pers, buren, bekenden en onbekenden belaagden haar voortdurend.

Belangrijke nieuwe ontdekkingen waren er niet gedaan. Het overlijden van prins Claus beheerste vanaf zondagavond voortdurend de nieuwsrubrieken op de televisie. De echtgenoot van de koningin was op 76-jarige leeftijd overleden. Districtschef Griesink had daarom te kennen gegeven, dat in verband hiermee de geplande officiële opening van het districtsbureau uitgesteld zou worden. Waarschijnlijk zou deze feestelijke gebeurtenis in het nieuwe jaar plaatsvinden.

Maar, maakte Petersen zijn collega's duidelijk, voor het onderzoek naar de ontvoering van Floris van der Zwan was deze dag een belangrijke dag. De ontvoerder zou bellen om het bankrekeningnummer door te geven. Als ze dat hadden, zou het onderzoek in een stroomversnelling raken. Met dat in gedachten, had rechercheur Petersen zijn beschikbare collega's voor overleg bijeengebracht. In de afgelopen dagen waren al kleine resultaten geboekt, waar Steven Bosma over kon vertellen.

Er moest duidelijkheid komen over de plaats waar de ontvoerder vandaan belde. Het vermoeden was dat hij een telefooncel gebruikte. Maar waar? Steven Bosma had opdracht gekregen dat uit te zoeken. Tijdens het overleg kon hij de resultaten voorleggen, want hij was al sinds 's ochtends vroeg in touw geweest.

'De eerste keer belde hij vanuit een telefooncel vlakbij

het postkantoor en de Albert Heijn in Doorn', vertelde hij zijn collega's.

'De tweede keer belde hij vanuit een telefooncel bij station Maarn.'

'En de derde keer zal hij een andere telefooncel kiezen', meende Petersen. 'Hij mag dan wel een amateur zijn, hij weet kennelijk waar hij mee bezig is. Doorn en Maarn. Hij wil de indruk wekken, dat hij daar ergens woont. Waarschijnlijk moeten we hem elders zoeken.'

'Dat geloof ik ook.'

'Heb je ook nagezocht waar de man belde die Claire Huisman aan de lijn kreeg?'

Bosma knikte. 'Dat was dus niet de dader, zo het zich laat aanzien. Er werd namelijk gebeld vanuit een kantoor van het *Utrechts Nieuwsblad*. Ik denk dat het dezelfde Ricardo Peek is die ik vrijdag aan de lijn kreeg. Die deed al net zo geheimzinnig.'

'De schrijver van het bericht in de krant.'

Petersen had inmiddels contact met de redactie gehad. Hij was vervolgens met de heer Peek in contact gekomen. Die toonde zich bereid tot een gesprek. Hij werd om tien uur in Veenendaal verwacht, waar Petersen en Bloem met hem zouden spreken.

'Goed,' zei Bram Petersen uiteindelijk, 'dan wil ik dat jij, Steven, je buigt over de antecedenten van Floris van der Zwan, en jij Ronald, over de antecedenten van zijn vader.'

'En ik?', vroeg John van Keeken, die met zijn duffe hoofd opkeek. Hij had het plastic roerstokje tussen de tanden gestoken. Met lome ogen keek hij Petersen aan.

'Jij probeert opnieuw telefonisch contact te zoeken met Claire Huisman om de gegevens van de bankpassen van Floris boven water te krijgen. Daarna vraag je na, of ze gebruikt zijn. We willen weten of Floris op donderdag iets gekocht heeft, of niet. Misschien was hij nog niet in de Albert

Heijn geweest, maar hij kan in een van de andere winkels in het centrum geweest zijn.'

'Als ik maar voldoende koffie krijg. Anders ga ik pitten.'

'Volgens mij doe je niets anders', merkte Steven Bosma spottend op.

'Dat komt omdat jij zo slaapverwekkend bent.'

'Nog iets, John', zei Petersen, 'Griesink wil je spreken.'

'Waarover?'

'Hij is er net als ik slecht over te spreken dat je de afgelopen dagen niet bereikbaar was.'

-

Maandag 7 oktober 8.30 uur

Petersen gebaarde naar Bloem. Met zijn assistent liep hij de gang op.

'Je weet waarom ik je uit Driebergen heb weggehaald?'

Ronald Bloem haalde de schouders op. Het was niet een onverschillig gebaar. Oprecht belangstellend keek hij zijn meerdere aan.

'De heer Van der Zwan heeft zijn beklag over je gedaan. Volgens hem mopperde je over je Manuela die het uitgemaakt heeft.'

Ronald Bloem reageerde verontwaardigd.

'Daar is niets van waar! Hij was helemaal niet in mij geïnteresseerd. Het onderwerp kwam ter sprake omdat Mignon, zijn vrouw, mij vroeg of ik een vriendin had. Ik heb het haar toen verteld. Misschien dat zij het doorverteld heeft, maar tegenover hem heb ik het er niet over gehad.'

'Ik geloof je', zei Petersen. 'Ik heb mijn bedenkingen over hem.'

'Misschien is hij jaloers? Mignon kon met mij beter over de ontvoering praten dan met hem. Zij kan niet begrijpen dat hij gewoon naar zijn werk gaat.'

'Het spijt me in elk geval te horen dat Manuela het uitge-maakt heeft, Ronald. Als je wilt, kun je een paar dagen vrij nemen. Dan zal ik iemand anders op de antecedenten van Rudolf van der Zwan zetten. Ik zal het er met Griesink over hebben.'

'Ik heb daar geen behoefte aan.'

'Zeker weten? We zitten midden in het onderzoek, en als je blijft, wil ik dat je je volledig kunt concentreren. Je hebt er geen probleem mee?'

'Nee.'

'Kan ik echt helemaal op je rekenen?'

'Ja. Vanzelfsprekend.'

Maandag 7 oktober 10.00 uur

Exact op het afgesproken tijdstip arriveerde Ricardo Peek.

Rechercheur Petersen ontving hem in de onpersoonlijke verhoorkamer, en dat was op zich al tekenend voor hoe hij over de journalist dacht. Zijn voorkeur ging meestal uit naar een aangenamere omgeving, om mensen op hun gemak te stellen. In het nieuwe districtsbureau was daarom een zoge-heten huiskamer ingericht. Het was een rustgevende ruimte. De verhoorkamer daarentegen was sober ingericht met een kale tafel, opnameapparatuur en eenvoudige stoelen. Petersen nam aan één kant van de tafel plaats, Peek aan de andere. De geur van oud zweet vulde meteen de ruimte.

De journalist bleek een man van een jaar of vijftig te zijn, met een kogelrond, kalend hoofd waar lange lokken vettig haar op plakten. Over zijn rood aangelopen gezicht zweefde een spottende glimlach, terwijl hij met kraaloogjes de recher-cheur nauwkeurig gadesloeg. Hij hield vooralsnog een afwachtende houding aan, maar inwendig moest hij popelen van ongeduld om vragen te stellen. Hij zag dit gesprek als de uitgelezen kans om meer over het nog geheime onderzoek te weten te komen.

Petersen legde een krantenknipsel op de tafel.

'U bent de auteur van dit artikel?'

Peek fatsoeneerde zijn grijze colbertjasje door het bij de revers met beide handen op te schudden. Daarna liet hij de armen op de tafel rusten en knikte bevestigend. Petersen zag dat er geen trouwring was.

'Hoe bent u erachter gekomen dat Floris van der Zwan ontvoerd is?'

Dit bleek het moment te zijn waar Peek op gewacht had.

'Dus u geeft toe dat hij ontvoerd is? Heeft de ontvoerder al een tweede keer contact gezocht?'

'Geeft u eerst antwoord op mijn vraag.'

'Ik heb het van een bron. Ik geef mijn bronnen niet zomaar prijs. Of kunt u mij meer vertellen?'

Petersen ging niet op de vraag in. 'U hebt de vriendin van Floris gebeld. Afgelopen vrijdag.'

'Dat kan ik niet ontkennen', sprak hij met een vals lachje.

'U hebt haar onnodig angstig gemaakt', wreef Petersen hem onder de neus. Hij wist dat de man helemaal niet in vaste dienst was bij het *Utrechts Nieuwsblad*. Hij was een freelancer, een loopjongen die vuile journalistieke klusjes opknapte op zoek naar goedkope primeurs. En als het te gortig werd, omdat er protest kwam, kon de redactie hem gemakkelijk laten vallen en de handen in onschuld wassen. 'U wist helemaal niet zeker dat haar vriend ontvoerd was, maar u viste er tijdens dat gesprek naar. En zij dacht dat ze een ontvoerder aan de lijn had.'

'Och, daar kan ik niets aan doen.'

'Daar daar kunt u niets aan doen?', reageerde Petersen

woedend op dergelijke onverschilligheid. Hij maakte zich zelden boos, maar nu sloeg hij met een vuist op tafel. Hij verafschuwde deze man en zijn manieren. 'U hebt haar schrik aangejaagd door niet te zeggen wie u werkelijk was. Ze wordt sindsdien niet met rust gelaten, omdat u in het krantenbericht zowel naam als woonplaats vermeld heeft. In een gehucht als Maarsbergen is niemand anoniem. Ik neem u dat zeer kwalijk! Door dit artikel brengt u bovendien haar vriend in gevaar. Ik weet niet welke ethiek u er bij uw werk op na houdt, maar hiervan ben ik niet gediend.'

'Mag ik hieruit afleiden dat de ontvoerder expliciet heeft gezegd, dat Floris wat kan overkomen als de ontvoering naar de pers uitlekt?' Hij viste naar meer informatie. Maar Petersen had zijn methodes door.

'Wat u hebt gedaan, is wettelijk niet strafbaar. Maar ik voel er veel voor om u een tijdje op te sluiten, zodat u geen kwaad meer kan doen.'

'Ik ben een vrij mens', sprak Ricardo Peek met toegeknepen ogen en een giftig stemmetje, alsof hij de politieman een lesje wilde leren. Maar ook dat hoorde bij het spel dat hij speelde, zodat Petersen het gelaten over zich heen liet komen. 'Ik kan gaan en staan waar ik wil. U weet net zo goed als ik, dat als u tot zo'n stommiteit overgaat, het binnen de kortste keren de voorpagina haalt. U hebt zich aan de wet te houden. U kunt mij niet zomaar, zonder enige wettelijke grond, vasthouden.'

'Ik doe slechts een beroep op uw medemenselijkheid. Uw pen kan een mensenleven in gevaar brengen, u kunt ook helpen er één te redden.'

'Zo hoor ik het graag!', bulderde hij opeens van het lachen.

'Het onderzoek is tot op heden confidentieel.'

'Ook na mijn artikel?'

'Wij,' reageerde Petersen ontwijkend, 'gaan uiterst voorzichtig te werk en dat verlang ik ook van u. Ik wil dat u voorlopig over dit onderwerp zwijgt.'

Peek trok een vies gezicht. 'Ik leef van mijn pen. Ik zal niet zwijgen, tenzij er iets tegenover staat. Een primeur. U zult op enig moment iets in de openbaarheid willen brengen. Als u kunt zorgen dat ik het eerst over die informatie kan beschikken, wil ik u een helpende hand toesteken.'

'Als u zich niet aan de afspraak houdt, hoeft u niet op *goodwill* te rekenen.'

'*Naturellement*!', sprak hij met een allerbelabberdst Frans accent. Hij wreef in zijn handen van genoegen.

'Goed, terzake nu. Wie is uw bron?'

'Anoniem.' Peek sprak in alle ernst. 'Daarom belde ik die vriendin op. Om zekerheid te krijgen. En ik heb een collega van u aan de lijn gehad. Toen wist ik genoeg. Ik heb de bron niet laten zitten. Het was een e-mail. Ik ben er vanochtend achter gekomen dat degene die het verzond, in de openbare bibliotheek van Doorn zat. De bieb gaat vanmiddag pas open en ik ben van plan om dan de zaak verder uit te pluizen.'

'Wanneer kreeg u dat mailtje?'

'Vrijdagmiddag. Rond een uur of drie.'

'Wat weet u meer?', wilde Petersen verder weten.

'Ik heb al vastgesteld dat u de ontvoering onderzoekt. U hebt op dit moment een agente in huize Van der Zwan ondergebracht. Ze mag niet gezien worden, maar ik weet dat ze er is.'

Dat Peek zelfs dit wist, verraste Petersen.

'Hoe weet u dat?'

Er gleed een triomfantelijk lachje over zijn lippen. 'U hebt de pech dat een van mijn collega's op de redactie schuin tegenover Van der Zwan woont. Nu ik u zie, herken ik u. Ik heb u daar vrijdagavond gezien.'

'Verder?'

'Mag ik weten of de ontvoerder nog een keer gebeld

heeft?', was de tegenvraag van Peek.

'Dat kan ik bevestigen. Hij heeft met woede gereageerd op het krantenartikel. Dat mag u best weten. En er is een teken van leven gegeven, met de waarschuwing dat er geen ruchtbaarheid aan de ontvoering gegeven mag worden. De familie is bang dat Floris omgebracht zal worden.'

'Voor een primeur houd ik mijn mond. Wilt u nog meer weten?'

'Ik neem aan,' zei Petersen, 'dat u alle achtergronden aan het uitdiepen bent.'

'*Mais oui*!', grijnsde hij. 'Ik wil geen kans onbenut laten. Wist u dat Floris van der Zwan zelf ook beslist geen liefje is? Hij houdt zich veelvuldig in het criminele circuit op. Niet dat hij ooit ergens op betrapt is, maar de verdenking rust zwaar op hem.'

'Welke delicten?'

'Van alles. Als u met uw collega's in Utrecht in verbinding stelt, zult u vast veel wijzer worden. Hij is pas tweeëntwintig en als u ziet dat hij al een huis kan kopen, weet u dat er iets niet klopt. Hij heeft een baantje als vrachtwagenchauffeur. Dat stelt weinig voor. Daarom vraag ik me af of de ontvoering niet veel meer is dan alleen wat het oppervlakkig lijkt te zijn. Misschien is er een connectie met de onderwereld.'

'Dat zullen we uitzoeken', verzekerde Petersen die dankbaar voor de tip was.

'Dat moet u bij zijn vader ook doen.'

'Hoezo?'

'Een vies mannetje. Heel vies.'

-

Maandag 7 oktober 11.20 uur
Kars Becker stond voor de derde maal bij een telefooncel,

ditmaal in het centrum van Bunnik. Hij wist dat het volgende gesprek onherroepelijke gevolgen zou hebben. Het noemen van de bankrekening zou het mogelijk maken hem te traceren. Maar tegen de tijd dat de politie dat gedaan had, hoopte hij veilig onder de wuivende palmbomen van Egypte te zitten, een land waar Nederland geen verdachten mee uit wisselde vanwege de doodstraf die het land van de piramides nog steeds in ere hield. Lukte het hem op tijd Schiphol te bereiken en het land te verlaten?

In de achterbak van zijn auto had hij al een weekendtas zitten, gevuld met alles wat hij op de reis mee wilde nemen. Esmée had hij op de hoogte gebracht en zij had haar koffer ook al klaar staan, zodat ze in geval van nood eerder konden verdwijnen en op een andere locatie op het vliegtuig wachten. Pas dinsdagavond, om 19.50 uur, was de non-stopvlucht naar Cairo International. Niet eerder zou bekend worden waar Floris verborgen was. Vanmiddag zou hij Esmée uit haar werk oppikken en naar Schiphol rijden, waar hij een hotel geboekt had.

Er was reden tot ongerustheid over het verloop van de zorgvuldig geplande ontvoering. Het dreigde mis te gaan doordat op een essentieel punt zijn zwager hem had gezien en verraden aan de politie.

Kars twijfelde er niet aan dat de rechercheurs die hem bezocht hadden, een reden ontdekt hadden om hem te verdenken. Het kon niet lang meer duren voor ze zich allemaal op hem zouden storten als gieren aangetrokken door de bloederige geur van een verse prooi. Het moest voor de politie zelfs mogelijk zijn, de kelder waarin Floris zat te ontdekken. Dan zou alles fout gaan. Zijn enige hoop was dat ze wachtten, tot hij vertelde waar ze Floris konden vinden. Hij zou dat doen als hij in Egypte zat. Hij zou daarom reizen onder een valse naam en een vals paspoort. Maar hij had er geen goed gevoel over.

Ik kan niet geloven dat de politie mij niet verdenkt, dacht hij. Na het gesprek met die twee rechercheurs moeten ze mij wel in de gaten houden. Daarom kan ik niets aan het toeval overlaten. Ik moet maken dat ik wegkom. Maar niet voor ik mijn opdracht volledig uitgevoerd heb.

De komende twaalf uur waren kritiek. Eerst moest hij bellen.

Hij kende het nummer bijna uit het hoofd. Niettemin nam hij voor de zekerheid het beduimelde papiertje uit zijn jaszak en toetste de cijfers. De telefoon ging over.

'Van der Zwan', dreunde de zware stem aan de andere kant van de lijn.

'Luister goed, noteer het volgende nummer.' Uit het hoofd zei hij het bankrekeningnummer op, noemde nogmaals het gewenste bedrag en vermeldde ten name van wie de overmaking gesteld moest worden: UVSO B.V. in Amsterdam.

'Kun je dat nummer nog een keer noemen,' vroeg Van der Zwan, 'om te zien of ik het goed heb?' Het was een trucje om hem langer aan de lijn te houden. Kars Becker begreep het wel, maar hij kon het risico niet lopen dat het nummer verkeerd genoteerd was. Het geld moest doorgesluisd worden.

'Eén miljoen, en het moet telefonisch overgemaakt worden', drukte hij hem op het hart en vervolgens noemde hij nog een keer het nummer. 'Binnen een uur. En denk erom dat je het nummer niet laat blokkeren, want dan is het afgelopen met Floris.'

'Ik zal het geld zo snel mogelijk overmaken. Krijgen wij Floris dan terug?'

'Als ik het land uit ben.'

Met die woorden hing hij op.

Maandag 7 oktober 11.25 uur

Kars Becker had zijn mobiele telefoon niet meer bij zich, toen hij weg was gegaan om zijn belangrijke telefoontje te plegen. Sinds zaterdagochtend had hij het onbeheerd laten liggen in de kelder waar Floris was. Een beller probeerde hem tevergeefs te bereiken, maar werd in de gelegenheid gesteld de voicemail in te spreken. Het eerste wat de persoon zei, was onverstaanbaar.

'Kars,' sprak daarna de stem die duidelijk verdraaid was, 'ik weet dat je Floris onder je hoede hebt. De ouders bieden een miljoen euro om hem terug te krijgen. Maar als je het dubbele bedrag wilt, moet je het volgende doen.' Het werd een moment stil. Vervolgens ging de mannenstem met zijn macabere voorstel verder. 'Ik wil dat je hem met een bijl onthoofdt.'

Het was te bizar om waar te kunnen zijn.

'Leg dan lichaam en hoofd ergens waar het ontdekt zal worden. Bel me op om daar verder over te praten. Verwijder mijn bericht.'

Hoofdstuk 8

Maandag 7 oktober 11.35 uur
Na het telefoontje van de ontvoerder, werd Petersen onmiddellijk door Inge Veenstra in kennis gesteld van alle feiten. Het bankrekeningnummer werd door hem persoonlijk nagetrokken en bleek inderdaad op naam te staan van het curieuze UVSO B.V., dat bij de Kamer van Koophandel in Amsterdam ingeschreven stond. Het geld dat Van der Zwan meteen na het bericht van de ontvoerder telefonisch had overgemaakt, was inmiddels naar een andere rekening doorgesluisd.

Volgens de boeken bleek UVSO B.V. als directeur ene S. Janssen te hebben, woonachtig aan de Orteliusstraat in de hoofdstad. Hij had tevens een meerderheidsbelang in de aandelen van het bedrijf. Het was belangrijk deze persoon op te sporen om erachter te komen of hij iets met de ontvoering te maken had.

Maar dat was geen sinecure.

S. Janssen bleek niet meer in de Orteliusstraat woonachtig te zijn.

Probeer dan maar een S. Janssen in Amsterdam te vinden, dacht Petersen. Of is hij buiten de stad verhuisd?

Een vlugge inspectie van de telefoongids op internet leverde al vier S. Janssens op te midden van 495 andere Janssens. Een tweede telefoontje naar de Kamer van Koophandel bracht wel meer informatie over UVSO boven water, maar niet het nieuwe adres. Zo bleek het bedrijf al jaren niet meer actief te zijn, hoewel het nooit failliet was gegaan. Een zogeheten slapende B.V.

Andere aandeelhouders die wel opgespoord konden worden, gaven aan niets te weten van de huidige gang van zaken van het bedrijf. Zover hen bekend was, waren de activiteiten rond 1996 als een nachtkaars uitgegaan, nadat directeur Janssen een andere baan aangeboden had gekregen. In feite was het een eenmansbedrijf geweest, gegoten in de vorm van een B.V., waarvan Janssen de onmisbare spil was geweest. Met zijn besluit te stoppen, was UVSO inactief geworden, op een officieel faillissement na opgeheven.

Een belangrijke vraag was of de andere aandeelhouders de huidige verblijfplaats van Janssen wisten. Nee, dat wisten ze niet. Daarmee was Petersen terug bij af. Een telefoontje naar de bank wees inmiddels uit dat het geld dat Van der Zwan op de rekening van UVSO had gestort, weggesluisd was naar een nummerrekening in het buitenland. Dit was ongetwijfeld precies de bedoeling van de ontvoerder.

Van der Zwan belde halverwege de middag, woedend, omdat hij wel zijn geld kwijt was, maar nog steeds geen zekerheid had over het lot van zijn zoon. Hij was er vanuit gegaan, dat als de politie het rekeningnummer had, ze de dader hadden. Petersen probeerde het hem uit te leggen, maar stuitte op een muur van onbegrip, tot hij de naam van de belangrijkste aandeelhouder noemde.

'U hebt het over Simon Janssen van de Orteliusstraat?', vroeg hij.

'Ja. U kent hem?'

'Hij heeft een tijdje voor een bedrijf gewerkt waar wij zaken mee doen. Rond 1999/2000. Hij heeft op een gegeven moment ontslag genomen of hij werd ontslagen. Het laatste dat ik van hem gehoord heb, is dat hij naar Amstelveen is verhuisd. Het gerucht ging dat hij enorme schulden had, door een gokverslaving. Daarom kon hij niet in de Orteliusstraat blijven.'

Dat bleek te kloppen. Na enig zoekwerk werd de huidige verblijfplaats van Simon Janssen opgespoord, en hij was inderdaad de officiële directeur van het bedrijf in ruste. Er was slechts één telefoontje voor nodig om dat vast te stellen.

'UVSO is niet opgeheven', gaf hij toe, met een onvervalst Amsterdams accent. 'Officieel ben ik nog steeds hoofdaandeelhouder en directeur. Maar met die ontvoering van u heb ik niets te maken.'

'Hoe kan het dan dat het bankrekeningnummer van UVSO gebruikt is?', vroeg Petersen.

'Dat weet ik ook niet.'

'Ik denk dat u dat wel degelijk weet.'

'Waar haalt u dat vandaan? Onzin!'

'Ik wil weten hoe het bankrekeningnummer gebruikt kan zijn, want u hebt er de beschikking over. Er is een telefoontje voor nodig, en dan komen mijn collega's in Amsterdam u oppakken, voor betrokkenheid bij ontvoering. Dat zal ik doen, als ik er niet van overtuigd ben dat u persoonlijk niet direct bij de zaak betrokken bent. Volgens mij bent u slechts ingehuurd, om ons op een dood spoor te zetten. Als u meewerkt, zult u daar geen nadeel van ondervinden. Kunt u vertellen, door wie u benaderd bent?'

De woorden van Petersen hadden effect.

'Goed', zei Simon Janssen met een zucht. 'Ik zal het u vertellen. Mijn aandelen zijn onlangs officieus van eigenaar verwisseld. Iemand bood er geld voor, onder bepaalde voorwaarden.'

'Hebt u geen moment gedacht dat er een verdacht luchtje aan hing?'

De man liet een gemopper horen. 'Ik wist dat er problemen mee zouden komen. Het was een louche type. Maar ik heb schulden te saneren en die paar duiten kon ik wel gebruiken.'

'Hoeveel is u geboden?'

'Tienduizend euro cash in het handje.'

'De voorwaarden waar u van sprak,' vroeg Petersen kalm verder, 'wat hielden die in?'

'Dat ik het geheim moest houden', vertelde de directeur van UVSO. 'En dat ik de bank opdracht moest geven op een bepaalde datum een bepaalde transactie te laten uitvoeren. Ik heb er aan meegewerkt vanwege het geld. Het is mij beloofd dat ik nog eens veertigduizend euro zou krijgen als ik het deed.'

Dus dan hield de ontvoerder zelf een 950.000 euro over, rekende Petersen uit. Geen kleinigheid.

'U was bereid daaraan mee te werken?'

'Ik had geld nodig', was het simpele antwoord. 'Maar, luister, ik wist niet dat het om ontvoering ging!'

'U bent medeplichtig geworden aan ontvoering. Bovendien bent u nog steeds officieel eigenaar van de aandelen en directeur van UVSO, ongeacht het geld dat u aangeboden kreeg.'

'Dat merk ik', mopperde hij, alsof het de schuld was van Petersen.

'De persoon die het geld bood, wat weet u over hem?'

'Een louche type, zoals ik al zei. Hij noemde geen naam en dat was ook niet nodig. Het geld zei genoeg.'

'Kunt u hem omschrijven?', vroeg Bram Petersen stug verder.

'Een jonge vent. Hij maakte een niet erg intelligente indruk. Maar hij had wel geld, moet ik zeggen.'

'Ik bedoel uiterlijk.'

'Een kaalgeschoren hoofd, maar dat hebben er zoveel tegenwoordig. Een jaar of vijfentwintig, misschien dertig. Een stoer persoon. Hij had een lang, zwartleren jack.'

-

Maandag 7 oktober 13.40 uur
Steven Bosma was na enkele telefoontjes nog niet veel wijzer over Floris van der Zwan. Zijn Utrechtse collega's konden slechts spaarzaam informatie geven over de zoon van

Rudolf van der Zwan. Misschien dat Steven de verkeerde persoon aan de lijn had, dat wist je maar nooit. Het kon best zijn dat als hij weer belde en een ander te spreken kreeg, er veel meer informatie boven water kwam. Hij zou het later nog een keer proberen.

Wat hij wel te weten was gekomen, was het strafblad van de ontvoerde. Floris had al een paar keer voor de jeugdrechter gestaan. Het waren gevallen van diefstal en inbraak. De laatste veroordeling dateerde van een halfjaar geleden, toen hij een taakstraf kreeg voor een dodelijk ongeluk. Kon dat met de ontvoering te maken hebben? Het leek vergezocht.

Een ander punt dat uitgezocht moest worden, was de identiteit van de anonieme tipgever, die op de dag na de ontvoering van de faciliteiten in de Openbare Bibliotheek in Doorn gebruik had gemaakt. Wie had Peek gemaild?

Om een antwoord op die vraag te krijgen, reed Bosma aan het begin van de middag naar het centrum van Doorn, waar schuin tegenover het postkantoor en de ingang van de Albert Heijn de bibliotheek zich bevond.

Het was vijf over twee. De bibliotheek was juist geopend. Bij de balie waar de boeken ingeleverd konden worden, begon zich al een rijtje wachtenden te vormen. Twee medewerksters zetten alle zeilen bij om de overvloed aan geleende materialen te verwerken.

Omdat hij wachtte op een rustig moment, liep Steven Bosma belangstellend de bibliotheek door op zoek naar de plek, waar men het internet op kon. De computers bevonden zich centraal in de bibliotheek, terwijl de hoge kasten met boeken zich op afstand hielden. Vanuit bijna elke hoek van het gebouw waren de computers te zien, hoewel je soms achter een boekenkast weg moest stappen.

De rust aan de balie was teruggekeerd.

Een medewerkster met stekelig grijs haar en een bril stond hem vriendelijk te woord. Ze legde hem uit dat de bibliotheek grotendeels bemand werd door vrijwilligsters. Na wat vragen aan haar collega's werd vastgesteld wie van de aanwezige vrijwilligsters ook vrijdag gewerkt had. Dat waren alleen een vrouw die in vaste dienst was en voornamelijk achter de schermen werkte, en een vrouw die er al had moeten zijn maar te laat was.

Ze kwam vijf minuten later.

Met de jas nog aan, vertelde ze de rechercheur dat ze zich inderdaad herinnerde dat er op vrijdag iemand was geweest die van de mogelijkheid om te internetten gebruik wilde maken. Ze had hem niet persoonlijk geholpen, maar had deze persoon wel gezien. Op datzelfde moment had ze namelijk achter de balie gestaan om boeken in te nemen.

Op verzoek van de rechercheur omschreef ze deze persoon. Het was een man. Ze had hem nooit eerder in de bibliotheek gezien. Maar ook nergens anders. Ze omschreef hem als een late twintiger met kaalgeschoren hoofd en een stoppelbaardje. Dat was alles wat ze zich van hem herinnerde. Bosma knikte dankbaar. De omschrijving kwam hem direct bekend voor, hoewel het hem verbaasde dat juist die persoon de pers getipt had.

-

Maandag 7 oktober 14.10 uur

De telefoon ging over. John van Keeken had eindelijk de benodigde gegevens van Claire Huisman gekregen. Wat had zij getreuzeld om de bankrekeningnummers door te geven! Wilde ze de opsporing soms belemmeren? Ondenkbaar. Ze was gewoon zo'n nerveus wrak dat ze niet tot gezond nadenken in staat bleek. Hij had haar een aantal keren aan de lijn gehad, en elke keer had hij geconstateerd dat ze een zenuwinzinking nabij was. Een hysterica.

Nu probeerde hij de bank te bereiken. Weer moest hij wachten. Hij irriteerde zich. Na het gesprek met de districtschef die hem op zijn nummer had gezet, dacht hij onophoudelijk aan Petersen. Die had over hem geklaagd, zodat Griesink hem een veeg uit de pan kon geven. "Dit kan toch echt niet", had Griesink gezegd.

In het dikke halfjaar dat Van Keeken in Veenendaal werkte, was er niet veel verbeterd in de verhouding tussen hem en zijn meerdere. Als hij daaraan dacht, voelde hij zich gedemotiveerd. Het was typerend dat hij van Petersen nooit leuke opdrachten kreeg, zoals Steven Bosma die naar de bibliotheek in Doorn mocht gaan.

Ik krijg geen erkenning voor wat ik doe, dacht hij.

Gekraak op de lijn trok zijn aandacht.

Hij kreeg een medewerker aan de lijn en vroeg naar de persoon die meer informatie kon geven over het gebruik van bankpassen. Hij werd doorverbonden. De man die hij aan de lijn kreeg, kon hem helpen, maar dat kostte wel tijd. Of het goed was dat hij terugbelde.

Het duurde een halfuur voor de telefoon piepte.

De medewerker van de bank kon vertellen dat de bankpas van hun cliënt sinds donderdagmiddag niet gebruikt was. Tenminste, er was geen geld van de rekening afgeschreven.

'Maar,' vertelde hij daar meteen bij, 'iemand, en ik weet niet of het onze cliënt zelf was of een ander, heeft de pas wel geprobeerd te gebruiken. Zonder succes overigens. De verkeerde pincode werd gebruikt.'

'Waar is dat gebeurd?'

'Op twee verschillende locaties en op verschillende tijden op de donderdagavond. De eerste keer deed iemand twee pogingen rond zes over elf bij een automaat aan de Hoofdstraat in Driebergen. Later, na middernacht, volgde een mislukte dubbele poging bij het station Driebergen-Zeist.'

Dus in die omgeving moesten ze de dader zoeken, concludeerde Van Keeken. Want het was ongetwijfeld de ontvoerder, die tevergeefs geprobeerd had zich te verrijken met de pas van zijn slachtoffer. Het stemde overeen met de locaties waar vandaan hij gebeld had. Het was allemaal in dezelfde regio.

'Zijn de gebruikte automaten voorzien van camerabewaking?'

'Nee, helaas kan ik u op dat punt niet helpen. Ik kan u wel de vermoedelijke dader noemen.'

'Hoezo?'

'Nou,' zei de man, 'het valt op dat vrijwel onmiddellijk na de laatste poging, een andere bankpas wel met succes werd gebruikt. Aangezien het station buiten de bebouwde kom ligt en het 's avonds laat rustig wordt, viel mij op dat zo kort daarop de automaat weer gebruikt werd. Mocht het niet de dader zijn, dan kan het wel iemand zijn die op de dader heeft staan wachten.'

'Hebt u de naam van de persoon op wiens naam die pas staat?'

'Ja, die heb ik.'

-

Maandag 7 oktober 14.55 uur

De behoefte tot praten leek de belangrijkste drijfveer van Mignon van Elshout toen ze later die middag met de theepot en twee glazen naar boven kwam, naar de kamer waar Inge Veenstra zich thuis was gaan voelen. Ze volgde de instructies van haar meerdere tot op de letter nauwkeurig op. Als ze eerlijk was, droeg haar afkeer voor Mignons man daar ook aan bij. Rudolf van der Zwan had onmiddellijk bij haar aankomst duidelijk gemaakt, dat ze beneden niet welkom was. Volgens hem was het risico enorm dat ze door de ontvoerders gezien zou worden. Maar hoe bezorgd was hij eigenlijk om zijn zoon? Hij was immers na het laatste telefoongesprek met de dader "gewoon" weer naar zijn werk gereden, alsof er niets aan de hand was.

Mignon zette het dienblad op het bijzettafeltje, waarvoor amper ruimte was in de krap bemeten slaapkamer. Vervolgens schonk ze de thee zwijgend in. Inge zat op het bed. Ze was bezig met een puzzel uit een tijdschrift. Even keek ze op om te zien waar de binnengekomen vrouw van Rudolf van der Zwan mee bezig was. Mignon ging naast haar op het bed zitten.

'Zo, die is opgelost', sprak Inge Veenstra nadat ze het laatste cryptogram had opgelost en de antwoorden onder elkaar een slagzin opleverden. Er waren prijzen mee te winnen, maar ze stuurde haar antwoorden nooit op.

'Heb je er bezwaar tegen dat ik hier rook?', vroeg Mignon. Ze trok een pakje sigaretten half uit de zak van haar broek.

Inge strekte haar hand uit naar het glas thee.

'Het is uw huis.'

'Ik wil rekening met je houden,' zei ze, de wenk oppikkend, 'want jij bent hier in ons belang.' Ze liet het pakje terugzakken. Nu pakte ze haar glas op. In een poging zich te verontschuldigen, voegde ze er nog aan toe: 'Ik rook nog niet zo lang.'

'Oh?' De agente blies de hete damp weg.

'Ik heb mijn hele leven niet gerookt tot driekwart jaar geleden. Dat heeft mij ook van mezelf verbaasd. Ik had me altijd voorgenomen nooit te gaan roken. En na vierendertig jaar ben ik er toch mee begonnen. Het komt door de spanning.'

Inge Veenstra vroeg zich af of dat helemaal waar was. Ze wist al iets meer van het verleden van de vrouw naast haar. Die had al vaker tijden van grote spanning doorstaan.

Waarschijnlijk had ze de gewoonte overgenomen van haar man, die zelf sigaren rookte. Inge wist niet wat ze moest zeggen en daarom nam ze een slokje van de thee. Die was nog gloeiend heet, zodat ze ervan schrok. Met het theelepeltje roerde ze om het afkoelen te bespoedigen.

'Ik begrijp eerlijk gezegd niets van mannen', begon de vrouw naast haar opeens. 'Ze kunnen zo gesloten zijn, dat je onmogelijk iets uit ze krijgt. Neem Rudolf. Hij doet alsof er nu niets aan de hand is door naar zijn werk te gaan. Maar het moet van binnen knagen dat zijn zoon weg is. Waarom is hij daar niet open over?'

'Misschien is hij bang emoties te tonen.'

'Dat heb ik ook wel gedacht.' Ze sloeg haar ene been over haar andere. De kop thee rustte een moment op haar knie, voor ze hem naar haar mond bracht en voorzichtig een slokje nam. Een halve minuut verstreek voor ze weer het woord nam. 'Maar over zijn werk is hij nou ook niet bepaald mededeelzaam. Soms moet ik de woorden uit hem trekken. Dat is toch niet gezond voor een relatie?'

'Vertelt hij nooit wat hij op zijn werk beleeft?', vroeg Inge Veenstra zonder antwoord te verwachten. Ze was daarover niet echt verbaasd na haar eerste ervaring met de man van Mignon. Hij was een bazig type door wie Mignon zich liet overvleugelen, alsof ze zijn beslissingen nodig had. Omdat ze iemand nodig had die verantwoordelijkheid voor de keuze op zich nam? Maar van nestwarmte tussen de twee was geen sprake. Of was de nestwarmte recentelijk wat afgekoeld onder de extreme omstandigheden en in aanwezigheid van de vreemde die hen door Petersen was opgedrongen?

Mignon ging op de retorische vraag in. Rudolf van der Zwan bleek nooit iets over zijn werk te vertellen. Zelfs als zijn vrouw merkte dat hij onder spanning stond, liet hij nooit iets los of het was iets banaals.

'Ik weet zelfs niet eens hoe het bedrijf heet waarvoor hij

werkt', legde ze uit, en dát verbaasde de agente wel. 'Zo erg is het. Oh, hij heeft het vast wel eens gezegd, maar ik ben het gewoon kwijt.'

'Bel je hem wel eens op als hij op zijn werk zit?'

'Jawel, maar ik heb zijn mobiele nummer, niet het nummer van het bedrijf. Het is toch eigenlijk te gek voor woorden, vind je niet? Regelmatig gaat hij 's avonds laat weg, zogenaamd om erop toe te zien dat de aflevering van bepaalde farmaceutische grondstoffen goed verloopt. Maar daar heeft hij toch zijn mensen voor?'

Of, dacht Inge Veenstra, heeft hij soms een ander? Wil zij dat niet onder ogen zien?

Hoofdstuk 9

Maandag 7 oktober 15.35 uur
Op zijn horloge zag Bram Petersen hoe laat het was. Steven Bosma was uit Doorn teruggekeerd en had hem verteld dat hij het strafblad van de belangrijkste verdachte wilde doornemen. Toen zijn collega daarmee klaar was, riep Petersen de anderen bij elkaar voor een bespreking. Zijn collega Ronald Bloem had daarop de vergadertafel ingericht en een thermosfles met verse koffie klaargezet.

John van Keeken was trots dat hij kon vertellen wie de ontvoerder was. Zijn naam had hij van de bankmedewerker gekregen: Kars Becker. Steven Bosma die Becker had ontmoet, kon zijn collega op dit punt bevestigen.

'Hij is in de bibliotheek in Doorn geweest. Hij verstuurde de mail.'

'Maar,' reageerde Ronald Bloem meteen verbaasd, 'waarom heeft hij zelf Peek ingelicht over de ontvoering, terwijl hij van Van der Zwan eiste dat het geheim gehouden werd?'

Van Keeken was al net zo verbaasd.

'En,' zei hij, terwijl hij het plastic roerstokje uit zijn mond nam en in de lucht gebaarde, 'hij deed over de telefoon alsof hij kwaad was dat het naar de pers uitgelekt was.'

'Het is niet logisch. Hij is zelf het lek!'

'Becker is een kleine vis', wist Bosma te vertellen. 'Een amateur. Vandaar dat hij zoveel sporen heeft achtergelaten. Volgens zijn strafblad is hij in het verleden meerdere keren betrapt op kleine vergrijpen. Pas een week of acht geleden is hij vrijgekomen. Hij heeft gezeten voor heling en autodiefstal. Door zijn eigen onhandigheid wordt hij telkens gepakt. Het zwaarste vergrijp waar hij zich schuldig aan gemaakt heeft, was een gewelddadige overval op een pompstation en toen was hij niet alleen. Ik vraag me daarom af of hij nu wel alleen werkt. Misschien is hij een pion in een groter geheel.'

'Dat is mogelijk', vond ook Petersen die zich realiseerde dat Becker onmogelijk het geld bij elkaar had kunnen schrapen om aan de aanbetaling van tienduizend euro voor UVSO te kunnen voldoen. Of had hij dergelijk grote inkomsten uit zijn misdadige leven gewonnen? Feit was wel, dat Becker in zijn leven weinig echte baantjes had gehad. Een korte periode was hij voor iemand in Wijk privéchauffeur geweest, en hij had bij een doe-het-zelfbedrijf in het magazijn gewerkt. De laatste baan was bij een nachtclub in Utrecht geweest.

Tegelijkertijd wist Bram Petersen dat daarmee de vraag van Ronald Bloem niet volledig beantwoord was. Het was hooguit het begin van een verklaring. Er stonden misschien andere belangen op het spel dan de financiële, waarmee ze tot nu toe gerekend hadden. Maar wie had er belang bij de publiciteit enerzijds te verbieden, en anderzijds zelf te zoeken?

'Nou, wat gaan we doen?', vroeg Van Keeken die popelde om tot actie over te gaan. Petersen begreep, dat hij als degene die de naam van de ontvoerder had ontdekt, zich bijzonder gemotiveerd voelde om de slotscène tot een succes te maken. Eindelijk kon Van Keeken een kans krijgen iets te doen waarvoor hij de berisping van Griesink kon goedmaken. Het zou tevens voor zijn carrière goed uitkomen. 'Gaan we hem oppakken?'

'We moeten voorzichtig zijn', sprak Petersen die aan andere belangen dacht.

'We hebben genoeg bewijs dat hij erbij betrokken is. Hij heeft het geld inmiddels al weggesluisd. Hij kan al in het buitenland zitten. Volgens mij is het tijd voor actie.'

Steven Bosma was het met Petersen eens. Hij zag de complicaties. 'Als Becker niet alleen werkt, en we pakken hem, weet de rest dat we hen op het spoor zijn. Nee, dat kunnen we niet doen. Daarmee riskeren we het leven van Floris van der Zwan. Eerst moet hij boven water komen.'

Bram Petersen knikte goedkeurend in de richting van zijn collega. 'Juist. We gaan daarom niet overhaast te werk.'

'Misschien heeft hij Floris in de kelder van dat huis in Wijk bij Duurstede opgeborgen', probeerde Van Keeken nog, maar zijn voorstel maakte geen kans. Zelfs Ronald Bloem die ook wel trek had in actie, schudde zijn hoofd.

'Wat we wel kunnen doen,' vertelde Petersen nu, 'is Becker onopvallend schaduwen. Als hij contact heeft met anderen, zullen we het ontdekken. Als hij Floris ergens heeft opgeborgen, zullen we de schuilplaats vinden. We kunnen zijn telefoon aftappen.'

John van Keeken viel hem in de rede.

'Dat heeft weinig zin. Die zit allang in het buitenland. Dat zou ik in zijn situatie ook doen. Jullie zijn gewoon te voorzichtig. Ook als we niets doen, kunnen ze Floris vermoorden.'

Dat was ook een mogelijkheid, besefte Petersen. Elke keus die ze maakten, kon verkeerd uitpakken en dan zou Rudolf van der Zwan klaarstaan om gal te spugen. Een onaantrekkelijk vooruitzicht.

'Ik heb jullie gewaarschuwd!', zei Van Keeken tot slot.

-

Maandag 7 oktober 16.30 uur

Jacoba Vermeend was de oudste overlevende uit een gezin van acht kinderen. Alleen haar jongere broer Karel had ze nog, hoewel ze hem zelden zag. Hij woonde nota bene een paar straten verderop, in het oude stadscentrum van Wijk bij Duurstede. Ze waren allebei zwak in de knieën en de afstand die hen scheidde, was onoverbrugbaar zonder hulp van anderen. Het vergrootte de eenzaamheid. Elk bezoekje dat ze dan ook van familie, buren of kennissen kreeg, was welkom.

Maar ook dat was een genot dat ze steeds minder smaakte. Bleef men weg omdat ze zo'n slecht gehoor had?

Het verheugde haar, toen ze opeens de voordeurbel beneden hoorde rinkelen. Het vertrouwde geluid bracht haar in beweging. Kars kon het niet zijn. Die had een sleutel. Het was dus bezoek, een stukje afwisseling in een grijs bestaan!

Maar het was geen gewoon bezoek. Omdat het voor haar bijna onmogelijk was de steile trap af te dalen en de deur te openen, trok ze aan het koord waarmee de deur openging. Ze kon nog net de onderste helft van de mannen zien, die voor de deur stonden. Ze zag geen bekenden, maar twee geüniformeerde heren van de politie.

Ze verschenen onderaan in het halletje, zodat ze hen kon zien.

'Dag mevrouw,' sprak een van hen vriendelijk, maar beslist. Doordat hij zijn pet niet droeg was zijn vreemd geblokte kapsel zichtbaar, zodat zijn hoofd een kubusvorm had. 'Is Kars Becker aanwezig?'

Ze verstond hem eerst niet goed en vroeg met haar schelle stem of hij het kon herhalen, waarop de andere agent naar boven kwam. Vol ongeduld en nijdig drukte hij haar gekromde lichaam aan de kant en zette zijn voet op overloop. Hij was in de woonkamer voor het tot haar doordrong wat er gebeurde.

'Dit is een huiszoeking, mevrouw', legde de man met het kubushoofd haar uit. Hij bleef vriendelijk. Nadat hij de deur had dichtgetrokken, ging hij ook de trap op, zijn collega achterna.

Het kostte Jacoba veel moeite om de woonkamer te bereiken. Hoewel haar gehoor haar bijna in de steek had gelaten, ving ze de geluiden op van wat er in haar woning gaande was. Toen ze eindelijk de deur naar de woonkamer opendeed, zag ze op welke onconventionele wijze de agenten hun werk deden. De woning werd overhoop gehaald! Kastdeuren vlogen open en de inhoud werd *rücksichtslos* eruit gesmeten. Een van hen daalde de trap weer af om in de kelder te kijken. De ander ging naar de slaapkamers.

Jacoba was opgevoed met een diep respect voor autoriteiten en daarom durfde ze de twee geen strobreed in de weg te leggen. Met lede ogen zag ze toe hoe haar interieur op de kop werd gezet in een zinloze zoektocht naar haar kleinzoon.

Het was niet de eerste keer dat ze met de politie in aanraking kwam. Ze besefte wel dat Kars weer iets uitgehaald had, dat tegen de wet in ging en dat verklaarde ongetwijfeld de verwoede pogingen om hem te ontdekken. Als ze al wilde protesteren over de ruwheid, realiseerde zij zich dat ze weinig kon uitrichten tegen deze twee volwassen mannen.

De speurtocht door haar woning had blijkbaar niets opgeleverd. Daarom kwamen de twee terug naar de woonkamer, de ruimte waar ze begonnen waren, en waar Jacoba lijdzaam wachtte tot de razernij voorbij zou zijn. De man met het kubushoofd hield zich nu op de achtergrond. De wildeman stortte zich met een grimmig gezicht op haar.

'Waar is hij?', siste hij kwaadaardig, waarbij het speeksel uit zijn mond spetterde. Ze schrok ervan.

Ze haalde de kromme schouders angstig op. 'Ik weet het niet', zei ze naar waarheid.

Kars was 's ochtends al vroeg van huis gegaan en ze verwachtte hem pas 's avonds weer. Maar je wist het nooit met hem. Soms wilde ze, dat ze hem na de vrijlating niet meer in huis had gelaten. Maar ze kon haar kleinzoon toch niet laten vallen? Dan zou hij op straat staan, en helemaal in de criminaliteit geraken.

'Natuurlijk weet je dat wel, stomme teef', schold de man. Hij had haar bij de pols beet en hij kneep zo hard, dat ze er tranen van in de ogen kreeg.

'Kars is weg', piepte ze benauwd. 'Hij komt vanavond weer.'

De man geloofde haar niet. Hij trok zijn dienstwapen en zwaaide er vervaarlijk mee, voor hij de loop hard tegen haar wang drukte, net onder haar linkeroog. Ze schrok zo hevig, dat ze te laat bemerkte hoe de ontlasting uit haar weg stroomde.

-

Maandag 7 oktober 17.55 uur
Met het vertrek van Steven Bosma en John van Keeken werd het rustig in de projectruimte in het districtskantoor van de politie in Veenendaal. Petersen en Bloem waren achtergebleven in afwachting op berichten uit Wijk bij Duurstede, waar hun collega's het spoor van Kars Becker zouden volgen. Petersen had benadrukt dat ze voorzichtig te werk moesten gaan. Hij verwachtte van hen dat ze alles van een afstand volgden, zonder hun aanwezigheid bekend te maken, tenzij ingrijpen noodzakelijk was. Zodra ze meer wisten, zouden ze contact zoeken met Veenendaal.

Bram Petersen zat achter zijn bureau zijn aantekeningen van het gesprek met Simon Janssen nog eens door te bladeren. Uit de woorden van Janssen was op te maken dat deze Becker niet had gekend. Hoe was Becker hem dan op het spoor gekomen? Wie of wat was de schakel tussen deze twee personen? Rudolf van der Zwan? Er moest veel meer achter de ontvoering zitten. Het kon onmogelijk het werk van een eenling zijn.

Het viel Petersen ook op, dat de eigenaar van UVSO te kennen had gegeven, dat hij niet wist wie Van der Zwan was, terwijl deze wel het adres van Janssen wist. Petersen had hem gevraagd of de winstmarge van UVSO voldoende was om van te leven, en dat bleek niet het geval. Daarom had hij de activiteiten van het bedrijf in 1996 gestaakt. Daarna had hij verschillende baantjes gehad, onder andere als chauffeur voor een groothandel in farmaceutica. Dat leek de connectie met Van der Zwan te zijn.

Of was er een criminele connectie?

"Van der Zwan heeft banden met de onderwereld", had Ricardo Peek op een samenzweerderig toontje verteld, voor hij naar de redactie terugging. "Door jullie is hij nooit betrapt. Hij is een sluwe vos."

"Wat maakt hem dan een vies mannetje?"

"Hij heeft wel eens mensen opgelicht. Niet mensen zoals u en ik die zich aan de wet houden. Boeven bestelen boeven en die doen daar geen aangifte van. Ze vechten hooguit hun vetes onderling uit."

Misschien hield de ontvoering daarmee verband. Was dit het werk van iemand die een appeltje te schillen had met de familie Van der Zwan? Waarom dan een ontvoering en de hele entourage eromheen, zoals de oproep van de ontvoerder om de ontvoering niet aan de grote klok te hangen, terwijl hij zelf Peek van het *Utrechts Nieuwsblad* mailde? Misschien zocht het brein achter de ontvoering de confrontatie, wilde hij het laten uitlopen op een drama. Petersen dacht er liever niet aan. Maar deze gedachte bleef in hem opkomen, hoewel hij haar liever niet met zijn collega's deelde die nu met nieuw enthousiasme op de zaak zaten. Zij hadden het gevoel de ontvoerders op de hielen te zitten.

Zou het uitlopen op moord? Als dat zo was, konden ze de oplossing vinden in het wereldje waarvan Van der Zwan deel uitmaakte. Alleen dan kon die dramatische afloop voorkomen worden.

Petersen keek naar Bloem die achter de computer zat. Zijn vingers raceten over de toetsen. Het deed hem goed dat zijn assistent volop in het onderzoek meewerkte. Hij had het niet verwacht nadat Manuela de verkering had uitgemaakt. Tegelijkertijd vroeg hij zich af of zijn collega zichzelf niet teveel voor het verdriet afsloot. Of liet het hem koud? Petersen kon het zich niet voorstellen.

'Heb jij de antecedenten van Van der Zwan nagetrokken?'

De jonge rechercheur hield een moment stil en keek zijn collega aan. Daarna nam hij de computermuis beet en klikte iets op het scherm aan.

'Ja', zei hij. 'Ik heb contact gehad met een collega uit Utrecht. Hij kent Van der Zwan.'

'En?'

'Jij had toch gehoord dat hij directeur is van een bedrijf?'

Petersen knikte. 'Volgens Mignon van Elshout is haar man directeur van de logistieke dienst van een bedrijf dat farmaceutische producten verhandelt.'

'Nou, daar klopt dus niets van.'

Bram Petersen keek Ronald Bloem afwachtend aan.

'Hij,' zei deze, 'is eigenaar van een nachtclub aan de Oude Gracht in Utrecht. Onze Utrechtse collega's verdenken hem van heling, maar ze hebben hem nog nooit kunnen betrappen. Maar met farmaceutische producten heeft hij nooit iets gehad, of het moeten verdovende middelen zijn.'

-

Maandag 7 oktober 22.10 uur

Toen Kars Becker het pand aan de Peperstraat betrad, wist hij dat hij de stomste fout beging die hij nog kon maken. De klus zat erop. Esmée had hij al in veiligheid gebracht en alles wat van hem verwacht kon worden, was gedaan. Hij kon gaan!

En toch...

Ik kan toch niet voorgoed vertrekken zonder afscheid, dacht hij. Dat kan ik niet over mijn hart krijgen. Mijn oma is dan wel een oude zeur aan het worden, en zo doof als een kwartel, ze heeft me toch na mijn vrijlating opgevangen.

Zij was feitelijk de enige bij wie hij altijd terecht kon, wat hij ook uitgespookt had. Zijn moeder had nooit iets van hem willen weten. Zij was nu dood. En zijn vader... Die was op zijn tiende uit zijn leven verdwenen. Nee, dankbaarheid tegenover zijn oma was op zijn plaats, ook al had ze wellicht gedeeltelijk uit eigenbelang gehandeld. Ze was, net als haar broer, volledig op haar familie aangewezen en een inwonende kleinzoon was een garantie voor hulp. Dat was hij voor haar geweest. Hij zorgde dat er boodschappen werden gedaan.

Eigenlijk had ze zich allang aan de zorgzame hulp van een verpleeghuis moeten toevertrouwen. Waarom deed de dokter niets?

Voor het laatst begaf hij zich de steile trap op, waarvan de loper door de decennia heen tot op de draad versleten was. Herinneringen kleefden aan de muren met het halfvergane bloemetjesbehang en de portretten met foto's uit lang vervlogen tijden.

Onwillekeurig dacht hij aan de tijd dat hij hier opgegroeid was, met zijn moeder en grootouders. Het waren moeilijke tijden geweest, waarbij de familie de huur amper had kunnen opbrengen. Toch was dat altijd nog beter, dan het krot waarin zij gewoond had voor Kars geboren werd.

Zijn oma had eigenlijk al op bed moeten liggen. Het was tien uur geweest. Maar hij trof haar volledig gekleed in de keuken aan, waar ze over een zinken teil met dampend water gebogen stond. Haar knoestige handen hielden een bezem vast, waarvan de haren naar het plafond wezen, terwijl ze in het water roerde. In het water zaten kleren. Een vieze lucht steeg omhoog.

'Oma!', riep hij om zich verstaanbaar te maken. 'Wat is er aan de hand?'

Ze liet de bezem los en greep hem bij de ellebogen beet en keek met angst in de ogen naar hem op. Hij stak een halve meter boven haar grijze hoofd uit.

'Politiemannen', piepte ze. Hij zag de beurse plek van

haar huid, een rond plekje op haar jukbeen. 'Ze zijn hier geweest.'

'Wanneer?', vroeg hij, op zijn hoede.

'Vanmiddag, rond half vijf. Ze vroegen naar jou. Daarna hebben ze het hele huis doorzocht.' Met de rug van haar verschrompelde hand veegde ze de tranen weg die massaal uit de ogen welden. Wat er gebeurd was, kon Kars Becker wel raden. Zijn oma had zo in de rats gezeten, dat ze haar ontlasting niet op had kunnen houden. Nu was ze bezig de aangerichte schade te herstellen. Ze waste het ergste vuil uit haar kleren, voor ze de wasmachine in gingen.

'Wat hebt u gezegd?', was de vraag die op zijn lippen brandde. Ze waren hem al veel eerder op de hielen dan hij had gedacht. Hij wist dat hij nu moest maken dat hij wegkwam. Waarschijnlijk hielden ze het huis van oma onophoudelijk in de gaten.

'Ze bedreigden mij omdat ik niets zei.'

Ze gebaarde naar de teil om hem woordeloos duidelijk te maken, wat het gevolg was geweest, waarvoor ze zich schaamde het onder woorden te brengen.

De bel beneden klonk indringend.

Shit! Dit liep helemaal verkeerd, begreep Kars.

Ze liet hem los. 'Doe jij alsjeblieft open.'

Dus niet! Er was geen tijd uitleg te geven. Op een holletje ging hij de woonkamer binnen en gluurde door de gordijnen de verduisterde straat in. Twee mannen in uniformen stonden beneden. Agenten? Kars meende een van hen, een man met hoekig kapsel, vaag te herkennen, maar wist niet meer waarvan. Hij stond zo dicht tegen de deur geleund, dat hij bijna uit het zicht verdwenen was. Hij gebaarde de ander achterom te gaan. Kars kon niet verstaan wat ze tegen elkaar zeiden, maar hij begreep de achterliggende gedachte: om de vluchtweg te blokkeren.

De ander was nauwelijks weg, toen er iets gebeurde dat

Kars nog meer verontrustte. Het was eigenlijk het piepende geluid dat een rilling over zijn rug liet gaan.

De voordeur ging open.

Had zijn oma aan het koord getrokken? Of was het slot geforceerd? De man met het hoekige kapsel ging in elk geval naar binnen. Binnen enkele seconden kon hij boven zijn. Er was geen uitweg. Kars zag zijn auto verderop in de straat staan, geparkeerd tegen de gevel van het huis van de buren.

In een reflex maakte hij de sluiting van het schuifraam los en schoof deze open. Terwijl hij gestommel achter zich meende te horen, zwaaide hij één been door de opening, gevolgd door een tweede. Zonder aarzelen maakte hij de sprong van bijna drie meter naar beneden. Met een harde klap kwam hij op het trottoir terecht. Heelhuids, gelukkig.

Hij graaide de sleutels uit zijn broekzak en wilde naar de auto rennen. Maar toen zag hij dat de man in de deuropening was blijven staan, tussen hem en de auto in. Op dat moment herkende hij hem en wist dat zijn tegenstanders nog gevaarlijker waren, dan hij had gedacht. Dit was geen politie.

Dit zijn de bloedhonden, dacht hij. De bloedhonden die op mijn spoor zijn gezet.

Zo vlug hij kon, draaide hij zich om en zette zich in beweging. Hij hoorde de man achter hem tegelijkertijd naar voren schieten om hem naar de keel te grijpen, maar Kars ontweek hem met zijn draai. Ternauwernood ontsnapte hij richting de Markt, hoewel hij wist dat hij bijna kansloos was met de ander op zijn hielen. Hun voetstappen denderden hard op de klinkers.

De handlanger doemde voor hem op, gewapend met een revolver.

Shit!

Dit wordt menens, schoot het door hem heen. Waarom is er nu niemand in de straat die mij te hulp kan schieten? Waar is de politie? Ik had nooit zo stom moeten zijn om naar mijn oma te gaan. Wat ben ik een sentimentele dwaas!

Opeens zag hij het tunneltje links van hem. Zijn enige kans. Al bijna vijfhonderd jaar was het tunneltje daar, de toegang tot de Mazijk, het straatje dat de groene verbindingszone vormde tussen kasteel Duurstede en het centrum van de stad. Het tunneltje zelf was een zeer nauwe doorgang, die door een woonhuis aan de Peperstraat overkluisd werd. Kars kende het van jongs af aan. Een zwart gat in de nacht.

Hij stortte zich met alle geweld dat bevrijdende duister in. Alleen heel in de verte zag hij licht blinken, zijn enige hoop.

Hoofdstuk 10

Dinsdag 8 oktober 9.00 uur

Rogier van Middelstum amuseerde zich mateloos. Alsof het een feestje betrof. De Wijkenaren dromden al op de dijk samen. Reikhalzend werd gekeken naar de handelingen die voor het huis verricht werden, terwijl paardenhoeven ongeduldig op het grind stampten. Hij wist precies wat ze allemaal dachten. Van Middelstum is overleden. Wat een belangstelling van ongenode gasten! Op de grote dag zelf zouden er ook nog genode gasten zijn. Het was precies zoals hij zich voorgesteld had. Ze waren uitgelopen, alsof hij de burgemeester zelf was.

Oude tijden herleefden. Nadat het "Veerhuis" zijn oorspronkelijke functie had verloren, was het lange tijd de residentie van de Wijkse burgemeester geweest. Wat een prachtige ambtswoning! Was de laatste geluksvogel ook van dit huis uit begraven? En was er toen ook zo'n belangstelling geweest? Het was de moeite waard dat uit te zoeken!

Veilig verstopt achter de vitrage en leunend op zijn onafscheidelijke stok, keek hij toe hoe de uitvaartondernemer zijn mannen wenkte. Hij zou spelbreker zijn als hij nu naar buiten liep. Terwijl hij zijn blik liet glijden langs de rijen mensen – sommigen met de fiets aan de hand en zelfs een jonge vrouw met een kinderwagen – zag hij dat die nieuwsgierigen allemaal tegen elkaar fluisterden, terwijl de kist van de baar in het koetshuis getild werd. De lichtbruin getinte kist was maandag verzwaard om de dragers alvast het idee van zijn gewicht te geven. Net alsof er écht iemand in de kist lag. Zo was ook de instructie van de dragers: doen alsof het een echte begrafenis betrof. Dit was wat de cliënt verwachtte én waarvoor hij betaalde.

Hij betwijfelde of iemand de symboliek van de kist zou

doorgronden. De vorm van een cocon had hij door een Utrechts kunstenaar laten maken. Na een leven van zorgen zou hij heengaan en eens als een prachtige vlinder ontpoppen. Hij geloofde in de onsterflijkheid van de ziel - hoewel, niet volgens de christelijke traditie, want dan zou hem weinig goeds te wachten staan. Wat kon hij wel verwachten? De eeuwige jachtvelden? Eerder de eeuwige speelvelden van casinoland. Rogier kon een glimlach niet onderdrukken.

Iemand bracht anderen in herinnering wat Rogier van Middelstum voor Wijk had betekend. Knikkende hoofden bevestigden het zwijgend. Er was haast een rouwstemming te bespeuren. En nog groeide de menigte aan en blokkeerde de weg naar het veer. Een automobilist die wel verder wilde, zocht hopeloos een weg door de massa. De twee aanwezige agenten probeerden tevergeefs de menigte in bedwang te houden. Wat een schouwspel!

Rogier vond dat hij geen betere dag uit had kunnen kiezen, hoewel het een werkdag was. De lucht was van het stralendste blauw, waardoor de zon ongewoon fel schitterde op het water van de Lek die achter de haag van mensen te zien was. Links, over het water heen en langs de "Rijn en Lek"-molen, was in de verte zelfs de Utrechtse Heuvelrug als een groenblauw lint waar te nemen. Een prachtig vergezicht.

De kist werd met de grootste voorzichtigheid de gereedstaande rouwkoets ingeschoven. Alles was in het zwart. De dragers, de koets, de koetsier. De lichtgekleurde cocon vormde een interessant contrast met de omringende zwartheid, maakte daardoor zijn aanwezigheid nadrukkelijk bekend. De blikken waren die kant op gewend.

In overeenstemming met de afspraken, ging de begrafenisondernemer voor de koets staan. Zijn mannen die net als hij een hoge hoed droegen, namen naast de koets positie in. Toen kwam het teken. De koetsier die een steek op zijn hoofd had, gaf de paarden de teugels en met enig gekraak zette de koets zich in beweging. Het grind knerste onder het gewicht van de wielen. De gordijntjes die het interieur van de koets gedeeltelijk afschermden, wapperden heen en weer.

Er moest een scherpe bocht naar links genomen worden om de dijkweg op te rijden. De begrafenisondernemer ging voorop, zonder om te kijken. Daarna werd er stilgehouden, het moment waarop de volgauto's zich aan konden sluiten. Agenten hielden nu auto's van passanten op. De dood, zij het een gefingeerde, had voorrang.

De auto werd door Willems voorgereden. Tijd om acte de présence te geven en verwarring te zaaien onder de toeschouwers. Zijn chauffeur die zich voor de gelegenheid helemaal in het zwart gekleed had, deed de voordeur voor hem open. De geur van brandend wierook walmde hem uit het koetshuis tegemoet. Leunend op zijn stok begaf Rogier van Middelstum zich naar de Bentley, genietend van het verbaasde geroezemoes dat opsteeg.

Het portier werd geopend. Hij stapte in. Met een plechtig gezicht sloot Willems het portier, liep om de auto heen en nam achter het stuur plaats. De auto zocht aansluiting bij het rouwkoetsje, terwijl de twee agenten de verbaasde menigte angstvallig op afstand hield.

Er werd op het raampje geklopt.

'Wat heeft dit te betekenen?', vroeg een agent aan de chauffeur. Onder andere omstandigheden zou het een onbeschofte vraag zijn geweest. Maar de verwarring stond op zijn gezicht te lezen. Rogier van Middelstum herkende wijkagent Johan van der Heijden. Kennelijk was hij door zijn meerdere niet volledig op de hoogte gebracht. 'Wie ligt er in de kist?'

'Niemand', antwoordde Willems met een knipoog.

Dit is pas genieten!, dacht Van Middelstum.

-

Dinsdag 8 oktober 9.20 uur

Nadat ze afgelost waren door twee andere agenten, waren Steven Bosma en John van Keeken naar Veenendaal gereden, waar de laatste door rechercheur Petersen meteen naar huis gestuurd werd, om de verloren nachtrust in te halen. Bosma bleef, omdat hij over zijn slaap heen was. Hij deed vervolgens uitgebreider verslag van de gebeurtenissen van de vorige avond, die hij toen telefonisch summier aan de orde had gebracht.

'We hadden de expliciete opdracht ons er niet mee te bemoeien', zei hij met een kop koffie in de hand. Hij was bij het bureau van zijn oudere collega aangeschoven. Ze waren de enige twee die aanwezig waren. 'We registreerden wat we zagen, maar toen ik een van die mannen met getrokken wapen achter Becker aan zag gaan, vond ik het tijd om in te grijpen.'

'Je hebt het signalement van de twee?', vroeg Petersen die wist dat de mannen, net als Becker, ontsnapt waren.

'We hebben foto's gemaakt die ontwikkeld moeten worden door het lab.'

Hij vertelde hoe hij met Van Keeken de twee had zien komen en hoe hij vanuit de auto, die vijftig meter verderop was geparkeerd, foto's had genomen. Toen het uit de hand liep, waren ze de drie in het tunneltje achterna gegaan. Behalve het uitzinnige geschreeuw en een glimp van een vluchtende in dat schaduwrijke laantje dat naar de ruïne van kasteel Duurstede voerde, hadden ze niets waargenomen. Was het geschreeuw van Becker geweest? Omdat ze hem te pakken hadden gekregen? Er had in elk geval geen schot geklonken en dat kon zowel als een verontrustend feit als een magere geruststelling opgevat worden. In elk geval was noch Becker sindsdien naar het huis van zijn oma of zijn auto teruggekeerd, noch de mannen.

'Toen we weer in de Peperstraat waren,' vertelde de

rechercheur met het ringbaardje, 'heb ik de voordeur van het pand dichtgetrokken. We zijn niet binnen geweest.'

Petersen knikte goedkeurend. 'Zolang we niet zeker weten hoe de vork in de steel zit, moeten we ons zoveel mogelijk op de achtergrond houden.'

'John was het daar totaal niet mee eens. Ik heb hem op andere gedachten moeten brengen of anders was hij naar boven gestormd.' Ze hadden er in de auto later nog over geruzied, maar het was niet nodig dat erbij te vertellen. Het had hem geholpen om in de kleine uurtjes wakker te blijven. Net als Johns gemopper, toen bleek dat ze niet zo snel werden afgelost als hij wilde. 'Maar wie zijn die twee mannen? Ze waren gekleed als agenten, maar waren het niet. Ik heb gedacht dat het misschien de opdrachtgevers zijn.'

'Waarom wilden ze Becker dan pakken?', vroeg Petersen die zelf wel zo'n idee had maar wilde weten wat zijn collega dacht.

'Misschien omdat Becker eigenmachtig handelde? Kan het zijn dat hij naar het buitenland wil vluchten? Misschien heeft hij het geld naar zijn eigen rekening laten sluizen, in plaats van naar de rekening die zij hem opgegeven hadden?'

Een reële theorie. Petersen had zelf gedacht dat Becker teveel fouten had gemaakt en daarom door zijn meerderen uit de weg geruimd moest worden, voor hij hen zou verraden. Ook dat was een mogelijkheid. En er waren andere mogelijkheden. In elk geval hield hij er rekening mee, dat Becker naar het buitenland vluchten wilde. Daarom was zijn signalement inmiddels verspreid, zodat de douane naar hem kon uitkijken.

'Had jij andere ideeën?', vroeg Bosma hem.

'Verschillende.'

'Zoals?'

Petersen moest denken aan het gesprek van de dag ervoor met Ronald Bloem.

'Van der Zwan zit in het criminele circuit. Volgens Ricardo Peek heeft hij mensen opgelicht. Waar ik rekening mee houd, is dat de ontvoering slechts een façade is van een poging van tegenstanders van Van der Zwan en zijn zoon, om hen te waarschuwen op hun tellen te passen. Misschien is Van der Zwan erachter gekomen wie zijn vijanden zijn. Misschien weet hij dat Becker betrokken is.'

'Hoe?'

'Hij heeft het telefoongesprek met Becker ook opgenomen en aan zijn handlangers laten horen, tot iemand de stem van Becker herkende.'

Rechercheur Bram Petersen stond op en liep naar de kapstok.

'Wat ga je nu doen?'

'Ik ga naar Driebergen. Ik wil weten hoe Mignon van Elshout reageert, als ik haar vertel wat haar man in Utrecht doet.'

-

Dinsdag 8 oktober 10.05 uur

Precies zoals het de bedoeling was, klonk Adagio uit de veertiende piano sonate van Beethoven hen vanuit de kerk tegemoet. In plaats van met een piano, werd het stuk door de organist uitgevoerd op een zestiende-eeuws pronkstuk. Rogier van Middelstum had ook andere klassieke werken voor de uitvaart uitgekozen. Nu ontbrak een meerstemmig koor, maar dat zou er op de grote dag wel bij zijn. Reden om het vandaag van het programma te laten, was dat er geen uitvaartdienst zou zijn. De stijfkoppige dominee had alleen met het spelen van Adagio ingestemd. De kist zou tot in de consistorie gebracht worden, en daarmee zou de generale repetitie eindigen.

De rit door de stad was een groot succes geworden. Rogier had er oprecht van genoten. Voor anderen moest de echte begrafenis uiteindelijk een onprettige ervaring zijn. Misschien droevig, of juist vervelend. Maar zó genoot Rogier van Middelstum er tenminste van. Hij had er geen moment spijt van.

Stapvoets waren ze de Singel opgegaan die om de oude binnenstad voerde. Onderweg waren ze gadegeslagen door vele Wijkenaren. Mensen waren uit hun huizen gekomen. Een oudere man had zijn pet afgenomen, uit eerbied voor de overledene. Het overige verkeer was stil komen te liggen.

Dat er anno 2002 nog zoveel eerbied voor de dood kon zijn als de uitvaart met enige plechtstatigheid werd uitgevoerd, was ontroerend. Veelal waren begrafenisstoeten snel voorbij schietende slierten zwarte auto's die de irritatie van medeweggebruikers opriepen, evenals het getetter van moderne muziek die uitvaarten ging domineren. Wie had enerzijds het geduld met eerbiedig gebogen hoofd een stoet te laten passeren? Had de stoet anderzijds zelf het geduld, of stoomde hij op volle kracht door? Maar vandaag viel iedereen die deze rouwstoet zag volkomen stil. Verbijsterd door de dood?

Ze moesten eens weten! De opschudding zou gauw genoeg volgen, wanneer de anticlimax werd bereikt. De mensenmenigte die aan de stoet vastgekleefd via de Veltpoortstraat de oude binnenstad waren binnengekomen, zou de teleurstellende uitkomst spoedig door de stad doen schallen.

De kerk was een indrukwekkend toonbeeld van laatmiddeleeuwse bouwkunst. Van Middelstum was teveel liefhebber van bouwwerken uit vroegere tijden, om de begrafenis niet vanuit dit godshuis te laten plaatsvinden. Eigenlijk had hij van geboorte een rooms-katholieke achtergrond. Met het oog op zijn begrafenis, had hij zich in de Nederlands-hervormde kerk laten inschrijven. De rooms-katholieke kerk "Sint-Jan Baptist" kon hem als product van de negentiende eeuw niet dezelfde voldoening geven als de van oorsprong rooms-katholieke kerk "Sint-Johannes de Doper" aan de Markt, ondanks het subtiele verschil in benaming.

De kerk, waarvan delen uit de veertiende eeuw stamden, maakte alleen al grote indruk door de stompe gotische toren die hoog boven Wijk verrees. Onder de spraakmakende bisschop David van Bourgondië van het Stichtse bisdom die in het kasteel Duurstede zijn residentie had gehad, was de toren naar het voorbeeld van de Domkerk gebouwd. Wegens gebrek aan financiële middelen, was de bouw uiteindelijk gestaakt, waardoor het de kenmerkende stompe punt had gekregen. Toch waren de details boeiend; de hoekstenen, de consoles, de spitsbogen, de pinakels en de waterspuwers. De rode baksteen die het belangrijkste bouwmateriaal had gevormd, was overvloedig afgewisseld met ornamenten uitgevoerd in natuursteen die van verre met schepen naar Wijk was getransporteerd. Vergeleken bij deze toren die altijd naar de hemel verwees, leek het rouwkoetsje nietig en onbetekenend.

Het enige dat de stedenbouwkundigen van Wijk aangerekend kon worden, was dat het zicht op de kerk schaamteloos was belemmerd. In de zeventiende eeuw was vlak voor de ingang van de kerk het gebouw opgericht, dat inmiddels het oude raadhuis genoemd werd. Hoewel het gebouw zelf de moeite van het bekijken waard was, had het nooit in de weg van de kerk mogen staan. Het was de enige wanklank die Rogier van Middelstum kon bespeuren, terwijl de Bentley tot stilstand kwam.

Nu kwam het laatste bedrijf.

De mensenmassa die langs de hele route was aangegroeid, nieuwsgierig naar de afloop van deze geheimzinnige processie, hield zich op ter hoogte van de parkeerplaats naast het oude raadhuis. De uitvaartondernemer wenkte zijn mannen en Rogier van Middelstum stapte uit. Zijn blik gleed een moment over de hoofden van de toeschouwers. Er moesten minstens honderd mensen staan.

Er klonk geschreeuw uit de zijstraat, de Peperstraat, die langs het pleintje voor de kerk op de Markt uitkwam. Juist op het moment dat de dragers voor de neogotische ingang van de kerk hun schouders onder de lijkkist zetten, leek in de winkelstraat een opstootje aan de gang te zijn.

Later zou Van Middelstum horen dat er een gauwdief betrapt was op het passen van sportschoenen van een duur merk om daarna weg te lopen zonder te betalen. Staande bij de auto zag hij hem aankomen. Het was een tiener. Hij werd achternagezeten door een winkelbediende. De jongen rende zo hard hij kon, maar zag de weg geblokkeerd door de aanwezigheid van de toeschouwers en de auto. De enige uitweg die hij nog zag, was de krappe ruimte tussen koets en kerk.

Hij maakte de fatale fout een vlugge blik achterom te werpen. Het kostte hem iets van de vaart die nodig was om te ontsnappen, en bovendien zag hij daardoor te laat de vier zwartgeklede dragers en hun last voor zich opdoemen.

Hoewel hij in een reflex het onvermijdelijke trachtte te ontlopen, was het kwaad al geschied. De man linksvoor verloor in de botsing het evenwicht waardoor de kist daar losschoot en een wilde zwenking opzij maakte. Tegelijkertijd vloog het deksel open, dat nog niet definitief gesloten was. Degenen die het zagen gebeuren en niet het fijne van de generale repetitie wisten, sloegen onmiddellijk van ontzetting een hand voor de mond. Bij de anderen duurde dat slechts een fractie van een seconde langer, tot ze een hoofd over de klinkers zagen rollen. Het lichaamsdeel rolde door, tot het tegen de muur van de "Sint-Johannes de Doper" tot stilstand kwam. Het bijbehorende lichaam was toen al met een harde klap tegen de grond geslagen.

Hoofdstuk 11

Dinsdag 8 oktober 10.20 uur
Rechercheur Petersen was in Driebergen, toen hij van
Ronald Bloem telefonisch de melding kreeg van wat er voor
het oog van honderd aanwezigen op de Markt in Wijk bij
Duurstede was gebeurd. Hij kon op dat moment terugzien op
een moeizaam verlopen gesprek met Mignon van Elshout.
Zij had hem onophoudelijk vragen gesteld over de ontvoering, en waarom Floris nog niet vrijgelaten was. Het losgeld
was toch al een etmaal geleden betaald? Kon de dader
inmiddels niet allang het land uit zijn? Waarom belde hij niet
om te vertellen, waar hij Floris opgesloten had? Vragen waar
Petersen evenmin antwoorden op had.

De ontvoering trok een zware wissel in het leven van deze
vrouw, constateerde hij. De knagende onzekerheid was te
dragen geweest, zolang ze het vooruitzicht had gehad dat
Floris vrij zou komen als het geld betaald was. De tape die in
het Doornse Gat was gevonden, had haar zaterdag nieuwe
hoop gegeven. Maar met het verstrijken van de tijd, begon de
knagende onzekerheid sluipenderwijs terug te keren. Het
onbegrip voor de koelheid van haar echtgenoot, bleef de
enige constante. Of, beter gezegd, deze nam toe. Nu teister-
de ook een hevige migraine haar.

Haar reactie op het bericht, dat haar man eigenaar van een
nachtclub was, ontving ze met een verbijsterd ongeloof. Ze
wist eindelijk de naam te noemen van de handelsonderneming
in farmaceutica, waarvoor hij als directeur van de logistieke
dienst verantwoordelijk zou zijn. Dat bedrijf bestond inderdaad, wist de Veenendaalse rechercheur, want Simon Janssen
was daar in dienst geweest. Maar daarmee hield de parallel
met de werkelijkheid op. Hij kon haar alleen geen bewijzen
overleveren die zijn bewering konden bekrachtigen.

Petersen die de levensgeschiedenis van mevrouw Van Elshout ongeveer kende, had haar voor zijn ogen zien aftakelen. Viel ze terug in haar vroegere depressie, waarvoor ze enige tijd in een sanatorium opgenomen was geweest? Hij hoopte het van niet. Maar hoop bleek spaarzaam te zijn.

In dat moment van wanhoop belde Ronald Bloem.

'Zou het Floris zijn?', vroeg de jonge assistent van Petersen zich hardop af. Hij was in de buurt geweest om het pand in de Peperstraat in de gaten te houden, en daardoor was hij vrijwel onmiddellijk ter plaatse gearriveerd. Hij belde Petersen vanaf de Markt op, terwijl collega's de stoffelijke resten met een tent aan het zicht onttrokken.

Petersen hoorde de verontrusting die in de stem van de ander klonk. In gedachten kon hij zich de consternatie op de Markt voorstellen als hij op de achtergrondgeluiden afging. Ook Petersen bekroop het gevoel dat het lichaam, dat plompverloren op de klinkers was gevallen, een bekende moest zijn. Hij zag ertegenop de boodschapper van zulk nieuws te zijn. Hij zag op tegen de reactie van deze vrouw, nog meer dan tegen de reactie van haar man, die ongetwijfeld furieus zou zijn.

Bloem legde uit hoe het kon dat de kist niet afgesloten was, en speculeerde hoe het gebeurd kon zijn. Petersen had vooral interesse in de generale repetitie die zijn collega beschreef.

'Dus hij woont in het "Veerhuis" in Wijk?', vroeg hij Bloem, nadat die verteld had over Rogier van Middelstum. Toen Bloem bevestigend reageerde, zei Petersen, net voor hij de verbinding verbrak: 'Ik kom naar Wijk.'

Zonder te aarzelen, stond hij op van de stoel en legde Mignon van Elshout uit dat hij weggeroepen werd, en dat hij binnenkort terug zou komen om andere vragen te stellen.

'Gaat u naar het "Veerhuis" in Wijk?', vroeg ze.

'Ja?'

'Daar woont Rogier van Middelstum. U zegt dat mijn man tegen mij gelogen heeft. Als dat zo is, kan Rogier het bevestigen.' Ze twijfelde dus nog steeds aan wat hij haar verteld had. Kennelijk zag ze dit als een kans om aan te tonen, dat haar man haar niet om de tuin had geleid. Ze deed het met een gretigheid van iemand, die zich krampachtig aan het laatste restje hoop vastgreep.

'U kent hem dus', constateerde Bram Petersen verrast.

'Hij is hier een keer op visite geweest. Mijn man stelde hem toen voor als een collega van zijn werk. U moet hem daar echt over vragen.'

-

Dinsdag 8 oktober 10.55 uur

Ronald Bloem had in het eerste halfuur prima leiding gegeven. Het pleintje was met een roodwit lint afgezet, over de romp was keurig een tent gespannen, en daarna was over het hoofd een zeil gelegd. Tegelijkertijd had Bloem de agenten opdracht gegeven het toegestroomde publiek weg te sturen. Ook de mannen van de uitvaartonderneming waren vertrokken, met achterlating van kist en koets, voor nader onderzoek. Een van hen was bij de paarden gebleven, die tijdens de commotie onrustig waren geworden.

Na Bram Petersen had de jonge rechercheur de collega's van de technische recherche en de lijkschouwer, dokter Van Barneveld, opgeroepen. De laatste arriveerde in zijn rode Alfa Romeo vrijwel tegelijk met Petersen. Samen gingen ze de tent binnen.

Op het pleintje voor de oude kerk kon de bebaarde politiedokter niet veel meer doen dan de ontegenzeggelijke dood vaststellen. Terwijl Petersen voor hem het zeil optilde waaronder het slachtoffer lag, constateerde hij dat zowel de romp als het hoofd ernstig toegetakeld waren. Het was afgrijselijk om te zien.

'De wijze waarop deze moord heeft plaatsgevonden, getuigt van haat', sprak hij met een peinzend gezicht.

Petersen dekte de romp met het zeil af.

'Een grote haat.'

Bram Petersen was het met hem eens. Niet alleen de onthoofding getuigde van die haat. De bedoeling van de bespottelijke wijze waarop het lichaam in de kist was gestopt, was om lichaam en hoofd met deze plechtigheden ontdekt te laten worden. Dat was nog beter gelukt dan waarop de dader had kunnen hopen. Er waren vele getuigen geweest die het nieuws door de smalle straten van de binnenstad rondbazuinden. Het was alsof de dader wilde laten zien hoeveel hij het slachtoffer gehaat had. Dit moest het bewijs van zijn haat zijn.

Ze stapten de tent uit, het daglicht in. Petersen zag de neuzen van toeschouwers tegen de ramen van verschillende panden aan de Markt gedrukt. Zijn blik gleed naar de mensen die samendrongen voor de ramen van boekhandel Pettinga, schuin tegenover hem.

Ze liepen naar het zeil.

'Identificatie zal ook lastig worden', gaf Van Barneveld te kennen. Hij wreef over zijn baard. Zijn diepliggende ogen waren gericht op de bobbel onder het zeil, waar het hoofd onder lag. 'Wordt er iemand vermist?'

'Twee mensen. Je hebt misschien van de ontvoering gelezen?'

'De zaak Van der Zwan? En wie is de andere vermiste?'

'Zijn ontvoerder.'

Petersen tilde ook het tweede zeil een ogenblik op. Het was niet met zekerheid te zeggen, dat dit het hoofd van Floris van der Zwan was, hoewel het eigenlijk niet van iemand anders kon zijn. Het zwaar verminkte gezicht was onherkenbaar geworden. Petersen die de jongeman enkel van foto's kende, durfde op basis daarvan het slachtoffer niet te identificeren. Daarom moesten andere mogelijkheden expliciet opengehouden worden. Maar als Floris het was, was hij dan vermoord omdat de politie er toch bij betrokken was? Die vraag schoot Petersen door het hoofd. Was hij te voorzichtig geweest? Had hij naar John van Keeken moeten luisteren die meteen een huiszoeking bij Becker had willen verrichten?

Ik heb gefaald, dacht Petersen. Ik ben te voorzichtig geweest.

Er verscheen een geduchte rimpel tussen de wenkbrauwen van de politiedokter. 'We zullen hun medische dossiers erop naslaan om identificatie te vereenvoudigen. Ik neem aan dat je wilt dat hier nog foto's worden genomen. Wat mij betreft worden de resten zo spoedig mogelijk naar het Nederlands Forensisch Instituut gebracht voor de sectie. De moord heeft hier niet plaatsgevonden. Hij was al volkomen leeggebloed voor hij in de kist belandde, dus ik zie geen reden om hem hier te laten liggen.'

Met die woorden vertrok hij.

Tien minuten later ontving Petersen zijn collega's van de technische recherche. Marcel Veltkamp werd vergezeld door fotograaf Bart van Heerikhuizen die gebeten reageerde toen zijn collega grapte: 'Zo, is de begrafenis uitgesteld?'

'Doe even rustig aan, Marcel.'

'Ook goed. Ze zijn zeker vergeten de overlijdensakte te tekenen.'

Ze groetten Petersen en Bloem en gingen aan het werk. Van Heerikhuizen pakte zijn fotoapparatuur uit. Veltkamp begon de geopende cocon op vingerafdrukken af te zoeken. Het was een bijkomend voordeel dat de dragers zwarte handschoenen hadden gedragen. Maar dat kon de dader ook gedaan hebben. Waarom hadden de dragers voor het vertrek bij het "Veerhuis" niet in de kist gekeken? Omdat ze dat niet gewend waren?

Rechercheur Petersen werd op de schouders getikt.

'Over een halfuur verstrijkt de deadline', zei een bekende stem. Het was Ricardo Peek, de freelancejournalist. Achter hem stond een persfotograaf. Allebei waren ze gretig op zoek naar nieuws. 'Ik hoop dat u een paar inlichtingen kunt verschaffen.' Hij knikte naar de tent. 'Is het Floris?'

'Onbekend', antwoordde Petersen in alle eerlijkheid. Hij zag hoe Bart van Heerikhuizen de tent binnenging om foto's te nemen. 'Maar ik wil je vragen geen foto's van het slachtoffer te nemen.'

Peek keek zuur. 'Waarom niet?'

'Uit oogpunt van piëteit voor de familie. We willen eerst zekerheid hebben over de identiteit van het slachtoffer. Ik wil geen foto's in de krant. Je mag hooguit de tent fotograferen. Aan de buitenkant.'

Peek sputterde tegen. Zijn kogelronde hoofd kreeg een verongelijkte uitdrukking, als van een verwend kind dat zijn zin niet krijgt. De fotograaf was zijn toestel uit de tas aan het halen.

'Ik dacht dat wij een afspraak hadden', herinnerde Petersen hem. 'Zeker als je uit de eerste hand wilt horen wie het slachtoffer is.'

'Dus u belt mij?'

Petersen knikte.

'Bravo! Goed, André, pak je spullen weer in. We gaan op de andere toer.'

'Om een tipje van de sluier op te lichten,' vertelde Petersen om Peek te belonen, 'kan ik zeggen dat we de mogelijke ontvoerder op het spoor zijn gekomen.'

'Ah, een zoethoudertje voor het publiek!' De journalist bulderde het zo hard uit van het lachen, dat het tussen de huizen galmde.

–

Dinsdag 8 oktober 11.40 uur

De dramatische afloop van de ontvoering nam alle bezwaren weg, om de zaak nog met voorzichtigheid te onderzoeken. Onderweg naar Wijk had rechercheur Petersen al contact gezocht met districtschef Griesink, om een verzoek tot huiszoeking in te dienen. Verder werd er een arrestatiebevel voor Kars Becker verspreid.

De komst van het huiszoekingsbevel was een kwestie van tijd. Ook daarvoor zou Petersen de hulp van de jongens van de technische recherche nodig hebben. Nadat het plein voor de kerk ontruimd en de ambulance met de stoffelijke resten vertrokken was, gingen ze naar het huis in de Peperstraat, waar de oma van de ontvoerder woonde. Onderweg passeerden ze het tunneltje dat toegang bood tot de Mazijk, een achterafstraatje. Door dit gat in de bebouwing was Kars Becker weggevlucht.

Petersen stond even stil en tuurde het duister in. Het was een nauwe, lange doorgang, waar het daglicht aan het andere eind anders was. Alsof daar een andere wereld was, ver van het drukke stadsleven. Wat was er met Becker gebeurd? De Mazijk leidde hem naar de ruïne van kasteel Duurstede, richting het "Veerhuis" van Van Middelstum, richting de rivier en het Amsterdam-Rijnkanaal. Beide vaarwegen blokkeerden zijn vluchtweg. Petersen kon de gedachte niet bedwingen dat hij Becker nooit meer zou zien.

Bij het huis van Jacoba Vermeend aangekomen belde Petersen aan.

Het duurde ongeveer vijf minuten voor de oude vrouw opendeed. Petersen ging de trap op om haar uit te leggen dat zijn collega's een huiszoeking wilden doen. Als ze geen toestemming gaf, zouden ze wachten op de verwachte komst van het huiszoekingsbevel.

Paniek stond op haar verschrompelde gezicht te lezen. 'Alweer? Na wat jullie gisteren hebben gedaan?'

'Gisteren?'

'Uw collega's zijn hier gisteren al geweest om het huis te doorzoeken. Is het nodig dat u weer de boel overhoop haalt.'

Bram Petersen trok zijn linkerwenkbrauw op van verbazing. Op zijn verzoek vertelde de oude vrouw wat er gebeurd was, waarop de rechercheur besefte dat de mannen die Kars Becker hadden opgejaagd, eerder aan de deur geweest waren om het huis te doorzoeken. Dat maakte hij haar duidelijk. Zij reageerde totaal van haar stuk gebracht.

'Ik kan u verzekeren dat die twee mannen niet van de politie waren', zei Petersen. 'Als wij uw huis doorzoeken, zullen wij dat met alle voorzichtigheid doen.'

Met die verzekering ging zij uiteindelijk akkoord.

'Wat gaan wij doen?', vroeg Ronald Bloem, toen Petersen geen aanstalten maakte om de woning verder binnen te gaan. Twee agenten waren de trap al opgegaan met Veltkamp en Van Heerikhuizen in hun kielzog. 'Wil je de woning niet doorzoeken?'

'Om in de weg te lopen? Nee, wij gaan eerst naar Van Middelstum. Ik wil weten hoe het lijk in de kist kon komen.'

-

Dinsdag 8 oktober 11.55 uur

Rogier van Middelstum was met de Bentley naar huis gereden nadat hem door Bloem verteld was, dat hij daar moest blijven tot de politie kwam om een verklaring van hem af te nemen. Daarom reden Petersen en Bloem naar het "Veerhuis" aan de Lek.

Het witgepleisterde huis dat prachtig bovenop de dijk was gesitueerd, stond te blaken in de felle najaarszon. Het gebouw stak scherp af tegen de strakblauwe hemel. Aan de voorgevel had het een veranda die overkapt werd door een balustrade. Op het timpaan prijkte het gemeentewapen van de stad die ooit opdracht had gegeven het "Veerhuis" te laten bouwen. De zijkant van het huis was bijna geheel overwoekerd met klimop. Rechts van het huis, van de weg af gezien, was het voormalige koetshuis dat qua bouwstijl bij het grote huis paste en dat nu dienst deed als garage. De Bentley stond voor dit gebouwtje geparkeerd.

Rechercheur Petersen reed de met grind bedekte oprit op. Voor de ingang liet hij de auto tot stilstand komen. Ze waren met zijn blauwkleurige BMW. Het was een oud model, maar hij reed verrassend soepel.

Rogier van Middelstum ontving de politiemannen met een beminnelijke glimlach, en ging hen voor naar de zitkamer links van de hal, waar vroeger reizigers hun kaartjes konden kopen om over de rivier gezet te worden.

De vierkanten kamer was bedekt met een oude eikenhouten vloer, waarop de stok van Van Middelstum luid tikte, terwijl hij zijn kubusvormige stoel bij de grote schouw opzocht. Met een royale beweging van zijn arm gebaarde hij de anderen te gaan zitten. Als laatste van allen nam hij zelf plaats. Zijn stok rustte tegen de donkerbruine leren bekleding van zijn fauteuil. Petersen ging zitten op een dito zitbank tegenover de man. Een massief grenen salontafel met metalen beslag stond tussen hen in.

Vanaf de bank bekeek Bram Petersen de ander een kort ogenblik, voor hij het woord nam. Rogier van Middelstum was een man die enkele jaren ouder was dan hij zelf, maar zeker een hoofd kleiner. Hij was een gebogen mannetje dat door het steunen op zijn stok kromgetrokken was naar de rechterkant. Hij had een kalend hoofd en half lang haar, dat aan de zijkanten krulde. De donkere kleur kon alleen betekenen dat hij het verfde. Aan de wortels glinsterde het grijs opvallend.

Op verzoek van de rechercheur vertelde de eigenaar van

het "Veerhuis", waarom hij tot de vreemde begrafenis was gekomen, terwijl Bloem met een notitieblokje in de hand aantekeningen maakte. Hij vertelde over zijn aanstaande dood, alsof het over een ander ging en hij de humor van de generale repetitie wel inzag. Hij had er altijd al over gefantaseerd hoe zijn begrafenis eruit zou zien. Het was de moeite waard om het mee te kunnen beleven.

De bizarre afloop van de generale repetitie, was slechts een kleine domper op een voor hem opwindend verlopen optocht. Bij het vertellen kreeg hij er blosjes van op de wangen. Een ondeugende twinkeling was in zijn vaalblauwe ogen te zien.

'U bent dus terminaal', zei Petersen met zijn donkere, lage stem ernstig. 'Wat mankeert u?'

'Dat gaat u niets aan!', was het weerwoord, maar het was niet op boze toon gesproken. Hij bleef allerbeminnelijkst glimlachen.

'Dat gaat mij inderdaad niets aan', gaf Petersen toe. 'Wat mij wel aangaat, is hoe er een lijk van een tot nu toe onbekend persoon in de kist kon liggen. Hebt u daar een verklaring voor?'

Hij schudde het hoofd, waardoor de krulletjes kort trilden alsof het muggen in extase waren. 'Er lag gisteren geen lijk in', zei het excentrieke mannetje zonder enig vertoon van geschoktheid. Met de vlakke hand sloeg hij op de armleuning. 'Wat een naar idee! Ik geloof dat ik een nieuwe kist laat maken. Wilt u mijn kist houden?'

'Van een collega hoorde ik, dat u wel iets in de kist had gedaan?'

'Jazeker. Ik had er gistermiddag door Willems gewichten in laten leggen, om de kist te verzwaren. De kist stond op een baar in de garage. Ik wilde de dragers enig idee van mijn lichaamsgewicht geven. Het is een oefening voor de grote dag.'

'Willems?'

'Mijn chauffeur.'

'Hoe laat is dat gisteren gebeurd?'

'Om een uur of vier zou ik zeggen. Ik heb nog een wandelingetje door de binnenstad gemaakt. U moest eens weten hoe naïef sommige mensen zijn. Ze hebben mij gisteren nog zien wandelen. Vandaag dachten ze dat ik al dood was en begraven zou worden. Zo snel gaat het natuurlijk alleen in tropische landen. De ene dag ga je dood, de andere word je begraven. U had eens hun gezichten moeten zien toen ik naar buiten kwam!'

Petersen wilde weten vanaf hoe laat iemand de kans had gehad, om in de garage te komen om de gewichten te vervangen door het lijk van de onbekende man. Daar kon Van Middelstum duidelijk over zijn.

'Om vijf uur heeft Willems de garage afgesloten. Daarna kon niemand bij de kist komen. Vanochtend kort voor de begrafenis heeft Willems de deuren geopend. Denkt u dat iemand het gisteren overdag gewaagd heeft?'

Nee, dat kon Petersen niet geloven.

'Is het mogelijk dat anderen over de sleutel kunnen beschikken? Zijn er reservesleutels?'

'Vast wel ergens.' Hij maakte een vaag gebaar, waarmee hij het huis aanduidde. 'Maar wat een bespottelijk idee dat iemand die moeite neemt om een lijk te verstoppen.'

'De kist was niet verzegeld', stelde de Veenendaalse rechercheur. 'Hebt u vanochtend niet een kijkje in de kist genomen?'

'Waarom zou ik dat doen, rechercheur? Ik heb die kist laten maken toen ik hoorde dat ik ga sterven. Ik weet hoe hij er van binnen uitziet. Mijn chauffeur had hem verzwaard. Had u echt gedacht dat ik hem zou controleren? Kennelijk zijn de dragers ook niet op het heldere idee gekomen om in de kist te kijken. Als ze dat gedaan hadden, was er niets op het plein gebeurd.'

'Waar wordt de sleutel van de garage bewaard?'

'Willems draagt die altijd bij zich, evenals de sleutels van de Bentley.'

'Ik vraag mij af,' sprak de rechercheur openhartig, 'waarom de moordenaar dit gedaan heeft. Waarom al die moeite? Waarom koos hij uw nepbegrafenis?'

'U bent de man om die vragen te beantwoorden', was de glimlachende reactie. 'U hebt wel een interessant puzzeltje op uw bordje gekregen.'

'Ik beschouw moord niet als een puzzeltje.'

'Zo u wilt. Als ik een detectiveroman lees, krijg ik die indruk. U moet een machtig interessant beroep hebben.'

'Dan een heel andere vraag, meneer Van Middelstum. Zegt de naam Kars Becker u iets?'

Weg was de eeuwige glimlach.

'Becker?', siste hij met toegeknepen ogen.

'Aha, dus die naam zegt u wel iets!'

'Reken maar', klonk het afgebeten. 'Hij is in mijn dienst geweest. Als chauffeur. Vóór Willems. Een onbetrouwbare kerel. Hij heeft mij proberen te bestelen.'

'Hebt u daar aangifte van gedaan?'

Hij schudde het hoofd met krulletjes. 'Dat heb ik met hem zelf geregeld, waarna ik hem de laan uitgestuurd heb. Ik vertrouwde hem, maar dat vertrouwen bleek hij niet waard. Ik wist dat hij in de gevangenis had gezeten. Ik kende een familielid van hem wiens huis ik heb laten restaureren. Zo hoorde ik dat hij zonder werk zat. Ik zocht een chauffeur en bood hem die baan aan. Nou, en dan betaalt hij mijn goedheid zo!'

Dat verklaarde waarom het lijk juist in de lijkkist van Van Middelstum was opgedoken, begreep Petersen. Het kon een vorm van wraak zijn voor het ontslag.

'Had hij ook een sleutel van de garage?'

'Dat moet wel, denkt u ook niet? Denkt u dat hij dit gedaan heeft?'

Petersen knikte. 'Wanneer hebt u hem ontslagen?'

'Kort voor hij de gevangenis voor de tweede maal inging, maar dan voor een ander vergrijp. Vorig jaar zomer.'

'Iets anders nu. Zegt de naam Floris van der Zwan u iets?' Hij schudde het hoofd. 'Nee, die naam zegt mij niets. Is hij een handlanger van Becker?'

'Oh? Ik kom zojuist van zijn stiefmoeder vandaan. Mignon van Elshout. Zij zegt dat u een collega van haar man bent.'

Bij deze opmerking knipperde hij met de ogen. 'Oh,' zei hij, 'zei ze dat? Natuurlijk ken ik Rudolf van der Zwan. Mignon van Elshout ken ik ook. Maar ik ken die Floris niet. Ik wist wel dat hij een zoon heeft. Ik veronderstel dan dat die Floris zijn zoon is.'

Het was aan Petersen te zien, dat hij weinig geloof aan de ander hechtte.

'Het is toch echt zo', zei Van Middelstum met een klap op de armleuning. De glimlach was gedurende het gesprek verflauwd. 'Kent u soms alle kinderen van al uw collega's? Wat ik mij wel begin af te vragen, is waarom u het over mijn vrienden uit Driebergen heeft. Wat hebben zij met deze zaak te maken?'

Petersen ontweek de vraag. In plaats daarvan vroeg hij wat voor werk Van Middelstum deed.

'Ik ben teruggetreden uit het actieve bestuur', vertelde hij. 'Vanwege mijn gezondheid, begrijpt u?'

'En in het bestuur van welk bedrijf zat u? Een farmaceutisch bedrijf?'

'Nee. Hoe komt u daarbij? Weet u niet dat ik eigenaar ben van een keten van reiswinkels? Ik ben grootaandeelhouder van Van Middelstum Reiswinkels. Er zijn vestigingen over het hele land en ook in het buitenland.'

'Hoe komt het dan dat Van der Zwan u een collega noemt?'

Rogier van Middelstum haalde de schouders op. 'Hoe zou

ik dat weten? Misschien omdat we allebei leidinggevende posities in het bedrijfsleven hebben. Maar wat ik nu van u wil weten, is waarom u het opeens over hem hebt. Moet u geen moord onderzoeken?'

'Wij,' sprak Petersen op serieuze toon, 'houden er ernstig rekening mee dat het slachtoffer van deze brute moord Floris van der Zwan is.' Nu het duidelijk was dat Becker toegang had tot de garage, was dat zeer waarschijnlijk.

'Hij is de zoon van Rudolf van der Zwan?', vroeg Rogier van Middelstum. Bram Petersen twijfelde er geen moment aan dat de ander heel goed wist wie Floris was.

-

Dinsdag 8 oktober 12.50 uur

Johan van der Heijden stond naast de blauwe BMW van Petersen te wachten, toen de twee rechercheurs het "Veerhuis" verlieten. De Wijkse buurtagent keek benauwd.

'Meneer Petersen?', vroeg hij beleefd.

'Ja?'

'Ik heb zojuist mijn moeder gesproken. Zij vertelde mij dat mijn halfzuster Esmée gisteren niet uit haar werk is thuisgekomen. Er mist kleding. Ze is ervandoor.'

Bram Petersen hoorde het relaas aan, maar zag het verband met de zaak Van der Zwan niet onmiddellijk, tot Van der Heijden uitleg gaf. Toen herinnerde hij zich weer dat de halfzuster van Van der Heijden verkering met Becker had.

'Ik hoorde dat Becker van de moord verdacht wordt, en dat hij van plan was naar het buitenland te gaan. Ik denk dat ze met hem mee is gegaan.'

'Je weet niet naar welk land?'

Hij schudde het hoofd. 'Ik heb het ook tegen de districtschef gezegd, en die zei dat ik het u moest vertellen.'

'Griesink?'

Hij knikte. 'De districtschef is zelf naar Wijk bij Duurstede gekomen.'

Dat mocht in de krant!

Hoofdstuk 12

Dinsdag 8 oktober 13.00 uur

Theo Griesink was na het telefoontje van Petersen in actie gekomen. Hij had vrijdag zelf het besluit genomen om de familie Van der Zwan bij de ontvoering te hulp te schieten en die hulp leek nu in een moord geresulteerd te hebben, was zijn conclusie. Dat was reden genoeg om hoogstpersoonlijk de touwtjes van het onderzoek in handen te nemen.

Na de afgifte van het huiszoekingsbevel had hij zich in een surveillancewagen naar de stad aan de Nederrijn laten rijden. Daar was men al met het doorzoeken van het pand aan de Peperstraat begonnen. Zoals te verwachten viel, had dit niets opgeleverd. De woning was al door anderen tevergeefs doorzocht.

Het gesprek dat Griesink met de oude bewoonster van de woning had gevoerd, had andere informatie opgeleverd. Op de vraag waar haar kleinzoon iemand gevangen had kunnen houden, had zij van haar broer Karel verteld. Die woonde alleen in een pand aan de Dijkstraat. Kars Becker kwam daar geregeld over de vloer.

"Wij gaan naar de Dijkstraat", had de districtschef vervolgens gebromd en het hele gezelschap was door de binnenstad naar het andere pand getrokken. Ook hier bleek een huiszoekingsbevel overbodig, nadat de oudoom van Kars Becker de situatie was uitgelegd.

De huiszoeking was nog in volle gang toen Petersen arriveerde.

'Hier houd ik niet van', gebaarde zijn meerdere met zijn vrije linkerhand. Hij wees naar het huis, maar bedoelde iets anders. De andere hand hield een sigaar vast. De wijsvinger lag als een dikke worst om de sigaar heen gekruld. Hij hield hem voor zijn borst. 'We hadden beloofd dat we voorzichtig zouden zijn, en moet je zien wat we ervan gebrouwen hebben. Een zootje! Bram, luister, dit zaakje bevalt me niet. Als we de dader niet snel te pakken krijgen, is het gedaan met ons imago.'

Petersen knikte slechts instemmend, terwijl hij de voorgevel van het pand bekeek. Ze stonden met de rug tegen de oude stenen verdedigingswal van de stad die alleen bij hoog water veiligheid bood. Oog in oog met het water stond een wit, gecementeerd huis, ingeklemd in die onafgebroken huizenrij van de Dijkstraat die rechts afboog naar de Oeverstraat. Net als de andere panden had het een trapgeveltje.

Zonder enige twijfel was dit een van de oudste gebouwen in dit deel van de stad, met een geschiedenis die tot in de zestiende eeuw terug moest gaan. De voordeur stond wijdopen en geluiden van de speurtocht in de binnenste delen waren te horen: het doffe gestamp van voeten en het geroezemoes van stemmen op de zoldering.

Griesink beet gespannen op het achtereind van de sigaar.

'Ik heb het Nederlands Forensisch Instituut gebeld dat er vaart achter de lijkschouwing gezet moet worden. Ik heb gezegd dat ik voor vanavond wil weten wie het slachtoffer is. Dan mag jij de ouders in kennis stellen. Ik wil dat ze het eerst van jou horen voor ze het in de krant lezen. Als het hun zoon is, hebben we heel wat *goodwill* verloren.' Hij tikte met de wijsvinger tegen de schouder van Bram Petersen, waarmee hij duidelijk maakte dat hij hem verantwoordelijk hield.

'We weten wie de dader is,' vertelde deze, 'maar hij is gisteravond verdwenen. Stond zijn auto nog in de Peperstraat?'

'Ik heb opdracht gegeven die weg te slepen voor onderzoek.'

Ronald Bloem was tot aan de deuropening gelopen. Rechts daarvan bevond zich een dubbel ijzeren luik, dat met een hangslot vastgemaakt was. Daaronder zat ongetwijfeld een kelder die ook doorzocht zou worden. De ondergrondse ruimte kon wel eens een perfecte gevangenis zijn. Aangezien hier geen huizen tegenover stonden, had Kars Becker zijn auto kunnen parkeren en ongemerkt een geknevelde Floris door het keldergat naar beneden laten zakken.

Of deze hypothese klopte, zou gauw blijken. Marcel Veltkamp kwam naar buiten, zwaaiend met de sleutel.

'Er moet hier een enorme kelder onder zitten', riep hij enthousiast.

Met hulp van Bloem maakte hij het slot open en trok de metalen luiken op. De muffe lucht van de kelder kwam hen tegemoet, terwijl ze een gemetselde trap in het duister zagen verdwijnen.

'Nu eerst licht!'

Op een holletje ging Veltkamp naar het bestelbusje van de technische recherche die in de bocht van de Dijkstraat geparkeerd stond. Een moment later kwam hij met twee staaflantaarns terug.

De technische rechercheur ging voorop, op de voet gevolgd door de nieuwsgierige Bloem. Hun stappen klonken hol door de ruimte, hun stemmen galmden. Petersen en Griesink kwamen naar het keldergat gelopen om vanaf die plaats de ondergrondse gebeurtenissen te volgen. De versteende geluiden gaven aan wat er aan de hand was. Veltkamp beschreef wat hij zag.

Er bleek een kruisgewelf te zijn, waarvan de bogen in het midden samenkwamen bij een forse zuil waarop het gewelf rustte. Het meest opvallend waren de geglazuurde, roodbruine plavuizen waarmee de zoldering was betegeld. Naarmate de kromming van het gewelf boven hen toenam, werden de plavuizen kleiner.

Maar er was veel meer te zien. Er waren verschillende andere gewelfgangen, zoals een schuin omhooglopende, kokerachtige uitbouw aan de linkerkant van de zuil, en een overwelfde gang die naar achteren liep zonder ergens naartoe te leiden. Het riep de vraag op of het vroeger verder doorgelopen had. Misschien naar een gebouw dat inmiddels verdwenen was.

Het meest werd de aandacht van de twee rechercheurs getrokken naar een opening in de achterwand. De toegang was afgesloten met een zwaar kleed dat in het gebrekkige licht zwart leek te zijn. De functie hiervan was waarschijnlijk om geluiden te dempen. Marcel Veltkamp schoof het opzij, waarna hij duidelijk maakte dat een hardboarddeur hem in de weg stond.

Dit was het moment waarop Petersen besloot ook in de kelder af te dalen. Toen hij zich bij zijn collega's aansloot, werd de deur geopend. Een weerzinwekkende lucht van menselijke uitwerpselen en urine sloeg hen in het gezicht. Een onvoorstelbare stank.

Door de opening was een tongewelf te zien dat als een soort opkamertje hoger gelegen was. Dit deel van de kelder moest zich ergens onder het achterhuis bevinden, ver van de straat.

Ronald Bloem wilde binnentreden, maar de technische rechercheur hield hem tegen.

'Het zou mij niet verbazen,' zei hij, wijzend met de lantaarn, 'dat wij de gevangenis van Floris van der Zwan gevonden hebben.'

Het licht zwierf door een primitieve verblijfplaats. Petersen zag ketenen die aan een zwaar betonblok vastzaten. Er was een provisorisch toilet, gemaakt van opgestapelde bakstenen die een bak vormden waarin een vuilniszak was gedrapeerd. Beschimmeld brood lag naast het betonblok. Het getuigde allemaal van een zeer onaangenaam verblijf voor de gevangene.

'Dit lijkt wel een middeleeuwse kerker', vond Bloem.

Vanwege de stank ademde hij door een zakdoek.

'Je kunt het beter een gruwelkamer noemen', zei Veltkamp.

Zijn licht gleed over de stroomstok die Becker had achtergelaten, een stapeltje persoonlijke attributen en bleef uiteindelijk rusten op wat er tegen de muur stond: een hakbijl waarvan het blad donker gevlekt was.

'Kom, we gaan een frisse neus halen!'

Petersen deed verslag aan de districtschef, waarna Bart van Heerikhuizen werd opgetrommeld om foto's te komen nemen. Uitgerust met zijn hulpmiddelen, daalde Veltkamp voor de tweede maal af, het pikdonker in, terwijl Petersen en Bloem buiten bleven staan. De vieze geur drong nu ook naar buiten. Griesink deinsde ervoor terug. Vol afschuw gooide hij de sigaar van zich af.

'Ik ga terug naar Veenendaal', zei hij tegen Petersen. 'Bel me zodra je meer weet. Ik wil volledig van deze operatie op de hoogte gehouden worden.'

Nadat Griesink vertrokken was, besloot Bram Petersen beneden opnieuw een kijkje te nemen. Hij daalde de gemetselde trap af. Een agent bleef bij het keldergat waken om nieuwsgierige passanten op afstand te houden.

Van Heerikhuizen had een aantal schijnwerpers opgesteld om het achterste tongewelf zo helder mogelijk te verlichten. In het felle licht tekenden zich donkere vlekken op muren en vloer af. Aan het patroon was te zien, wat hier gebeurd was.

'Hier heeft de slachting plaatsgevonden', was de fotograaf van mening. Met gespannen gezicht tuurde hij door de opening naar binnen. Petersen stond naast de fotograaf, terwijl Bloem en Veltkamp zich op de tweede rij bevonden. 'De vlekken zijn bloed, zegt Marcel.'

'Een ijzersmaak', bevestigde deze met een grijns.

De fotograaf was zichtbaar onder de indruk van de gruwelen die zich hier afgespeeld moesten hebben. 'Het moet echt met bruut geweld zijn gebeurd. Aan het patroon van de vlekken lijkt het alsof de moordenaar meerdere keren met de bijl heeft gehakt.'

Marcel Veltkamp wees naar een hoopje groene kleren.

'Ik denk dat de moordenaar die overall bij de moord aan gehad heeft. Je kunt zien dat hij onder het bloed zit.'

'Om zijn eigen kleren te sparen', begreep Bram Petersen die met afschuw naar de plaats van het drama keek. Hij zag het onthoofde lichaam en verminkte hoofd weer voor zich. Terecht had Van Barneveld geconstateerd dat de moord een daad van intense haat was. 'Het bloed moet hem om de oren gevlogen zijn.'

'Maar het was nogal stom om die overall achter te laten. Ik durf te wedden dat er sporen van de dader op terug te vinden zijn.' Veltkamp wreef zich al in de handen van genoegen.

Na een laatste blik in de kelder geworpen te hebben, besloot rechercheur Petersen zijn collega's van de technische recherche niet bij hun werk in de weg te lopen. Samen met Ronald Bloem ging hij de trap op, om de oudoom van Kars Becker te spreken.

-

Dinsdag 8 oktober 14.20 uur

Ze maakten kennis met een oude man die net zo grijs was als zijn zus, Beckers oma. Met trots gaf hij toe dat hij 91 jaar oud was. Hij woonde alleen, was nooit getrouwd, maar had zorgzame buren die hem eten brachten.

Ja, antwoordde hij op een vraag van rechercheur Petersen, hij had een sleutel van de kelder aan Kars uitgeleend omdat die daar spullen wilde opslaan. Het ging volgens hem om visgerei, want vissen was een van de hobby's van Kars. Nee, hij was zelf al jaren niet meer beneden geweest, omdat hij zwakke knieën had. Hij had de afgelopen vijf dagen niets gehoord, dat hem gealarmeerd had. Als Floris in staat was geweest om te roepen, dan had hij hem zeker niet gehoord.

De oude man was vol lof over de kleinzoon van zijn zus. Kars was volgens hem een "prima kerel" die vaak langskwam om een klusje te doen. In het monumentale pand waren er klusjes in overvloed.

Dat Kars een recidivist was die na verschillende keren gezeten te hebben in het criminele cirkeltje terug was gevallen, verbaasde hem niet. Zijn vader, Marcel Becker, had zijn zoon voor "galg en rad" opgevoed, om er uiteindelijk met een andere vrouw vandoor te gaan. Kars was toen tien of elf jaar oud. Maar een moordenaar was Kars beslist niet. Toen Petersen dat ter sprake bracht, werd de oude man laaiend van woede.

'Je kunt van Kars zeggen wat je wilt,' sprak hij, zwaaiend met een vuist, 'maar tot een moord is hij niet in staat.'

Ronald Bloem kon zich niet inhouden.

'In uw kelder is anders wel een bloedbad aangericht', flapte hij eruit.

De man trok wit weg. Het kostte hem een ogenblik om de opmerking te verwerken, waarna hij met sidderende armen en wankele knieën uit zijn gemakkelijke leunstoel overeind probeerde te komen.

'Dat moet ik zien!'

Hoewel ze hem ervan trachten te weerhouden, was hij niet te stoppen. Als hij zijn eigen kelder niet in mocht, gaf hij strijdlustig te kennen, moesten ze alsnog een huiszoekingsbevel aanvragen! Want zolang hij de sporen van het bloedbad niet met eigen ogen had gezien, zou hij de opmerking van de jonge rechercheur als een smaadvolle beschuldiging beschouwen.

Zo gingen ze, de oude man bij de ellebogen ondersteund door de beide rechercheurs, naar buiten en daar de kelder in.

Petersen attendeerde de man op de penetrante geur, maar die liet weten dat hij al jaren niet goed meer kon ruiken.

Ze bereikten het tongewelf met de bloedsporen.

'Waar is dan het bloed?', kraaide hij.

Marcel Veltkamp die zich op dat moment in de ruimte bevond, naast het betonblok, wees de opgedroogde bloedplassen aan. Elders op de vloer waren vegen bloed te zien. Een spoor van omlaag gedropen druppels liep over de muur.

'Maar dat is helemaal geen bloed!', wist de man beter. 'Hoe komen jullie erbij zulke onzin uit te kramen! Die vlekken hebben hier altijd al gezeten.' Daarmee was de kous af. Hij liet zich naar boven begeleiden, maar wilde geen commentaar horen. Toch beefde hij over zijn hele lichaam van de schok.

'We maken vorderingen', vertelde Marcel Veltkamp even later, toen Petersen en Bloem terugkeerden. Hij zat gehurkt en keek zijn collega's door de opening aan. 'De hele ruimte is bezaaid met vingerafdrukken. Voornamelijk van twee personen. Van Kars Becker en Floris van der Zwan, als je het mij vraagt. We zullen elk tegeltje afzoeken naar sporen, dus we zijn nog wel even bezig. Willen jullie nog een leuk hebbedingetje?'

'Nou?', vroeg Bloem nieuwsgierig.

'Een mobieltje. Het abonnement is al betaald.'

'Van Kars Becker?'

Hij knikte. 'Bart heeft het in de auto gegooid. De prenten van Becker staan erop. Ik heb meteen gekeken of hij nog interessante gesprekken heeft gevoerd, of dat hij sms-berichten binnen heeft gekregen. Op de achterkant van het mobieltje heeft hij zijn toegangscode neergeschreven. Als ik jullie was, zou ik zijn voicemail maar eens beluisteren!'

'Heb jij dat dan al gedaan?', vroeg Bloem verder.

'Stiekem wel', gaf Veltkamp knipogend toe. 'Wisten jullie dat Becker zaterdag door een man gebeld is die hem een hoger bedrag bood dan het losgeld?'

'Heeft hij een naam genoemd?', was de vraag van Petersen.

Veltkamp schudde zijn hoofd. 'Daarom denk ik dat het iemand was die Kars Becker goed kent. Hoe kwam hij anders aan het telefoonnummer? Het meest belangwekkende is dat hij wel twee miljoen voor Floris bood.'

'Zoveel?', was de verraste reactie van Ronald Bloem.

'Zoveel! Onder voorwaarde dat Kars Becker zijn slachtoffer zou onthoofden.'

Het werd een moment stil in de gruwelkelder. Iemand had Floris van der Zwan zó gehaat, dat hij er een klein fortuin voor over had gehad om de jongeman te laten onthoofden. Precies dát was gebeurd.

'Ik had jullie gewaarschuwd', galmde plotseling een andere stem achter hen.

John van Keeken was de kelder geruisloos binnengekomen. Nadat hij van zijn nachtdienst uitgeslapen was, had hij van de gebeurtenissen in Wijk bij Duurstede gehoord. Hij wapperde met de krant in de hand.

'In het *Utrechts Nieuwsblad* staat het allemaal. Ik heb jullie gezegd, dat de dader Floris ook kon vermoorden als we niet ingrepen. Het is precies zo gebeurd.'

'Het staat niet vast dat het om Floris van der Zwan gaat', gaf Petersen te kennen. Hij hield andere mogelijkheden gewoontegetrouw open, hoewel hij die als onwaarschijnlijk beschouwde. Het zou gewoon té toevallig zijn als bleek dat het een ander slachtoffer was. Zulke dingen gebeurden enkel in vergezochte filmscenario's.

'Natuurlijk wel! Die Peek is ter plaatse geweest. In de krant windt hij er geen doekjes om.'

Petersen, Bloem en Van Keeken gingen naar buiten om de krant bij daglicht te lezen. Het was voorpaginanieuws. Een grote kop maakte een sensationele indruk. *Drama in Wijk bij Duurstede*, kopte de krant.

WIJK BIJ DUURSTEDE - De ontvoering van Floris van der Zwan heeft vandaag mogelijk een nieuwe, dramatische wending genomen met de macabere vondst van een stoffelijk overschot. Onder het toeziend oog van een grote mensenmenigte werd vanochtend op de Markt in Wijk bij Duurstede het lijk van een jongeman ontdekt. Zijn lichaam was verborgen in een grafkist.

Daarna volgde er een verslag van de generale repetitie van de heer Van Middelstum, resulterend in het ongeval op het plein voor de Sint-Johannes de Doper-kerk. Peek had in de korte tijd die hem restte verschillende mensen gesproken en vervolgens kans gezien alles aan de hoofdredactie door te mailen. Precies op tijd voor het verstrijken van de deadline.

Het stuk ging verder met de mededeling, dat de politie niet kon bevestigen of het stoffelijk overschot van de vermiste persoon uit Maarsbergen was. Wel werd bekend dat men de dader van de ontvoering op het spoor was, waardoor de suggestie versterkt werd, dat het in Wijk bij Duurstede opgedoken lijk de vermiste persoon was.

Tot slot ging de journalist uitvoerig in op de motieven achter de mogelijke moord op Floris van der Zwan. Ook dit versterkte bij de lezer de indruk, dat Floris inderdaad het slachtoffer van de wrede onthoofding was. Er volgde een opsomming van alle vermeende criminele zaken, waarin het slachtoffer betrokken zou zijn geweest. Het motief van de moord moest daarom gezocht worden in het criminele circuit. Het zou om een afrekening gaan.

Petersen reageerde woedend op het bericht. Ricardo Peek vatte blijkbaar hun afspraak zeer ruim op. Strikt genomen had hij niet gezégd dat het slachtoffer Floris was, de tekst van het artikel kwam vrijwel op hetzelfde neer.

'We kunnen slechts hopen, dat we de familie eerst spreken voor ze dit artikel zien', was Bram Petersen van mening.

Maar hij betwijfelde het. Van der Zwan was op het *Utrechts Nieuwsblad* geabonneerd. Petersen was van plan onmiddellijk met Bloem naar Driebergen te gaan om de familie in kennis te stellen van de vondst. Maar wat hem echt boos maakte, was dat het nieuws zich al als een brandend vuurtje aan het verspreiden was. Waarschijnlijk zou de familie binnen de kortste keren door de pers overspoeld worden. De enige hoop die Petersen had, was dat het nieuws door de berichtgeving over de komende begrafenis van prins Claus zou worden overschaduwd.

'Het had voorkomen kunnen worden, als jullie naar mij geluisterd hadden', vond Van Keeken. 'Als we gistermiddag meteen die huiszoeking gedaan hadden, was deze kelder binnen een uur ontdekt.'

'En als Becker zijn voicemail niet beluisterd had, was het ook niet gebeurd', sprak Marcel Veltkamp geïrriteerd over het zout dat Van Keeken in de wonde strooide. 'En als Floris niet naar de Albert Heijn was geweest, was het ook niet gebeurd. En als hij nooit geboren was, was het ook niet gebeurd. Zijn wij soms verantwoordelijk voor de daden van anderen?'

'Jullie hebben niet gedaan wat ik wilde.'

John van Keeken heeft misschien een punt, dacht Bram Petersen. Vanaf het begin heeft vastgestaan dat dit een zaak is waarbij ik op het randje zou balanceren. Voorzichtigheid was een vereiste, maar misschien ben ik té voorzichtig geweest.

Tegelijkertijd besefte hij, dat zijn collega misschien verwijten maakte, omdat hij maandag door Griesink op zijn nummer was gezet. Nu wilde hij zichzelf bewijzen, dat ze naar hem hadden moeten luisteren. Maar zelfs deze gedachte suste het verwijt niet, dat Petersen zichzelf maakte.

Zijn mobiele telefoon begon te piepen.

'Met Petersen.'

'Met Van Barneveld', sprak de zware stem van de politie-dokter. 'De sectie is verricht.'

'Nu al?'

Op zijn horloge zag hij dat het net half vier was geweest. De tijd ging vandaag heel hard! 'Griesink stond erop. Ik heb het verslag van het Forensisch Instituut doorgefaxt gekregen. Zal ik een korte samenvatting geven?'

'Graag.'

Van Barneveld begon met de vaststelling van de identiteit van het slachtoffer. Met behulp van de beschikbare medische dossiers – die door de huisarts en tandarts van Floris van der Zwan doorgefaxt waren – was de lijkschouwer tot de conclusie gekomen, dat de stoffelijke resten van de inwoner van Maarsbergen waren. Er was geen twijfel over. De toestand van het gebit was in overeenstemming met de gegevens van de tandarts. Dat was al doorslaggevend. Maar ook op andere punten werd de identificatie bevestigd. Littekens op het lichaam van vroegere operaties stemden volledig met de medische gegevens overeen.

Na op dit punt zekerheid verkregen te hebben, had de arts zich gebogen over de vraag wat het slachtoffer had doorge-maakt sinds de ontvoering van afgelopen donderdag. De sporen van geweld op het lichaam waren evident. Na uitvoerig onderzoek was de lijkschouwer tot de conclusie gekomen, dat de mishandeling zowel ruim voor als na de dood van het slachtoffer had plaatsgevonden.

'De verminking van hoofd en lichaam heeft voornamelijk na het overlijden plaatsgevonden', vertelde Van Barneveld. 'De onthoofding gebeurde met een scherp voorwerp, moge-lijk een bijl.'

Petersen kon deze bevindingen bevestigen. 'We hebben de plek waar de moord waarschijnlijk gebeurde gevonden. Ik ben daar nu. Er is een bijl aangetroffen met bloed op het blad.'

'Aha', reageerde de arts tevreden. 'De moordenaar heeft

meerdere malen geslagen. Een enkele slag was niet voldoende. Na de onthoofding heeft de dader het gezicht onherkenbaar gemaakt, eveneens met de bijl. Daarbij is het snijvlak van het blad als mes gebruikt. Dit moet met groot geduld zijn gebeurd want alle sneeën zijn keurig even diep.'

Petersen wilde iets anders weten. 'Wat valt er te zeggen over de mishandeling voor de moord?'

'Vergeleken bij de latere verminkingen, moet die mishandeling niet veel voorgesteld hebben. Het slachtoffer is herhaaldelijk geslagen, zonder breuken te veroorzaken. Maar er is wel iets opmerkelijks ontdekt.'

'Oh?'

'Ja, een brandblaar in de hals, vlak onder de kaak. En mogelijk een tweede blaar die door de slag met de bijl weggeslagen is.'

'Waar kan dit door veroorzaakt zijn?'

'Hier heb ik de foto's van de verwonding. Ik heb zoiets maar één keer eerder gezien. Bij een elektrocutie, waarbij het slachtoffer in leven bleef.'

'Kan dit veroorzaakt zijn door een stroomstok?'

'Mogelijk', gaf de arts toe. 'Ik zou me daarover in de literatuur moeten verdiepen. Is er een stroomstok aangetroffen?'

'Ja.'

'Daar zou ik eerst meer over willen weten. Weet jij voorlopig voldoende?'

'Ik zou op één punt nog opheldering willen hebben. Wanneer is de moord gepleegd? Vannacht?'

'Zeker niet. Nee, er hing al een ontbindingslucht toen ik hem op de Markt onderzocht. Die stank is eerst door de geur van brandend wierook gemaskeerd geweest. De sectie bevestigt dit. Nee, het slachtoffer is al dagen dood. Hij is óf zaterdagmiddag óf in de nacht daaropvolgend vermoord.'

'Zaterdag?' Petersen dacht aan het voicemailbericht, waarbij iemand op maandag twee miljoen had geboden, als

Floris onthoofd werd. Maar, toen was Floris al vermoord, precies op die manier. Dit was te bizar om waar te kunnen zijn. 'Weet je dat zeker?'

'Geen twijfel over mogelijk. Zaterdag is hij onthoofd.'

Dan was Floris van der Zwan op maandag niet meer te redden geweest, begreep Petersen. Een schrale troost.

Hoofdstuk 13

Dinsdag 8 oktober 16.10 uur
Op weg naar Driebergen kwam er een ander bericht, uit Veenendaal. De foto's die maandagavond in de Peperstraat genomen waren, bleken ontwikkeld en herkend te zijn. Een van de mannen die Kars Becker op de Mazijk achterna gezeten hadden, bleek een bekende van de politie in Utrecht te zijn. Ene Leo Stramrood.

Het was de man met het kubushoofd. Hij had al een veroordeling gehad voor openbare geweldpleging. Volgens de laatste gegevens werkte hij nu als uitsmijter voor een nachtclub. De nachtclub van Rudolf van der Zwan. Die had blijkbaar zijn eigen mensen op pad gestuurd om Kars Becker te pakken. Dat was vanaf het begin de reden geweest waarom hij de bemoeizucht van de politie niet kon dulden. Een crimineel handelde zijn zaakjes zelf af. Vermoedde hij dat de ontvoerder uit het eigen circuit kwam?

-

Dinsdag 8 oktober 16.30 uur
Van der Zwan wachtte hen in de deuropening van zijn huis op, met de armen over elkaar geslagen en een veelzeggende uitdrukking op zijn gezicht. De lippen waren stijf op elkaar geklemd en de wenkbrauwen diep gefronst. De blik in zijn ogen gloeide van ingehouden woede.

De twee rechercheurs liepen onverstoorbaar langs de auto in de inrit, waarvan de motor nog warm was. De vader van Floris van der Zwan was net terug van zijn werk in Utrecht. Net als bij de vorige ontmoeting, was hij daarom onberispelijk gekleed, als een directeur van een farmaceutische handelsonderneming. Het bedrog zette zich onverminderd voort. Rechercheur Petersen liet zijn blik opzij gaan, naar de huizen van de buren. Wat wisten zij over hun buurman?

'Hoe durft u hier te komen?', riep hij verbolgen uit. Het dunne snorretje trilde van opwinding. 'U hebt alles verknald!'

Petersen bewaarde zijn kalmte. Deze woede-uitbarsting had hij al voorzien en daarom zei hij: 'Misschien kunnen we beter binnen het gesprek voortzetten, of u moet willen dat de buurt het hoort. Er is pers in de buurt.' Hij knikte in de richting van het huis aan de overkant van de straat, waar een schaduw zich achter een raam bewoog. De collega van Ricardo Peek.

De man blokkeerde de toegang. 'Waarom zou ik u binnenlaten? U hebt veroorzaakt dat mijn zoon vermoord is. In plaats van dat u ons in kennis stelt van het verloop van het onderzoek, moeten wij de stand van zaken uit de krant vernemen. Mijn vrouw is helemaal overstuur. Ze is in een shocktoestand. Uw agente heeft een ambulance laten komen. Zo erg is het.'

Ze dreigde nu dus echt terug te vallen in haar vroegere psychische toestand, waar Petersen voor gevreesd had. Misschien had hij vanmiddag eerder naar Driebergen moeten gaan, om de ouders van Floris op de hoogte te brengen. Daarvoor was het nu te laat. De kort op elkaar volgende ontwikkelingen hadden hem in Wijk gehouden.

'Als u zo door blijft roepen, staat het morgen in alle details in de krant.' Petersen keek de ander indringend aan. Hij en Bloem stonden een paar meter van hem af, om niet intimiderend over te komen. Het was van belang de ander tot bedaren te brengen. Maar het liefst had hij dat de ander binnenshuis raasde dan in de deuropening. 'Is Inge er nog?'

'Zij is met de ambulance meegegaan.' Dus hij was alleen thuis.

'Meneer Van der Zwan, het spijt ons dat wij u moeten

meedelen dat uw zoon vermoord is. We hebben het niet kunnen voorkomen.'

'Maar u weet al wie de dader is?'

Bram Petersen knikte. 'Gisteren kwamen we achter zijn identiteit. Er is sinds vanochtend een opsporingsbevel.'

'U had hem gisteren dan meteen moeten oppakken!'

Dit was precies dezelfde kritiek als John van Keeken geleverd had. Maar bij Van der Zwan klonk de kritiek hypocriet. Hij had immers zijn eigen mensen op Becker afgestuurd om het huis van diens oma te doorzoeken en Becker te achtervolgen. Meer dan ooit vroeg Petersen zich af of Leo Stramrood en de andere man hem te pakken hadden gekregen. Of zat Becker inmiddels in het buitenland? Het feit dat Van der Zwan ernaar vroeg, kon een indicatie zijn dat de ontvoerder aan Stramrood en zijn kornuit was ontsnapt.

'Uw zoon, meneer Van der Zwan, is op zaterdag al vermoord.' Bram Petersen was er Griesink dankbaar voor, dat hij druk op de ketel gezet had, zodat hij dit gegeven als troefkaart kon uitspelen. 'Mogelijk zelfs voor het *Utrechts Nieuwsblad* verscheen met de eerste melding van de ontvoering.'

'Voordat ik het geld had overgemaakt?' In de stem klonk verbijstering.

Petersen knikte opnieuw. Zonder er doekjes om te winden, besloot hij de ander precies te vertellen hoe de vork in de steel zat. 'Er is een bod van twee miljoen gedaan door een nog onbekend individu. Deze persoon eiste de onthoofding van uw zoon. Wij denken dat deze man hier opdracht toe gegeven had. Het ging deze persoon nooit om ontvoering, maar om moord. Wij konden dat onmogelijk voorkomen.'

Becker had Floris van der Zwan vermoord. Dat was de theorie. Maar het verklaarde de verminkingen niet. Want waarom zou Becker die beloofd had Floris vrij te laten, na de onthoofding tot dergelijke gruwelijkheden zijn overgegaan?

Het stemde niet overeen met wat ze tot nu toe over hem gehoord hadden. Hij was een kleine pion in het criminele spel, zoveel was duidelijk. Een radertje in een veel groter geheel.

'Ik denk echt,' zei hij tegen Van der Zwan, 'dat het beter is, als we dit binnenshuis verder bespreken.'

'Natuurlijk,' reageerde die, uit het veld geslagen. Hij stapte opzij. Meteen kwamen de vragen opnieuw. 'Hoe weet u dit allemaal? En, hebt u enig vermoeden wie erachter kan zitten?'

Voor hij antwoord gaf, sloot Petersen de voordeur achter zich.

'De ontvoerder werd gebeld door een nog onbekend persoon', legde hij in het halletje uit. 'We zullen natrekken wie hem belde. Het gaat om een man met een lage stem. Het is iemand die bereid is twee miljoen euro neer te tellen. In elk geval wekte hij die indruk. Hij kende de ontvoerder goed genoeg om over zijn telefoonnummer te kunnen beschikken.'

Terwijl hij deze feiten tot zich liet doordringen, ging Van der Zwan de anderen voor. Ze liepen de woonkamer in, naar het voorste gedeelte waar Petersen de vorige keer ook gezeten had. Hij koos dezelfde zwartlederen fauteuil bij de open haard. Ook Bloem nam plaats op een van de stoelen, waarna Van der Zwan hun voorbeeld volgde.

'Als u de ontvoerder arresteert,' sprak hij weer, 'dan kunt u het van hem te weten komen.'

'Hij is tot op dit moment spoorloos.'

Rudolf van der Zwan wilde veel meer weten. Het was Petersen duidelijk dat hij door de ander uitgehoord werd. De vader van het slachtoffer wilde erachter komen hoe hij de ontvoerder kon opsporen en met zijn eigen verhoormethodes tot spreken dwingen. Dat zou er vast niet zachtzinnig aan toe gaan. Types als Stramrood stonden daarvoor garant.

Omdat hij geen antwoorden meer kreeg, vroeg Van der Zwan wie de ontvoerder was.

'Ik denk dat u zijn naam wel weet.'

De nachtclubeigenaar deed alsof zijn neus bloedde.

'Uw portier Leo Stramrood is gisteren in Wijk bij Duurstede gesignaleerd. Wij hebben foto's van hem en een ander persoon. Zij wilden de ontvoerder gijzelen. Hij is daardoor op de vlucht geslagen. Als u zich niet met ons werk bemoeit had, hadden we Becker nu al te pakken gehad.'

Het verwijt klonk ongemeen hard tegen de man, die juist te horen had gekregen zijn zoon verloren te hebben. Als een voorspelbare echo klonk een felle ontkenning op deze beschuldiging. Petersen liet zich niet van de wijs brengen.

'Waarom hebt u uw vrouw voorgelogen dat u directeur bent van de logistieke afdeling van een handelsonderneming?', was de vraag die volgde, toen het protest verstomd was.

'Ik heb u niet ontvangen om dergelijke beschuldigingen van u te pikken.'

Bram Petersen bleef er kalm onder. 'Uw vrouw denkt dat u die baan hebt. Maar in werkelijkheid bent u eigenaar van een nachtclub.'

'Goed,' gaf hij toe, terwijl hij ongerust naar Ronald Bloem keek die aantekeningen bijhield, 'dat kan ik wel bevestigen. Het is per slot van rekening niet illegaal. Ik heb haar niet de waarheid vertelt. Dat is een privéaangelegenheid en gaat u eigenlijk niets aan. Maar ik zal het u vertellen, voordat u er iets anders van gaat denken. Want u hebt Mignon niet meegemaakt zoals ze was toen ik haar leerde kennen. Ze was een geknakte knop. Ik ontmoette haar tijdens een vakantie. Dat was twee jaar geleden. Ik had de nachtclub toen al tien jaar in mijn bezit. Zij zat helemaal in de knoei met zichzelf en met het leven. Wist u dat zij haar eerste man nota bene in een nachtclub had leren kennen? Hoe denkt u dat zij had gereageerd, als ik haar bij de eerste kennismaking vrolijk had verteld dat ik de eigenaar van een nachtclub ben?

Dus, ik heb iets verzonnen. Het is niet goed te keuren dat ik de leugen al die jaren volgehouden heb. Maar het is niet meer terug te draaien.'

Rechercheur Petersen had grote twijfels over de motivatie van de man. Hij had inmiddels genoeg over hem gehoord. Over zijn criminele achtergrond, en over hoe bedreven hij te werk ging om niet gepakt te worden. Dát was de feitelijke reden waarom Van der Zwan haar alles verzwegen had. Hij wilde niet dat zij daarachter kwam. Voor de buitenwereld was hij een fatsoenlijk man die zich ver hield van het criminele.

Hij wisselde voortdurende van lease-auto, had telkens andere mobiele telefoons en maakte reizen onder valse namen en paspoorten, zodat hij niet te grijpen was. Als de politie te dicht in zijn buurt kwam, wist hij zich tot op heden te onttrekken aan rechtsvervolging door dekking te zoeken achter mindere pionnen die opgegeven konden worden. De schuld afschuiven, dat kwam uit zijn trukendoos. Nu beweerde hij, dat hij er niets van wist dat Leo Stramrood achter Kars Becker aanzat.

'Wist u,' vroeg de rechercheur kalm verder, 'bij de eerste ontmoeting dan al dat Mignon Van Elshout eerder getrouwd was geweest met iemand die ze in een nachtclub had leren kennen?'

Van der Zwan zakte achterover in de stoel. De grijs gestreepte stropdas hing scheef over het colbertjasje. Zijn armen rustten op de armleuningen. 'Ik had het van anderen gehoord. Het was aan haar te zien, dat ze onder het verleden gebukt ging. Ik heb me toen over haar ontfermd en sindsdien is de knop treuzelend opengegaan. Moet ik de harmonie tussen ons verstoren door haar de waarheid te vertellen?'

De rechercheur ging op die vraag niet in. In plaats daarvan wilde hij van de ander weten waarom hij Van Middelstum dan als een collega aan zijn vrouw had voorgesteld.

'Om mijn verhaal meer kredietwaardigheid te verlenen', antwoordde hij, terwijl hij zijn stropdas recht legde. 'Rogier van Middelstum werkte daar volledig aan mee. Anders had ik het nooit gedaan.'

'Uw zoon wist dat u een nachtclub bezit. Hoe reageerde hij op Van Middelstum?'

'Die twee hebben altijd goed met elkaar kunnen opschieten', vertelde hij. 'Floris vond, net als ik, dat we tegenover Mignon beter konden verzwijgen dat ik eigenaar van een club ben. Van Middelstum werkte ook vol overtuiging mee. Misschien vindt u het bedrog, maar wij vonden dat het beste.'

Petersen zat op het puntje van zijn stoel. 'Floris en Van Middelstum?'

'Ja. Dat vroeg u toch?'

Bram Petersen knikte instemmend. 'Dan kende uw zoon Kars Becker ongetwijfeld ook.'

'De chauffeur van Van Middelstum. Ja. Maar ik kan geen reden bedenken waarom Becker tot die ontvoering kwam. Ik weet dat hij zich met het criminele heeft ingelaten, maar ontvoering past helemaal niet in het plaatje.'

Dat was precies wat Petersen al een tijdje dacht. Hij vroeg zich af of de ander Becker ook kende als leverancier van gestolen goederen.

'Ik vertel u ook niets nieuws, als ik zeg dat u van heling verdacht wordt.'

'Volkomen onterecht', was de reactie van Rudolf van der Zwan. 'Uw collega's hebben mij wel daarover lastig gevallen. Maar in beide gevallen was het een van mijn medewerkers die zich met heling had ingelaten. Ik houd mij daar verre van.'

'Uw zoon werd ook van banden met het criminele verdacht. Wij zoeken daarom het motief van deze moord in het criminele circuit. Kars Becker opereerde in opdracht van een tot nog toe op de achtergrond gebleven persoon. Van een ander persoon kreeg hij twee miljoen aangeboden. Kunt u ons namen noemen?'

Hij haalde onverschillig de schouders op.

'Ik zal openhartig tegen u zijn,' vervolgde Petersen, 'in de hoop dat u dat ook zult zijn. Het motief voor de ontvoering en moord zijn te vinden in het criminele wereldje waar u deel van uitmaakt. U kwam erachter dat Kars Becker achter de ontvoering zat. U herkende misschien zijn stem of u nam het telefoongesprek zelf ook op, om het aan uw medewerkers te laten horen. Ik denk dat u Leo Stramrood en zijn kameraad daarna geïnstrueerd hebt om Kars Becker te gijzelen, zodat u eigenhandig met hem kon afrekenen. U wilde uw zoon op uw manier terugkrijgen, zonder inmenging van ons. U kunt vanuit uw positie ongetwijfeld beter overzien wie deze wraakactie op zijn geweten kan hebben. Daarom kunt u beter meewerken en zorgen dat wij de verantwoordelijken op een fatsoenlijke manier voor de rechtbank krijgen.'

Dit scheen geen enkele indruk op de man te maken. Hij bleef onderuit gezakt zitten. Met lome ogen keek hij naar Petersen, terwijl hij zijn stropdas opnieuw recht legde. Petersen besefte dat de ander niet van zijn plan af zou wijken om het recht in eigen hand te nemen.

'Ik verzeker u dat ik al uw telefoons laat aftappen en dat ik u voortaan geen moment uit het oog zal verliezen, tot ik weet wat u voor ons verbergt.'

'Dan doet u dat maar', sprak hij, totaal onaangedaan. 'Ik heb niets te verbergen.'

'U kent Kars Becker ook. U weet dat hij een gauwdief is. Een inbreker. Kunt u zeggen of hij wel in opdracht van anderen werkte?'

'Ik zeg u dat ik dat niet weet.'

Het gesprek leidde nergens toe. Dat Rudolf van der Zwan iets achterhield, was voor Petersen net zo duidelijk, als dat Floris onthoofd was. De schijn van onschuld was immers flinterdun, maar tegelijkertijd ondoordringbaar dik. Wat er precies achter de schijn schuilging, bleef onduidelijk.

Er verstreek een halve minuut waarin Petersen en Van der Zwan elkaar als versteende poppen aankeken. Er viel geen woord. Ronald Bloem die het gesprek in steno had bijgehouden, staarde verbaasd van de een naar de ander.

Uiteindelijk stond Bram Petersen op, duidelijk teleurgesteld. Hij maakte aanstalten om te vertrekken. Het gesprek had niets opgeleverd.

'Goed,' sprak de man opeens, 'ik zal u een naam noemen.'

De Veenendaalse rechercheur draaide zich om.

'Floris heeft contact gehad met een buschauffeur die vakantiegangers naar Spanje reed. Er is ooit verdenking geweest dat die persoon in de heroïnehandel zat. Hij werd op een gegeven moment betrapt met dat spul in de bus, zonder dat hij er een redelijke verklaring voor kon geven. Op het eind beschuldigde hij Floris ervan het transport geregeld te hebben. Ik geloofde er niets van!'

'Wat is de naam van deze persoon?'

'Gert Daalwijk.'

Petersen moest denken aan de reisorganisatie van Rogier van Middelstum.

'Werkte deze Gert Daalwijk voor Van Middelstum?'

'Ja, maar die wist ook van niets.'

'Waarom zou Daalwijk betrokken zijn bij de ontvoering of de moord op uw zoon?'

'Hij beschuldigde er mijn zoon valselijk van, dat hij hem financieel had benadeeld. Hij meende recht te hebben op een bepaalde hoeveelheid geld voor een transport, en hij had veel minder gekregen. Ik geloof er niets van, maar hij heeft Floris een keer bedreigd. Floris heeft me dat verteld.'

-

Dinsdag 8 oktober 21.00 uur

Onzacht liet Esmée zich op het bed vallen, nadat ze voor de tweede keer in het hotel had ingecheckt. Ze wilde zich begraven in het kussen en huilen tot ze zou verdrinken in haar tranenvloed. Ze wilde haar nagels in haar wangen zetten en krabben, zolang de fysieke pijn maar de innerlijke overheerste. Ze kon zich van pure wanhoop de haren uit haar hoofd trekken. Kars was niet gekomen.

Tien voor acht zou hun vliegtuig vertrekken. Hij had beloofd dat hij ruim op tijd bij haar zou zijn. De hele dag had ze naar hem uitgezien, nadat hij maandagavond naar Wijk bij Duurstede was teruggekeerd. Ze had gemerkt dat hij bij het afscheid gespannen was geweest, alsof hij wist dat hij groot gevaar liep. Desondanks had hij zich genoodzaakt gevoeld om te gaan. Hij had haar proberen uit te leggen waarom.

In het hotel had ze geprobeerd een boek te lezen, maar ze had de aandacht er niet bij kunnen houden. Telkens keek ze vanuit de foyer op, of haar vriend op kwam dagen.

Maar, hij was niet gekomen. Hij had niets van zich laten horen. Hij was weg!

Toen de tijd van vertrek met angstige snelheid naderbij was komen, had ze met kloppend hart hem geprobeerd te bellen. Maar zijn mobieltje stond niet ingeschakeld. De paniek had haar vervolgens overspoeld. Wat moest ze doen als ze hem niet kon bereiken? Kwam hij naar het hotel? Of ging hij rechtstreeks naar Schiphol? Maar, als hij direct naar de balie ging waar ze moesten inchecken, waarom was hij dan niet naar het hotel gekomen? Het was vanuit het logement niet ver naar het vliegveld. Verwachtte hij soms dat zij al hun bagage droeg?

Uiteindelijk had ze besloten dan maar alleen naar het vliegveld te gaan. Ze had doodsangsten uitgestaan, toen ze in de vertrekhal kwam en hopeloos rondkeek of ze Kars zag. Hij was er niet. Ze moesten inchecken. Ze zou nooit zonder hem vertrekken. Waar bleef hij? Had het gevaar, waar hij voor gevreesd had, hem ingehaald, hem als een vloedgolf verzwolgen?

Kars Becker kwam niet. Dat zag ze in, terwijl ze op de schermen had gezien, dat de vlucht naar Caïro vertrokken was. Uiteindelijk had ze besloten om naar het hotel terug te keren en daar de nacht door te brengen. Misschien zou hij daar alsnog naartoe komen.

Nu ze op bed lag, dreunde de ene gedachte na de andere door haar verdrietige hoofd. Óf hem was iets vreselijks overkomen, óf hij had haar laten zitten. Maar, als hij haar had laten zitten, waarom kwam hij dan niet voor zijn bagage? Waarom had hij haar de tickets gegeven die hem zoveel geld hadden gekost? Dus, was hem dan iets overkomen?

Ze miste hem.

Op je gemak voelen, dat beschreef precies wat Esmée ervoer als ze bij Kars was. Een ongewone gewaarwording, terwijl ze gewend was op zijn best genegeerd te worden. Na het overlijden van haar vader was haar leven een hel geworden. Ze was pas elf, en haar oudere halfbroer Johan was haar kwelgeest geweest. Hij en zijn even nare vrienden. Met afschuw herinnerde ze zich de keren, dat hij haar met zijn vrienden achterna had gezeten door de stad. Ze hadden haar betast en gemene opmerkingen gemaakt, over haar uiterlijk, over haar kleding, over alles wat maar in hen opkwam. Om haar te kleineren.

Ze moest altijd denken aan die ene keer, toen ze heel erg in het nauw was gedreven. Ze was ten einde raad, ze hielden niet op en een uitweg zag ze niet meer. Wat ze vervolgens gedaan had, was haar altijd bijgebleven en ze kon er alleen met afschuw aan terugdenken. Ze had een hondendrol zien liggen die ze met haar blote handen had opgeraapt en naar hen toegeworpen. Het was zo smerig, dat de herinnering aan het gevoel van vuile handen, vies van de kleverige substantie, zich nog regelmatig aan haar opdrong. Dan werd de behoefte haar handen te wassen haast ondraaglijk.

Maar het had gewerkt. Uit angst vies te worden, waren haar belagers achteruit gedeinsd. Ze had nog meer vuiligheid gevonden en in de benauwdheid van het moment naar hen gegooid. Daarna had ze het op een lopen gezet, tot ze bij de rivier was om haar handen te kunnen wassen.

Die dag had ze van huis weg willen blijven, maar ze had zich zo smerig gevoeld, dat ze de drang om haar handen met zeep te wassen niet langer had kunnen weerstaan. Naar een openbaar toilet in een warenhuis had ze niet willen gaan, uit angst om vreemden onder ogen te komen. Hoe vaak had ze daarna van haar halfbroer moeten aanhoren wat een "smerig kind" ze was. De vernederende ervaring stond in haar geheugen gegrift. Als ze de plek in de stad passeerde waar het gebeurd was, móest ze er weer aan denken. Ze was een smerig kind.

Alleen als ze bij Kars was, ebden die gevoelens weg, kon ze zich ontspannen, zichzelf zijn. Voor ze hem kende, had ze 's nachts regelmatig zeer verontrustende dromen.

Sinds de dood van haar vader had ze een telkens terugkerende droom. Daarin voelde ze de aarde beven, terwijl de grond voor haar voeten openspleet. Het was een scheur van nauwelijks een halve meter breed, en toch onpeilbaar diep. Ze wilde eroverheen springen, maar nadat ze zich had afgezet, week de overkant achteruit. Alsof hij haar niet wilde opvangen. Daarna viel ze, met angstige snelheid die duizelingwekkende diepte in. Vervolgens werd ze wakker, badend in het zweet, terwijl ze moeite had droom en werkelijkheid te schiften.

Het idee dat de droom haar ongelukkige bestaan definieerde, had zich in haar denken genesteld. Maar pas nadat ze Kars had ontmoet, had ze voldoening in het leven kunnen vinden. Vaste grond onder haar voeten. Ze was de droom anders gaan duiden. Deze kant van de kloof was het leven zoals ze het kende, ginds was een nieuw begin. Zonder Kars moest de sprong wel ontoereikend zijn. Met hem zou het wel lukken.

Maar, hij was weg, voor ze het er gezamenlijk op gewaagd hadden. Alsof hij gestruikeld was, zonder dat zij het gezien had, en voor altijd in de diepte verdwenen was. Ze was alleen achtergebleven, en zag zich afgesneden van een toekomst waarin ze zich gelukkig kon voelen. De overkant had dat geluk gesymboliseerd, evenals haar dagdromen over Egypte.

Nu hij verdwenen was, realiseerde ze zich, dat ze hem nodig had.

Waar ben je Kars?, dacht ze wanhopig. Waarom laat je niets meer horen?

-

Dinsdag 8 oktober 21.25 uur
Na de publicatie van het bericht over de ontvoering van haar vriend, was Claire Huisman herhaaldelijk lastiggevallen door nieuwsgierige buren en dorpsgenoten. Het was haar zondag teveel geworden, waarna ze haar toevlucht had gezocht in het ouderlijk huis in Hoevelaken. Daar trok ze zich helemaal terug en aangezien haar ouders niet op een krant geabonneerd waren, was ze nog in onwetendheid over het drama dat zich in Wijk bij Duurstede had afgespeeld.

Petersen en Bloem bezochten haar nadat ze gebeld hadden om hun komst aan te kondigen. Ook zij had recht op het nieuws van de dood van Floris. Bovendien werd het tijd om haar kant van het verhaal te horen.

Haar reactie op de moord was diepe geschoktheid. Met een verbijsterde uitdrukking op haar gezicht, trok ze zich een moment in haarzelf terug, als een slak in de beschutting van zijn huisje. Haar handen bedekten het gezicht, terwijl haar tranen de vrije loop namen.

Ze was nog jong, amper achttien, met kort kastanjebruin haar.

Nadat ze haar gezicht was gaan wassen, kwam ze terug om vragen te beantwoorden. Ze deed dat moedig, hoewel de tranen haar onophoudelijk in de ogen brandden. Met trillende handen vertelde ze, dat ze veel steun had gevonden bij Mignon van Elshout. Allebei hadden ze zich de ontvoering erg aangetrokken.

Claire vertelde dat ze zaterdag een fijn gesprek met haar schoonmoeder gehad had. Ze hoorde pas van het bericht over de ontvoering in het *Utrechts Nieuwsblad*, nadat haar schoonmoeder om kwart voor vier vertrokken was. De buurvrouw die wel op de krant geabonneerd was, kwam toen langs.

Nadat zij haar hart gelucht had, nam rechercheur Petersen de gegevens over Floris van der Zwan met haar door. Ze bevestigde dat hij op 5 april 1980 was geboren en dat hij als vrachtwagenchauffeur werkte voor een transportbedrijf in Bunschoten. Ze had hem in een chauffeurscafé leren kennen, waar zij een tijdje als serveerster had gewerkt. In de zomer van 2002 had ze in een studentencafé werk gevonden, wat hij veel beter voor haar had gevonden. Hij kon heel beschermend doen. Sinds hij ontvoerd was, was ze niet meer naar haar werk geweest.

Over zijn criminele achtergrond, kon Claire Huisman niet veel zeggen. Ze had altijd geweten dat hij andere bronnen van inkomsten had gehad. Anders had hij nooit het huis in Maarsbergen kunnen kopen. Door een ongeluk had hij een halfjaar lang zonder rijbewijs gezeten, maar dat leek hem financieel niet te deren.

Ze had ook een aantal van zijn vrienden leren kennen, en

de meeste daarvan waren louche figuren die ze liever nooit ontmoet had, als ze niet van Floris had gehouden. Hierdoor had ze feilloos aangevoeld, dat haar vriend banden met de onderwereld had.

'Weet je namen van zijn vrienden?'

Ze schudde haar hoofd mistroostig. 'Kon ik ze maar herinneren!', antwoordde ze wanhopig. 'Ik weet zeker dat een aantal van die zogenaamde vrienden van hem niet te vertrouwen was. Ik herinner me slechts één persoon. Die kwam een week of vier geleden in Maarsbergen aan de deur.'

Petersen keek haar belangstellend aan.

'Floris was er niet. Hij eiste geld van Floris. Ik werd doodsbang. Hij kwam heel bedreigend over.'

'Wat was zijn naam?'

'Ik weet alleen de voornaam. Hij heette Gert.'

Hoofdstuk 14

Woensdag 9 oktober 9.20 uur

Het eerste dat de volgende dag op het programma stond, was een bezoek aan Gert Daalwijk. Terwijl hun collega's informatie vergaarden over de hoofdrolspelers van dinsdag, onder wie de excentrieke Rogier van Middelstum, reden Petersen en Bloem in de oude BMW naar het adres in Amersfoort.

Ze vonden de eenvoudige rijtjeswoning in het zuidwestelijke deel van de stad aan de Gravin van Burenlaan. Een L-vormig appartementsgebouw stond er zo dicht bij dat de woning van alle zonlicht beroofd werd.

Een vrouw met een slapend kind op de arm en een onvriendelijk, mager gezicht deed open.

'Wij zijn op zoek naar Gert Daalwijk', vertelde rechercheur Petersen, nadat hij zichzelf en Bloem had voorgesteld. De vrouw keek hen wantrouwend aan. Petersen wist dat haar man het verschillende keren met justitie aan de stok had gehad. Het was bekend dat Daalwijk daarom niet veel met de politie op had.

'Die is er niet', sprak ze op bitse toon. Er lag een verbeten trek om de vuurrood gelakte lippen. Ze hield het kind stevig vast, alsof ze bang was dat het haar afgenomen zou worden.

'Kunt u ons vertellen waar hij nu is? Waar werkt hij?'

'Ik weet het niet.'

'Wij willen met hem praten in verband met een rechercheonderzoek', legde rechercheur Petersen haar uit. 'Uw man wordt nergens van verdacht. Wij hopen alleen dat hij ons meer kan vertellen over Floris van der Zwan.'

Die naam deed de vonk der herkenning opspatten.

'Met hem hebben we niets te maken!', zei ze vinnig. Ze had kennelijk nog geen kennis genomen van het laatste nieuws. 'Hij heeft Gert opgelicht.'

'Misschien kan uw man daar meer over vertellen?', probeerde Petersen op welwillende toon. 'Hoe laat verwacht u hem thuis?'

Nu kwam het eruit. Haar man was er met een ander vandoor. Hij was al drie weken niet meer thuis geweest. Zodoende wist ze "hoe laat het was". Het was niet de eerste keer dat hij bij een ander ingetrokken was. De vorige had hem na een maand weer het huis uit gezet. Zijn vrouw was blijkbaar voldoende vergevingsgezind om hem elke keer weer in huis te nemen.

'Ik weet dus niet waar hij uithangt', eindigde ze haar relaas.

'Wat denk je?', vroeg Ronald Bloem, toen ze enkele ogenblikken later in de auto het verkeer in het centrum van de stad doorkruisten. 'Heeft Gert Daalwijk iets met de zaak te maken?'

'Mogelijk', was het weinigzeggende antwoord van Bram Petersen die altijd alle mogelijkheden openhield. Zijn aandacht was vooral op de weg gericht. Ze bevonden zich op de stadsring die de binnenstad van Amersfoort half omcirkelde. 'Wat denk je zelf?'

'Na het gesprek gisteren met Van der Zwan was ik ervan overtuigd, dat hij Daalwijk alleen genoemd had om ons op een dwaalspoor te zetten.'

'Die indruk kreeg ik ook', sprak Petersen knikkend. De blauwe BMW draaide de Hendrik van Viandenstraat in, de weg richting Leusden. 'Van der Zwan heeft veel voor ons te verbergen.'

'Maar na de gesprekken met Claire Huisman en de vrouw van Daalwijk, weet ik het niet meer zo zeker. Ik zou wel eens meer willen weten hoe het met die oplichting zit. Het heeft te maken met die heroïnesmokkel, als je het mij vraagt. Wanneer zou hij door Floris bedrogen zijn?'

Dat was een vraag zonder antwoord. Met een peinzend gezicht zat Bloem onderuitgezakt naast zijn collega. Zo reden ze door tot ze de bebouwde kom verlieten en in een bosrijk gebied kwamen.

'Ik heb zitten denken', zei hij even later. 'Die Van Middelstum is eigenlijk een ideale verdachte. Floris van der Zwan zat in de heroïnesmokkel naar Spanje. Daalwijk deed als buschauffeur de transporten. Beiden kenden ze Van Middelstum, hoewel die beweerd heeft dat hij Floris niet gekend heeft. Daalwijk werkte voor Van Middelstum. Dan kende hij Kars Becker die de chauffeur van Van Middelstum is geweest, vast ook. Nou, Daalwijk voelde zich door Floris opgelicht omdat hij te weinig geld voor een transport heeft gekregen. Hij besluit daarom Kars Becker opdracht te geven Floris te ontvoeren, om toch aan geld te komen. Van Middelstum hoorde vervolgens via de krant van de ontvoering en vermoedde wie erachter zou zitten. Hij bood daarna geld. Wat er in Wijk bij Duurstede gebeurde, was komedie.'

'Wat is dan het motief voor Van Middelstum, om Floris dood te wensen?'

Bloem haalde de schouders op. 'Dat weet ik nog niet. Ik schat dat hij rijk genoeg is om twee miljoen euro te kunnen bieden.'

'Er klopt nog iets niet, in je theorie. Je zegt dat Van Middelstum via de krant over de ontvoering hoorde. Je denkt dat hij vermoedde dat Daalwijk achter de ontvoering zat, omdat hij wist dat Daalwijk met Floris een rekening te vereffenen had. Vervolgens denk je dat Van Middelstum meteen doorhad, dat Daalwijk het klusje niet zelf opknapte, maar Becker inschakelde. Het klinkt erg vergezocht, zeker omdat Daalwijk mij niet het type lijkt om opdrachtgever te zijn. Hij is buschauffeur.'

'Oké, maar het is mogelijk.'

'Helaas, het is erg onwaarschijnlijk. We weten al, dat

degene die twee miljoen bood, maandag belde. Maar toen was Floris al dood. Dat kan dus niet in opdracht van Van Middelstum zijn gebeurd, als die van de ontvoering via de krant hoorde en pas maandag belde. Maar, je hebt fantasie. Laat de theorieën maar komen, dan zullen we die stuk voor stuk beoordelen. Je hebt in elk geval op één punt gelijk.'

'Dat is?'

'Van Middelstum is verdacht door te zeggen, dat hij Floris niet kende.'

'Zou de vader van Floris ook bij de heroïnesmokkel betrokken zijn?'

'Daar zijn geen aanwijzingen voor. Als ik in zijn schoenen stond, en ik zou erbij betrokken zijn, zou ik het onderwerp nooit ter sprake hebben gebracht. Dus ik denk van niet, maar je kunt nooit weten.'

-

Woensdag 9 oktober 11.30 uur

Dat Theo Griesink zich persoonlijk met het onderzoek ging bemoeien, bleek grote voordelen te hebben. Niet alleen was de sectie sneller dan ooit voltooid, ook aan een onderzoek naar het mobieltje dat in de zestiende-eeuwse kelder was gevonden, was met voortvarendheid gewerkt. De resultaten lagen in de vorm van een tussenrapportage op het bureau van Bram Petersen te wachten. Hij zag dat iemand er al doorheen gebladerd had.

'Wat staat erin?', vroeg hij aan de collega's in de projectruimte, nadat hij zijn verbazing over het vlotte werk had geuit. Het was absurd vlug. Resultaten waar hij anders dagen of zelfs weken op moest wachten, waren binnen twintig uur geleverd.

Steven Bosma en Inge Veenstra waren aanwezig. De laatste had bij de binnenkomst van Petersen en Bloem verteld, dat Mignon van Elshout vanochtend vroeg weer thuisgekomen was. Ze was over de ergste schok heen, maar haar toestand bleef uiterst kwetsbaar, omdat oude wonden uit het verleden opnieuw werden opengereten.

John van Keeken was afwezig. Hij had met een collega opdracht gekregen de gangen van Rudolf van der Zwan na te gaan. Het rechercheteam was inmiddels uitgegroeid tot twintig man, dat door de districtschef zelf aangestuurd werd. De meeste rechercheurs waren gezet op het buurtonderzoek, dat nu zowel in Wijk bij Duurstede als in de omgeving van de Albert Heijn in Doorn in volle gang was.

'Er is een overzicht van alle nummers die Becker gebeld heeft', antwoordde Bosma vanachter zijn bureau. 'En door wie hij gebeld is. Het wordt nog uitgezocht, welke namen bij welke nummers horen. De resultaten daarvan worden in de loop van de middag verwacht.'

Inge Veenstra stond op. 'Willen jullie koffie?', vroeg ze, waarbij ze de thermoskan van het bureau van Bosma pakte. Vandaag had ze haar haren opgestoken in een knotje.

Terwijl zij koffie inschonk, bladerde Petersen het rapport door.

'In het rapport staan een paar belangrijke punten', vertelde Bosma verder. 'Interessant om te weten is, of een eventuele opdrachtgever Becker heeft gebeld. Er zijn verschillende namen gevonden. Maar hij is op zaterdagmiddag om vijf over vier ook vanuit een telefooncel in Amersfoort gebeld. Bij het Borneoplein.'

'Waar ligt dat ongeveer?', vroeg Ronald Bloem.

'Op de plek waar de Leusderweg de Pasteurstraat kruist. Het is in het zuidelijke deel van de stad.'

'Dus niet ver van waar Gert Daalwijk woont', begreep Petersen onmiddellijk. Was die de opdrachtgever? Dat hij al drie weken niet meer thuis was geweest, paste niet in het plaatje. Of was de vrouw van Daalwijk erbij betrokken?

'Dit kan van belang zijn,' vervolgde de rechercheur met het ringbaardje, 'omdat Becker iets meer dan een halfuur later belde, om te zeggen dat het ultimatum tot twee dagen verkort was. Dat was een reactie op het bericht in de krant.'

'Maar dat kan toch niet', was Veenstra van mening. Ze zat nu net als de anderen achter haar bureau. 'Becker heeft zelf de krant op de hoogte gebracht. Dat heb je eergisteren in Doorn ontdekt.'

'Je hebt gelijk', gaf hij toe. Een moment staarde hij met een nadenkend gezicht naar het beeldscherm van de computer. 'Of,' zei hij daarna, 'Becker voerde slechts opdrachten uit zoals ze kwamen, of ze nou logisch waren of niet.'

Petersen knikte. 'Ik denk dat Becker eerst moest zeggen dat er door de familie geen publiciteit aan de ontvoering gegeven mocht worden, of anders zou het uitlopen op moord. Vervolgens lichtte hij de pers zelf in, om daarna moeilijk tegen de familie te kunnen gaan doen en de moord te rechtvaardigen. Het is vanaf het begin zo geregisseerd geweest, dat het met moord moest eindigen.'

'Wie is de regisseur?', vroeg Bloem zich hardop af.

Steven Bosma nam na een korte stilte het woord. 'Het is heel raar gegaan. In het rapport staat ook een voorlopig resultaat van vergelijkend stemmenonderzoek. Toen ik dat las, kon ik het haast niet geloven.'

'Wat?'

'Om vijfentwintig over elf eergisterochtend werd naar het mobieltje van Becker gebeld. Die nam niet op waarna de beller de voicemail insprak.'

'Er werd geld geboden als Floris onthoofd zou worden', wist Petersen. 'Wat heeft vergelijkend stemonderzoek opgeleverd?'

'Nou, ze onderzoeken het nog verder. Het is slechts het resultaat van een eerste indruk. Maar de stem van die man is herkend als vrijwel identiek aan een ons bekend persoon. En wie denk je dat het is?'

'Kars Becker', antwoordde Petersen meteen.

'Is dat een gok?'

'Nee, het lijkt te passen in het patroon zoals we dat net besproken hebben.'

'Het is inderdaad Becker', gaf Bosma te kennen. 'Hij lijkt me helemaal niet de persoon om zulke spelletjes met ons te spelen. Want dat is het. Het was de bedoeling dat we het mobieltje zouden vinden. Het voicemailbericht is expres niet gewist, zoals de beller wilde. Dit is een van de redenen dat ik er nu zeker van ben, dat Becker in opdracht van een ander werkte. Dit soort methodes is niets voor Becker.'

'Maar Bram houdt natuurlijk alle mogelijkheden open', merkte Bloem cynisch op. 'Dus het kan ook zijn dat de beller toch een ander blijkt te zijn. Toch?'

'Dit is inderdaad gebaseerd op een eerste indruk', zei Petersen die de toon van zijn collega negeerde.

'Nou, ik geloof niet dat het een ander is. Ik heb nagezocht waar Becker vandaan belde toen hij het bankrekeningnummer doorgaf. Hij stond toen in een telefooncel in Bunnik. Hij belde om tweeëntwintig over elf gisterochtend. Dat gesprek duurde een paar minuten. En om vijfentwintig over elf werd de voicemail van Becker ingesproken. Ook dat telefoontje werd vanuit de telefooncel in Bunnik gepleegd.'

'Maar waarom deze charade?', vroeg Inge Veenstra die er nog geen touw aan vast kon knopen. 'Als vanaf het begin vaststond dat Floris vermoord zou worden, waarom liet de opdrachtgever Becker dat niet meteen op de parkeerplaats doen?'

'Omdat,' sprak Petersen peinzend, 'de daad van haat getuigt.' Niet een haat die meteen toesloeg, maar een haat die met bovenmenselijk geduld wraak uitoefende, om zoveel mogelijk leed te veroorzaken. Floris moest eerst lijden, evenals zijn familie. 'We zoeken een opdrachtgever die reden had om zich op Floris te wreken.'

'Of,' merkte Steven Bosma op, 'speelt het overgemaakte geld ook nog een rol?'

'Voor Becker wel.'

Hun gesprek werd gestoord door de komst van agent Johan van der Heijden die met een boos gezicht de project-ruimte binnenstapte.

'Ze wilde niet naar boven komen, meneer Petersen', sprak hij. Blijkbaar had hij zich daar mateloos aan geërgerd. Zijn gezicht had er een kleur van gekregen. 'Mijn halfzus. Ze is een uurtje geleden thuisgekomen, na twee nachten van huis te zijn geweest. Maar ze wil niets zeggen. Ik heb haar hier naartoe moeten slepen.'

-

Woensdag 9 oktober 12.05 uur

Met een loep in de rechterhand bestudeerde Rogier van Middelstum de fijnste details van de penseelstreken op het paneel. Het was een bijzonder fraaie compositie opgebouwd uit verschillende elementen, en de lichtval was werkelijk bui-tengewoon! De blauwe lucht met de fel wit beschenen sta-pelwolk en de verblindende goudgele gloed die in het water weerspiegeld werd, maakten dit werk van Salomon van Ruysdael tot een meesterwerk. Drie dagen geleden had het werk nog gehangen in een museum in Kopenhagen dat het in bruikleen had van de Rijksdienst voor Beeldende Kunst.

Hij zat in zijn studeerkamer met zijn boekenkasten en schilderijen. Vroeger was dit de koffiekamer van het "Veerhuis" geweest. Verreweg het meest gezellige lokaal en die oude gezelligheid hing nog altijd in de kamer. Het was zonder enige twijfel zijn favoriete vertrek.

Met voldoening constateerde de terminale bewoner van het vroegere "Veerhuis", dat het paneel geen vervalsing was. Een keer had hij een half miljoen gulden neergeteld voor een schilderij, dat achteraf een vervalsing bleek te zijn. In deze handel moest je voortdurend op de hoede zijn om niet te worden opgelicht door een handige crimineel. Daar was hij van doordrongen.

Als hem voldoende tijd restte, wilde hij *De Molen* bij Wijk bij Duurstede van Jacob van Ruysdael (eigenlijk was het Ruisdael) aan zijn collectie toevoegen. Net als de Van Ruysdaels, voelde hij eenzelfde fascinatie voor het landschap en voor stadsgezichten. Wat zou *De Molen* een waardevolle aanvulling zijn!

Tegelijkertijd wierp die gedachte de vraag op, wat er met de collectie zou gebeuren als hij overleden was. Hij had geen kinderen om haar na te laten. De erfgenaam moest iemand zijn die hij volkomen kon vertrouwen. Hij zou de collectie geven aan iemand die niet na zijn dood zijn goede naam te grabbel zou gooien door bekend te maken, hoe hij aan de schilderijen was gekomen. Om dezelfde reden had hij gisteren voor de twee rechercheurs kwamen uit voorzorg de deur naar de hal op slot gedaan. Hij had er niet aan moeten denken dat zij de schilderijen gezien hadden. Zij zouden hem genadeloos aan de schandpaal genageld hebben!

Wat een prachtcollectie! Van Middelstum liet zijn blik weemoedig glijden langs alle werken die dicht op elkaar aan de muren hingen. Geen daarvan kon hij in zijn graf meenemen naar het hiernamaals, zoals de Egyptenaren geloofd hadden. Nee, elk exemplaar moest geconserveerd – gekoesterd – worden om aan de volgende generatie doorgegeven te worden. Ook deze werken! Wie kon hij er gelukkig mee maken?

Hij werd in zijn sombere gepeins gestoord door Willems.

'Er is telefoon voor u, meneer.' Hij stond in de deuropening, met de draadloze telefoon in de hand.

'Wie?'

'Hij wilde de naam niet noemen. Ik geloof dat het Evert de Heus is.'

Van Middelstum wenkte zijn chauffeur de telefoon te overhandigen. Daarna verliet deze de werkkamer.

Het was inderdaad De Heus, hoewel de naam ook nu achterwege bleef. Van Middelstum herkende onmiddellijk de intimiderende stem en zag de spierbundels van de man voor zich. Hij kende De Heus al enige tijd. In zijn ogen was de man niets meer dan een rat. Hij klonk wat hijgerig, alsof hij net oefeningen in de sportschool had gedaan.

'Je hebt gelezen wat er in de krant staat?', vroeg de hijger.

'Over de begrafenis van Claus?' De kranten stonden er bol van. Er werd teruggegrepen naar verslagen van vroegere koninklijke begrafenissen. Saillant detail was dat ook prins Hendrik, de gemaal van koningin Wilhelmina, voorafgaand aan zijn overlijden een soort generale repetitie van de begrafenis had georganiseerd, om de witte lijkkoets in vol ornaat te kunnen bewonderen.

'Je weet wat ik bedoel. Floris.'

'Wat is er met hem?'

'Dat kan jou ook overkomen, als je niet betaalt wat we overeengekomen waren.'

-

Woensdag 9 oktober 12.15 uur

'Kan ik niet bij het gesprek aanwezig zijn, meneer Petersen?', vroeg Johan van der Heijden. Samen met zijn oudere collega van de recherche keek hij toe hoe Inge Veenstra zijn halfzus naar de verhoorkamer begeleidde. Esmée keek met een ongeruste blik zijn kant op. Ze gaf keer op keer te kennen, dat ze niet wilde praten. Dat ze naar huis wilde.

'Het is beter van niet.'

'Ik ken haar het beste, daarom zal ze zich meer op haar gemak voelen als er iemand die ze kent bij haar is.'

'Nee.'

'U moet goed weten wat voor iemand zij is. Ze kan heel obstinaat zijn. Mijn moeder heeft heel wat met haar te stellen.'

Petersen leek niet onder de indruk te zijn.

'Ze heeft van kinds af aan problemen gegeven', zei hij en keek zijn collega ernstig aan, in de hoop hem te overtuigen. Maar Petersen had besloten zelf te bepalen welke indruk hij van het meisje kreeg. 'Een dwarsligger. Ik weet hoe ik met haar om moet gaan. Ze heeft een broer nodig die haar eraan herinnert hoe ze zich gedragen moet. U moest eens weten. Ze is eigenlijk een heel vies kind, met een heel lage dunk van zichzelf. Dat begrijpt u wel, als ze verkering heeft met zo iemand als Kars Becker. Ze heeft iemand nodig die haar begrijpt.'

'Ik denk dat Inge en ik het best alleen aankunnen.'

-

Woensdag 9 oktober 12.20 uur

De onverzettelijkheid waarmee Esmée Bloemhard geweigerd had naar binnen te gaan om rechercheur Petersen onder ogen te komen, verdampte geleidelijk toen ze in de verhoorkamer stond en ontdekte dat haar halfbroer bij het gesprek niet aanwezig zou zijn. In plaats van Johan van der Heijden werd de rechercheur vergezeld door een jonge vrouw met opgestoken haar die slechts enkele jaren ouder was dan zij. Inge Veenstra wist haar gelijk op haar gemak te stellen door vriendelijk te vragen of ze thee of koffie lustte.

Rechercheur Petersen had opzettelijk voor de verhoorkamer gekozen, hoewel het nieuwe districtsbureau ook speciale aangifteruimten had waar ze konden gaan zitten. Als anderen daar opeens binnen zouden vallen, kon deze belangrijke getuige helemaal dichtslaan; zeker omdat ze niet stond te popelen om de recherche te woord te staan. Daarom moest hij haar vertrouwen winnen en hier liepen ze weinig kans gestoord te worden. Inge Veenstra bleek een waardevolle troef om het ijs te breken.

Even dacht hij nog aan het gesprek met de halfbroer van het meisje. Hij had Petersen verteld dat hij zich oprecht afvroeg wat Kars Becker in zijn onooglijke zus met haar opgeblazen gezicht zag. Kars was haar eerste serieuze vriend. Wie wilde eigenlijk verkering met iemand die er zo uitzag als zij, had hij gevraagd. Volgens hem zag zelfs zijn zus dat in. Al haar vorige vriendjes hadden allemaal genadeloos misbruik van haar aangegroeide gevoel van minderwaardigheid gemaakt.

Maar als Johan van der Heijden gedacht had dat Petersen zich daarom vermurwen liet om hem bij het gesprek aanwezig te laten zijn, had hij het mis. Het kruiperige gedrag van de ander hing hem de keel uit, vooral toen hij hoorde hoe denigrerend de agent over zijn halfzus sprak. Geen wonder dat zij zichzelf met negatieve gevoelens oplaadde.

'Koffie graag', zei het meisje dankbaar.

Ze was waarschijnlijk niet veel ouder dan negentien of twintig, schatte Bram Petersen. Een stuk jonger dan haar verdwenen vriend. Ze stond nog besluiteloos bij de deuropening naar de grond te staren. Op haar gezicht was haast geen kleur te bekennen. Er was alleen een kleine plek waar de huid geïrriteerd was. Ze had een flets gezicht met bolle wangen en een depressieve uitstraling die geaccentueerd werd door haar gebruik van zwarte make-up rond de ogen, zwartgelakte nagels en donkergetinte kleding. Haar oogleden waren gezwollen na een nacht vol tranen. Maar de make-up verhulde de rode rand om haar ogen. Haar lange, roodbruine haren hingen losjes op een donkerpaarse blouse waaronder ze een zwart shirt had. Een gouden kettinkje, met daaraan een klein gouden hartje, hing over shirt en blouse. Ook droeg ze een donkergrijze broek met wijd uitlopende pijpen die tot op de grond reikten zodat de schoenen onzichtbaar bleven, alsof ze geen voeten had.

Terwijl zijn collega wegliep om koffie en thee te halen, verzocht Petersen haar op de stoel tegenover hem plaats te nemen. Treuzelend gaf ze aan het verzoek gehoor.

'Zo, ik ben blij dat je terecht bent', sprak hij vriendelijk. Ze keek hem nog steeds niet aan, maar staarde met doffe ogen naar haar spierwitte handen die gevouwen op de tafel lagen. 'Ik geloof dat je blij bent dat je broer er niet bij is.'

Ze knikte zwijgend.

Inge Veenstra kwam terug met een dienblad en kopjes dampende koffie en thee. Ook had ze een pakje koffiekoekjes opengemaakt die ze op de tafel legde. Het meisje nam haar kopje gretig aan, zonder toevoeging van suiker of melk, en legde haar handen eromheen om ze te warmen. De koekjes negeerde ze.

'Hoe heeft je broer gereageerd op je terugkeer? Wil je daarover vertellen?'

Ze knikte. Vervolgens kwam het verhaal eruit. 'Hij ging tekeer tegen mij. Dat ik mij met een moordenaar heb ingelaten, en dat als ik niet met hem mee zou komen, ik medeplichtig zou zijn aan moord. Ik weet niet eens wat er gebeurd is.'

'Heeft hij je geslagen?', vroeg Inge Veenstra bezorgd. Ze wees naar de rode vlek op de linkerwang van het meisje.

'Omdat hij wilde dat ik met hem mee ging. Word ik ergens van verdacht?' Het klonk benauwd.

Bram Petersen stelde haar gerust. 'Ik zou op dit moment niet weten waarvoor.'

'Maar mijn halfbroer...'

Hij onderbrak haar. 'Je broer heeft niet het recht je valselijk te beschuldigen, en al helemaal niet om te slaan. Maar,' voegde hij er meteen aan toe, 'wij onderzoeken inderdaad een ernstig misdrijf waarvan we hopen, dat je ons enige inlichtingen kunt geven.'

'Oh.'

'Wat is er met jou de afgelopen dagen gebeurd?', vroeg Petersen verder. 'Het is toch waar dat Kars Becker je vriend is?'

Ze knikte opnieuw. Voor het eerst keek ze op. 'We zouden naar Egypte gaan', legde ze uit. 'Kars heeft me maandagmiddag naar een hotel gebracht, bij Schiphol. We zouden dinsdagavond vliegen. Hij nam afscheid en zei dat hij later terug zou komen. Zijn bagage was bij mij.'

'Hoe laat was dat?'

'Half acht.'

'Zei hij waarom hij wegging?'

'Om naar Wijk te rijden. Hij wilde zijn oma uitleggen dat hij weg zou gaan.'

'En toen? Wat gebeurde er daarna?'

'Niets! Kars kwam niet meer. Ik voelde dat er iets mis moest zijn gegaan. Ik hoopte dat hij zou bellen. Dat gebeurde niet.' Ze vertelde hoe ze desondanks naar Schiphol was gegaan. 'Ik heb nog een nacht in het hotel doorgebracht en vanochtend heb ik de trein naar huis genomen.'

'Je hebt geen idee waar hij nu verkeert?'

Haar gezicht versomberde.

'Nee.'

-

Woensdag 9 oktober 12.35 uur

Esmée Bloemhard hoopte juist dat haar openhartigheid beloond werd met nieuws over haar vermiste vriend. Dat was de enige reden, waarom ze zich had laten overreden om naar Veenendaal te komen. Even had ze gedacht, dat Kars haar in de steek had gelaten. Maar nu groeide haar ongerustheid. Vannacht had ze nog vreselijk gedroomd. Ze was wakker geworden, met een gezicht nat van tranen, waarna het enige tijd had geduurd voor ze werkelijkheid en droom van elkaar kon scheiden. Ze had in haar droom Kars voor haar ogen zien verdrinken, ondergedompeld door meedogenloze handen. Ze wilden hem redden, maar werd van achteren vastgehouden.

Gelukkig zag ze dat rechercheur haar geloofde. Hij legde haar uit wat hij wist van de vlucht van haar vriend. Ze hoorde het met toenemende ongerustheid aan. Maar hij kon haar niets vertellen over wat er sinds maandagavond met Kars gebeurd was. Hij was van de aardbodem verdwenen, zo leek het.

'Er is inmiddels een arrestatiebevel voor hem verspreid', maakte hij haar duidelijk. 'Wegens mogelijke betrokkenheid bij ontvoering en moord. Hij is vroeger verschillende keren met justitie in aanraking geweest. Ben je daarvan op de hoogte?'

Ook op deze vraag reageerde ze knikkend, waarbij haar haren zachtjes het tafelblad streelden.

'Hij heeft mij zijn levensgeschiedenis verteld.'

'Wat trok je dan zo in hem aan?', vroeg Inge Veenstra. Een toon van verbazing klonk duidelijk in haar stem door.

Esmée keek bedenkelijk. Werd van haar verwacht dat ze over haar diepste gevoelens vertelde? Als deze agente dacht dat ze haar echt kon begrijpen, moest ze haar over haar verleden vertellen. Hoe ze als van kindsbeen af zich buiten gesloten voelde. Hoe haar behoefte aan een liefhebbende arm om haar heen nooit bevredigd werd.

Ze was opgegroeid in een gebroken gezin. Haar vader

was na een scheiding hertrouwd met de vrouw, bij wie hij vroeger al een zoon verwekt had, haar zelfingenomen half-broer Johan. Haar stiefmoeder beschouwde haar als een indringster. Toen haar vader overleed, viel de enige die haar steun gaf wanneer het hem uitkwam, weg.

In die tijd had ze een levendige fantasie ontwikkeld. Uit de bibliotheek had ze het ene na het andere boek geleend over verre landen en prachtige oorden. Ze had erover gedroomd. Vooral de geschiedenis van Egypte boeide haar, want dat was een liefhebberij van haar vader geweest. In zijn boekenkast had ze verschillende archeologische werken gevonden die haar fantasie voedden. Ze had ook penvrien-dinnen daar, de enige vriendinnen die ze ooit gehad had. In haar gedachtewereld moest daar een samenleving zijn, waar het anders was dan hier, in Wijk bij Duurstede. Misschien was het wel heel naïef, maar de fantasie was een vlucht die in elk geval de belofte in hield, dat er elders een nieuw bestaan op te bouwen was. De echte wereld om haar heen was zó anders, zó onaangenaam. Oh, ze kon zich heel goed inleven hoe Kars zich voelde. Hij had even vaak als zij gemerkt dat anderen hem afwezen.

Maar hoe kon ze onder woorden brengen welke gevoe-lens ze voor Kars had? Ze was altijd een "jongensachtig" meisje geweest dat meestal de kleren droeg die Johan afge-dragen had, omdat ze het thuis niet breed hadden. Met ande-re meisjes had ze nooit aansluiting gevonden. Van haar wan-hopige behoefte aan liefde was meedogenloos misbruik gemaakt. Terwijl anderen haar zagen als een gemakkelijke prooi voor een vlugge wip, was Kars de enige die ooit om haar gegeven had.

In plaats van een direct antwoord te geven, zei ze daarom: 'Ik hou gewoon ontzettend veel van hem.'

Dat was ook waar.

Petersen keek haar belangstellend aan. Ze had het gevoel,

alsof hij met zijn scherpe ogen tot in haar ziel kon kijken. Om de blik te ontwijken nam ze een slok van de koffie.

'Heeft hij je iets verteld van waar hij recent mee bezig was?', vroeg hij.

Ze schudde haar hoofd bedroefd. Wist ze maar meer!

Zelfs vrijdag, toen hij haar bekendgemaakt had dat hij een flink geldbedrag zou verdienen, had hij haar niet willen zeggen wat er ging gebeuren. Ze had zich ernstig zorgen gemaakt. Niet omdat ze bang was dat hij anderen kwetste, dat deed haar niet zoveel. Nee, ze was bang dat Kars weer in de gevangenis kwam. In haar meest depressieve bui had ze gedacht dat ze dan een eind aan haar leven zou maken.

Ze moest denken aan afgelopen zaterdagavond. Ze had met Kars een wandeling door het oude stadscentrum van Wijk bij Duurstede gemaakt, in de buurt van waar hij woonde. Onderweg waren ze door de Mazijk gegaan, waar vroeger krotwoningen hadden gestaan. Daar, weggestopt achter de Peperstraat, hadden voorouders van Kars gewoond. Zijn oma en haar broer hadden er de helft van hun leven doorgebracht. Het waren huizen zonder stromend water, met ongedierte en toiletten waarvoor je naar buiten moest. Het was een achterbuurtje geweest, waar het stadsbestuur in de jaren zestig korte metten mee had gemaakt. Als Esmée aan die woningen dacht, had ze het idee dat ze de wortels van Kars ongelukkige jeugd had gevonden, hoewel hij geboren was toen de familie de Mazijk al verlaten had. Zaterdag was het niet moeilijk geweest, om je in te leven in hoe het geweest moest zijn. Op dat moment had het daar ook naar pis geroken, achtergelaten door een wildplasser.

"Laat je me niet in de steek?", had ze Kars in haar onzekerheid gevraagd. Hij had haar daarop in zijn armen genomen, met een blik die haar deed rillen van genot. Alle gedachten aan viezigheid had die handeling uitgebannen.

"Ik hou van je Esmée. Alleen met jou wil ik een nieuw

bestaan opbouwen." Weg uit Wijk bij Duurstede, weg van de schaduwen van hun verledens.

Esmée keek rechercheur Petersen met haar donkere ogen aan. Ze probeerde zich te herinneren wat Kars haar over zijn verleden verteld had. Hij was open geweest, maar met namen was hij spaarzamer geweest. Toch herinnerde ze zich iets. Er was iemand, in wiens opdracht hij soms werkte.

'Hij heeft wel gezegd,' kon ze vertellen, 'dat hij vroeger inbraken pleegde in opdracht van een heler uit Utrecht. Maar hij noemde nooit namen.'

'Je weet niet meer?'

Ze schudde het hoofd.

'Hoelang heb je verkering met hem?'

'Zes weken. Hij was net uit de gevangenis.'

'Heeft hij je in die zes weken kennis laten maken met mensen die hij uit het criminele circuit kent?'

'Nee, ik denk het niet.'

'Je was van plan met hem naar Egypte te gaan', ging Petersen verder. 'Voor hem was dat een vlucht voor justitie in verband met de ontvoering van Floris van der Zwan. We hebben zijn stem op een bandopname staan, waar hij zegt dat hij naar het buitenland zal verdwijnen. Hij zal toch iets tegen je gezegd hebben, lijkt mij.'

Ze knikte weer. 'Hij had vrijdag verteld dat hij binnenkort een flink bedrag op zijn rekening gestort zou krijgen. Dan zouden we naar Egypte gaan om daar een hotelletje te kopen.'

'Op zo'n korte termijn nam je de beslissing?' Inge Veenstra stak haar verbazing niet onder stoelen of banken. 'Je had zes weken verkering?'

Esmée Bloemhard gaf geen reactie. Ze staarde weer met diepe verslagenheid en een onrustig gevoel naar haar handen. Ondanks zijn criminele verleden was ze bereid geweest om alle schepen achter haar te verbranden en een nieuw bestaan in het land van haar dromen op te bouwen. De sprong over de kloof uit haar droom. Het gemak waarmee ze geaccepteerd had met Kars door het leven te gaan en te teren op geld, dat hij op onwettige wijze had verkregen, had haar ook verbaasd. Toch had ze vanaf het begin dat ze samen waren, gevoeld dat ze bij elkaar pasten.

Maar de man die de brug vormde tussen het grauwe bestaan hier en een nieuw leven daar, was spoorloos. Ze wist zeker dat hij iets van zich zou laten horen als hij de kans had!

Ze had al een vaag voorgevoel gehad dat het mis kon lopen, toen Kars haar maandagmiddag naar het hotel bracht. Dat was niet afgesproken, maar hij wilde per se dat ze onderdoken. Hij werd opgevreten door spanning, deed ruw tegen haar en probeerde het later weer goed te maken. Toen had ze al begrepen dat het helemaal fout kon lopen. Als ze nu maar wist of hij nog leefde! Ze durfde bijna niet te hopen dat hij gearresteerd werd, maar dan kwam wel aan de beklemmende onzekerheid een eind. Het was een uitkomst die heel wat beter was dan de droom van afgelopen nacht.

'Je weet niet van wie het geld afkomstig is?', vroeg Petersen.

'Nee.'

'Zegt de naam Gert Daalwijk je iets?'

Het was aan haar ogen te zien, dat ze de naam herkende. Ze sloeg haar ogen op en keek Petersen verrast aan.

'Heeft hij iets met deze ellende te maken?'

'Mogelijk. Je hebt hem ontmoet?'

'Hij kwam een keer in het café waar Kars en ik waren. Het was helemaal geen misdadig type. We hebben een tijdje gepraat en hij vertelde dat hij buschauffeur was. Hij ging met Kars mee naar zijn oma om daar te overnachten.'

'Hoe lang is dat geleden?'

'Vier weken.'

Hoofdstuk 15

Woensdag 9 oktober 12.55 uur
Inge Veenstra liep de gang in, om naar haar werkplek terug te lopen. Bram Petersen was bij Esmée gebleven om ervoor te zorgen dat ze vervoer naar huis kreeg. Haar halfbroer had haar als een verdachte afgeleverd. Toen hem duidelijk was geworden dat hij bij het verhoor niet geduld werd, was hij vertrokken.

Ronald Bloem kwam haar met de thermoskannen tegemoet.

'Hoe is het gegaan?', vroeg hij.

'Goed. Ik denk dat ze alles heeft verteld wat ze weet.'

'Ik haal thee en koffie en als ik terug ben, praten we verder, goed?'

Ze hield hem tegen. Het was de eerste keer deze week, dat ze hem alleen trof en ze wilde iets vragen.

'Ik hoor dat Manuela het uitgemaakt heeft.'

De verwondering klonk in haar stem. Ze kon het eerlijk gezegd nog steeds niet helemaal geloven. Na de ziekenhuisopname van Mignon van Elshout was ze naar huis teruggekeerd. Pas vanochtend was ze voor het eerst sinds zaterdag op het bureau gekomen. Dit was de eerste kans om het einde van de relatie ter sprake te brengen.

Ze kende Manuela nog niet zo goed, want ze was pas sinds april in dienst, nadat ze van de opleiding was gekomen. Maar al gauw had ze met de vriendin van zijn collega kennisgemaakt en daarna had ze haar een aantal keren ontmoet. Bij al die gelegenheden was de indruk sterker geworden, dat die twee uitstekend bij elkaar pasten. Ze gingen leuk met elkaar om, hadden dezelfde interesses en er was duidelijk sprake van wederzijdse vriendschap. Ze wist wat er tussen de twee gespeeld had met betrekking tot trouwen of niet, maar moest dat zo op de spits gedreven worden? Of had er toch meer achter gezeten dan oppervlakkig zichtbaar was?

'Ja', klonk het somber.

'Wil je erover praten?'

'Nee.'

Na die korte reactie liep hij alweer verder. Maar zijn gebogen hoofd was al een antwoord, hoe hij erover dacht. Inge besefte dat hij zich heel goed realiseerde wat hij had gehad nu hij haar kwijt was. Twee jaren met Manuela waren niet uit te vlakken.

-

Woensdag 9 oktober 15.05 uur

Bram Petersen kwam na de late lunch terug op het gesprek met de vriendin van Kars Becker. Griesink had al een uitgebreid mondeling verslag gekregen, maar Petersen besloot de uitkomst nog met zijn naaste medewerkers door te spreken. Steven Bosma bleek afwezig te zijn en John van Keeken werd voorlopig niet terugverwacht. Ze waren met z'n drieën.

Ronald Bloem had in opdracht van zijn meerdere, op een flip-over een schematisch overzicht gemaakt van alle gebeurtenissen, met vermelding van tijdstip en locatie. Hierover wilde Petersen met zijn collega's van mening wisselen.

Datum	Tijdstip	Locatie	Gebeurtenis
Donderdag 3 oktober	19.45	Parkeerplaats AH, Doorn	Kars Becker ontvoert Floris van der Zwan
Donderdag 3 oktober	22.15	Telefooncel bij postkantoor, Doorn	Kars Becker belt Rudolf van der Zwan met losgeldeis en verbiedt hem politie in te schakelen
Donderdag 3 oktober	23.06	Centrum Driebergen	Kars Becker probeert tevergeefs de pinpas van Floris van de Zwan te gebruiken
Vrijdag 4 oktober	00.47	Station Driebergen-Zeist	idem
Vrijdag 4 oktober	Circa 14.50	Bibliotheek Doorn	Kars Becker mailt Ricardo Peek (UN) over ontvoering
Zaterdag 5 oktober	16.05	Amersfoort-Zuid	Persoon X belt Kars Becker. X is vermoedelijke opdrachtgever
Zaterdag 5 oktober	16.40	Station Maarn	Kars Becker belt Rudolf van der Zwan om ultimatum bij te stellen. Opgegeven reden: Van der Zwan zou gelekt hebben dat Floris ontvoerd is
Zaterdag 5 oktober	Tijdstip onbekend	Wijk bij Duurstede	Floris wordt onthoofd. Mogelijk door Kars Becker, of door persoon X
Maandag 7 oktober	11.22	Station Bunnik	Kars Becker belt Floris van der Zwan om rekeningnummer door te geven, waarop losgeld gestort moet worden
Maandag 7 oktober	11.25	Station Bunnik	Kars Becker belt naar zijn mobieltje, waarbij hij zich voordoet als iemand die Floris onthoofd wil hebben
Maandag 7 oktober	Na 17.00, waarschijnlijk veel later	Veerhuis, Wijk bij Duurstede	Lichaam Floris van der Zwan wordt in lijkkist in garage van Van Middelstum gelegd, mogelijk door Kars Becker, of door persoon X
Maandag 7 oktober	22.20	Peperstraat, Wijk bij Duurstede	Kars Becker wordt voor het laatst gezien, wanneer hij op de vlucht slaat richting kasteel Duurstede en het daarachter liggende "Veerhuis" van Rogier van Middelstum
Dinsdag 8 oktober	10.10	Markt, Wijk bij Duurstede	Lijk van Floris van der Zwan blijkt in lijkkist te liggen

'Twee dingen vallen op', vertelde Petersen, terwijl hij bij de flip-over ging staan. 'Ten eerste het feit dat Kars Becker de familie waarschuwde om de politie niet in te lichten. Vervolgens tipte hij het *Utrechts Nieuwsblad* over de ontvoering. Ten tweede is er dat eigenaardige aspect dat Becker zijn eigen voicemail insprak. Hij gaf zichzelf opdracht om Floris te onthoofden, in ruil voor twee miljoen. Het bizarre daarvan is, is dat Floris toen al twee dagen dood was.'

'Daaruit leiden we af, dat hij in opdracht werkte', merkte Ronald Bloem op. Hij zat achter zijn bureau, waarbij hij met zijn onderarm zijn kin ondersteunde.

'Juist. Dan is er nog het telefoontje op zaterdag. Persoon X belde hem vanuit Amersfoort. Het is mogelijk dat persoon X de opdrachtgever is. Het past in het patroon. Telefoontjes die in verband met de ontvoering worden gepleegd, worden vanuit telefooncellen gedaan. We moeten nagaan, wie van de verdachten dat telefoontje gepleegd kan hebben.'

'Daarom ben ik van mening,' zei Inge Veenstra, 'dat Gert Daalwijk de opdrachtgever is.'

Petersen liep terug naar zijn eigen bureau om een slok koffie te nemen. Vervolgens nam hij plaats op zijn stoel.

'Esmée,' vervolgde zijn vrouwelijke collega, 'noemde die naam ook al. Ik ben nu de gegevens over het telefoonverkeer met Becker aan het opvragen. Wisten jullie dat Becker de laatste weken verschillende keren vanuit dezelfde telefooncel op het Borneoplein in Amersfoort gebeld is?'

'Maar,' wierp Bram Petersen tegen, 'Daalwijk is al drie weken niet meer thuis geweest.'

'Ja, maar ten eerste weten we dat niet zeker, omdat alleen zijn vrouw dit beweert. Wie zegt dat ze de waarheid spreekt? Ten tweede is het best mogelijk dat hij nog ergens in Amersfoort verblijft. Misschien is het een idee om het huis aan de Gravin van Burenlaan in de gaten te laten houden.'

'Misschien,' opperde Bloem, 'is zijn nieuwe vriendin wel een buurvrouw.'

'Precies!', reageerde Veenstra knikkend, dankbaar voor de steun. 'Dat is ook mogelijk. Maar ik ben er zeker van, dat degene die vanuit die telefooncel gebeld heeft, de opdrachtgever is. Wisten jullie dat Becker ook op de dag van de ontvoering gebeld is? Het zou gewoon te toevallig zijn als dat niet de opdrachtgever was.'

De anderen waren het met haar eens.

'We zullen eerst met Daalwijk moeten spreken', concludeerde Petersen. 'Als we het motief voor de moord hebben, weten we wie de moordenaar is. Daarom wil ik precies weten hoe Daalwijk is opgelicht, voor hoeveel geld en hoe hij überhaupt reageert op de moord. Maar, we moeten niet uitsluiten dat Kars een andere opdrachtgever had. Esmée vertelde ons, dat hij soms voor een heler uit Utrecht werkte. Iemand die hem opdrachten gaf om iets te stelen, kan hem ook opdracht gegeven hebben om die ontvoering te organiseren.'

'Dan moeten we eens in zijn dossier kijken', vond Inge Veenstra.

'Of we moeten die Kars Becker te pakken krijgen!', was de mening van Ronald Bloem. 'Die kan alle vragen beantwoorden.'

'We moeten er ernstig mee rekening houden, dat Kars Becker niet meer in leven is', zei Petersen peinzend. De verdwijning van de ontvoerder stelde hem voor een raadsel. Het was mogelijk, dat Becker in opdracht van Rudolf van der Zwan gevangen werd gehouden om hem uit te horen. Maar Petersen betwijfelde dat, omdat Van der Zwan bij hem een dag na de verdwijning nog gevist had naar de verblijfplaats van Becker. 'Ik kan me niet voorstellen, dat hij zich al die tijd stil heeft gehouden. Dat hij zelfs zijn vriendin niets van zich heeft laten horen.'

Inge Veenstra knikte instemmend.

'Griesink heeft Stramrood laten arresteren', vertelde ze. 'Hij wilde eerst niet zeggen dat hij achter Kars aan gejaagd heeft. Maar uiteindelijk gaf hij het toe, en zei dat Kars

Becker verdwenen is. Misschien heeft de opdrachtgever daarvoor gezorgd, omdat Kars teveel weet.'

'Dat is mogelijk', zei Petersen. 'Dus is het zaak zo snel mogelijk te ontdekken wie de opdrachtgever is. Er zijn nu drie kandidaten: de buschauffeur Gert Daalwijk die geld van Floris wilde; Van Middelstum, wiens motief onduidelijk is. Maar hij ontkende aanvankelijk Floris gekend te hebben; en dan is er nog de onbekende heler uit Utrecht.'

'De laatste twee zijn gewend opdrachten te geven', zei Ronald Bloem.

'Inderdaad.'

'Maar, kan die heler niet Van der Zwan zijn?', vroeg Inge Veenstra.

'Als dat zo is', antwoordde Petersen, 'verwacht ik niet dat hij de opdrachtgever is. Tenzij ik me heel erg vergis. Laten we in elk geval in gedachten houden, dat de opdrachtgever mogelijk vanuit Amersfoort contact onderhield met Becker, en dat hij in staat was die tienduizend euro voor UVSO te betalen.'

-

Woensdag 9 oktober 15.25 uur

'Zo, zo', sprak de stem van iemand die binnen kwam. Het was Marcel Veltkamp. Hij keek de projectruimte rond en zag zijn collega's op hun werkplek zitten. 'Zal ik jullie dan maar eens zoet houden, als jullie toch niet weten wat jullie met de tijd moeten doen. Dit lijkt warempel wel een thee-kransje!' Hij gebaarde naar de kopjes koffie en thee. 'Jullie hebben laat geluncht, en nu is er al thee! Mag ik meedoen, dames?'

'Als je iets zinnigs in te brengen hebt, mag je meedoen', pareerde Petersen de schertstoon.

'Ik dacht het al! Nou, ik ga jullie zoet houden met de nieuwste resultaten van het technische onderzoek.' Hij nam de stoel van het bureau van Steven Bosma en ging er achterstevoren op zitten. Zijn benen staken onder de gebogen armleuningen door, en zijn borst rustte tegen de rugleuning die hij als een geliefde omarmde. 'Schenk mij eens wat koffie in, Ronald!'

Terwijl een kopje voor hem ingeschonken werd, deed hij verslag. Het onderzoek op de gevonden overall, vertelde hij, was nog niet afgerond. Wel hadden ze al een paar haren op de stof aangetroffen die mogelijk van de drager van de overall afkomstig waren. Een uitgebreide analyse volgde nog als ze haren van de verdachte hadden.

Er waren grotere vorderingen gemaakt met het onderzoek naar de bloedsporen in de kelder. Het bloed was met grote waarschijnlijkheid afkomstig van Floris van der Zwan. Vervolgens was vastgesteld dat hetzelfde bloed aan de bijl kleefde. Daarmee stond vast dat de primitieve executie in de kelder plaatsgevonden had. De DNA-test moest definitief uitsluitsel geven.

De verdenking van Becker werd verder bevestigd door het sporenonderzoek in zijn auto. In de kofferbak waren duidelijke sporen van personenvervoer gevonden. De afwezigheid van bloedkorsten van het slachtoffer, deden vermoeden dat Floris na de onthoofding niet met de auto vervoerd was. Toch moest de dader een vervoermiddel gebruikt hebben, omdat de afstand tussen de kelder in het huis aan de Dijkstraat naar het "Veerhuis" te groot was om het lichaam te dragen. Dat zou in elk geval opgevallen zijn.

Petersen had een vraag: 'Zijn er vingerafdrukken van Becker op de bijl aangetroffen?'

'Nee. De hele kelder is bedekt met zijn prenten, maar niet op de bijl. Dat heeft me ook verwonderd.'

'Staan er afdrukken van anderen op de bijl?'

'Ook niet. De bijl moet met handschoenen gehanteerd zijn. Die handschoenen zijn ook in de kelder gevonden.'

'Maar, waarom handschoenen dragen als de vingerafdrukken van Becker toch al overal in de kelder zijn?', vroeg Inge Veenstra zich verbaasd af.

'Die vraag mogen jullie beantwoorden', reageerde de technische rechercheur.

'Misschien is Becker niet de moordenaar', dacht Bloem hardop.

Petersen keek opnieuw naar het overzicht op de flip-over. Op zijn nadrukkelijk verzoek had Bloem de mogelijkheid opengelaten, dat persoon X de moord gepleegd had en het lijk in de kist had gestopt. Maar toch, Becker beschikte mogelijk over de sleutel van de garage van Van Middelstum. Of had hij die aan persoon X doorgegeven?

'Daar moeten we rekening mee houden', zei Petersen uiteindelijk.

–

Woensdag 9 oktober 15.45 uur
Steven Bosma kwam binnen.

'Ik houd je stoel warm, als je het niet erg vindt', merkte Veltkamp op.

De rechercheur met het ringbaardje reageerde met schouderophalen. Hij ging op de rand van zijn bureau zitten.

'Jij hebt toch kinderen, Marcel?'

'Ja! Twee zoontjes en een meisje.'

'Hoe oud zijn ze?'

'Hoezo? Moet je dat voor het onderzoek weten? Paul is de oudste. Hij zit nu op de basisschool in groep vier. Hij is bijna acht. Robbie is nog bij mama thuis. Hij is een maand geleden vier geworden. En Laura is een baby.'

'Ben je gelukkig met je kinderen?', vroeg Bosma verder. Veltkamp was zo vol van zijn kinderen nu het onderwerp ter sprake kwam, dat hij enthousiast over ze sprak. Zijn hele gezicht stond opgewekt, terwijl hij de ene anekdote na de andere vertelde. Paul zat op voetbal en hij was volgens Veltkamp een geboren professional. Zoals die kon trappen!

Robbie was een echt speels, wispelturig kind, aan wie de moeder de handen vol had. Er was een speeltuintje tegenover het huis, waar hij de hele dag met zijn vriendjes in speelde. Soms was hij zo druk, dat ze dachten dat hij ADHD had. Maar dat waren typische ouderlijke zorgen. De dokter had hen gerustgesteld.

'Maar waarom vraag je dat?', liet hij er plotseling op volgen.

'Wat zou je ervan vinden,' vroeg Bosma, 'dat Robbie vanmiddag oversteekt en doodgereden wordt door een automobilist?'

'Afschuwelijk natuurlijk! Hoe kom je daar ineens bij?'

'Het is puur een hypothetisch geval.'

'Ik moet er niet aan denken dat zoiets gebeurt! Ik houd mijn hart soms vast als ik zie hoe roekeloos hij de straat oversteekt. Je probeert een kind te leren om goed uit te kijken, maar Robbie heeft dat geduld niet. Als hij de speeltuin ziet, wil hij er in één ruk naartoe. Kinderen zijn impulsief.'

'Stel dat zoiets plaatsvindt, en de chauffeur blijkt te hard gereden te hebben. Vind je dat de automobilist schuldig is en daarvoor vervolgd moet worden?'

'Ja. De automobilist is wettelijk ook aansprakelijk.'

Petersen mengde zich in het gesprek.

'Maar het is soms begrijpelijk dat zoiets gebeurd. Een automobilist heeft echt niet de bedoeling iemand dood te rijden. Zulke dingen gebeuren helaas. Ik heb van een geval gehoord waarbij een vrachtwagenchauffeur bij een stoplicht rechtsaf sloeg, maar daarbij niet een kind zag, dat rechts van de vrachtwagen met de fiets stond. Die man was er emotioneel helemaal kapot van.'

'Dat is nog wat anders, dan de situatie die Steven schetst', zei Inge Veenstra. Op felle toon sprak ze: 'Als de automobilist in de bebouwde kom te hard reed, vind ik dat het een poging tot doodslag. Je weet dat kinderen onverwacht kunnen oversteken en dan rij je nog te hard ook! Kinderen weten niet beter, maar automobilisten die te hard rijden zijn roekeloos. Zulke mensen mogen van mij hard gestraft worden.'

'Wat vind jij, Marcel?', vroeg Steven Bosma verder.

'Ik ben het wel met Inge eens. Als je aan het verkeer deelneemt, moet je je aan de regels houden. En zeker in de bebouwde kom moet je rekening houden met overstekende kinderen.'

'En als zo'n chauffeur die te hard reed er met een werkstraf vanaf komt, wat zou je daarvan vinden?'

'Dat is echt veel te weinig.'

'Ik zou in staat zijn zo'n vent wat aan te doen', liet Veenstra fel weten. Ze kreeg er een kleur van. 'Echt waar!'

'Dat wilde ik weten', sprak Bosma tevreden. 'De moord op Floris van der Zwan kan dus ook zo'n motief hebben.'

'Hoezo?'

'Floris heeft eerder dit jaar een kind doodgereden. Ik had dit al eerder in zijn strafblad gevonden, maar het laat me op de een of andere manier niet los. Ik heb daarom wat navraag gedaan. Het kind was vier jaar oud. Floris reed te hard.'

'Hij heeft toch een taakstraf gekregen?', vroeg Bram Petersen die ook hierover in het dossier van Floris van der Zwan had gelezen.

'Negentig uur dienstverlening en een voorwaardelijke ontzegging van de rijbevoegdheid voor een halfjaar.'

'Wat weinig!', riep Inge Veenstra geërgerd uit.

'Denk je echt dat de ouders van het kind achter de moord kunnen zitten?', vroeg Petersen die meteen tot de kern doordrong. 'Want daar heb je het toch over, Steven? Kennen ze bijvoorbeeld Kars Becker?'

'Dat weet ik nog niet. Maar het is de moeite waard om het na te zoeken.'

Bram Petersen stond op. 'Ik denk dat Griesink dit moet weten.'

-

Woensdag 9 oktober 16.05 uur

Sinds ze uit het ziekenhuis was teruggekeerd, had Mignon van Elshout alleen maar ineengezakt op haar stoel gezeten, zo lusteloos was ze. Met beide handen bedekte ze haar gezicht.

Rudolf van der Zwan bekeek haar van een afstand. Sinds hij gisteren van de dood van zijn zoon gehoord had, was hij niet meer naar zijn werk gegaan zoals hij eerder deed. Hij was alleen weggeweest om naar de winkel te gaan, om een nieuw mobieltje te kopen. Onderweg naar het winkelcentrum had hij tot zijn ergernis gemerkt, dat de politie hem schaduwde. Daardoor wist hij, dat hij zich rustig moest houden. Maar, als hij zekerheid had, wie de opdrachtgever van Kars Becker was, zou hij hoogstpersoonlijk met die persoon afrekenen. Dat wist hij zeker.

Nu zat hij een boek te lezen. Hij hoorde zijn vrouw telkens de neus ophalen, ten teken dat ze huilde. Het werkte hem op de zenuwen.

'Hou nu maar eens op met huilen', merkte hij op, nadat hij tevergeefs had geprobeerd zich op het boek te concentreren.

Zijn zoon was dood, en erom huilen had weinig zin. Het enige dat hem op de been hield, was het verlangen naar wraak. Zijn haat voor de dader kon hem door deze periode heen helpen. Maar dan moest hij weten wie verantwoordelijk was voor de moord. Kars Becker was niet langer relevant. Het ging om de persoon die alles in gang had gezet. Terwijl Rudolf van der Zwan zijn aandacht probeerde af te leiden met een boek, waren zijn mensen in de weer om de identiteit van de opdrachtgever vast te stellen.

Terwijl hij even naar zijn vrouw keek, zag hij haar hoofd omhoog komen. Met in tranen verzonken ogen keek ze hem aan, vol ongeloof over zijn koele houding.

'Waarom doe je me dit aan?' Haar stem die anders zo warm kon klinken, was nu rauw, bijna raspend. Rudolf van der Zwan ergerde zich eraan. Ongetwijfeld zat ze nu te denken aan haar eerste huwelijk en dacht ze dat de geschiedenis zich herhaalde, maar dan anders. Hij baalde dat ze zich in het hoofd had gehaald de politie bij de ontvoering te betrekken. Dan was er niets misgegaan. 'Waarom heb je me verzwegen wie je werkelijk bent, Ruud?'

'Waar heb je het over?'

'Dat weet je best. Je werk in Utrecht. De nachtclub.'

Hij keek haar verstoord aan. 'Heeft de politie je dat verteld?'

'Waarom heb je mij dat nooit gezegd?'

'Ik vond het niet nodig.'

'Je zei dat je voor een groot bedrijf werkte!'

Hij reageerde niet. Met een stuurse blik staarde hij naar de tekst van het boek.

Misschien had ik het haar vroeger moeten zeggen, dacht hij. Maar hij had het nooit gedaan omdat hij niet wilde dat ze erachter kwam dat hij bij zaken betrokken was waar de politie belangstelling voor had. Bovendien wilde hij niet dat zij met de types in aanraking kwam, met wie hij dagelijks te maken kreeg. Ze zou het toch niet begrijpen.

'Je zei ook van Rogier van Middelstum dat je hem van dat bedrijf kende.'

Hij stond op. Hij had er geen behoefte aan dit nu te horen,

ook al wist hij dat er voor de moord een verband moest zijn met zijn werk. Met boze stappen liep hij naar de hal. In tranen kwam ze hem achterna, met de armen naar hem uitgestrekt en een blik vol verbijstering in haar waterige ogen.

'Wat ga je doen?', snotterde ze.

'Bellen! Ik wil Rogier spreken.'

-

Woensdag 9 oktober 16.15 uur

Rogier van Middelstum stond met tranen in de ogen op de dijk, leunend op de onafscheidelijke wandelstok. De schrale oostenwind joeg met stevige vlagen van over de rivier de koude in zijn gezicht. Met de linkerhand veegde hij de tranen weg. Het was 's nachts dicht bij het vriespunt geweest, maar de natuur leek zich er niets van aan te trekken. De meeste bomen waren grotendeels nog in blad, deels groen, deels verkleurd. Een prachtig kleurenpalet! Alleen de rijen populieren langs de rivier en de koudegevoelige berken verderop waren kaalgeslagen door de opmars van de winter. De kraakheldere lucht daarentegen, had de temperatuur opgejaagd tot elf graden Celsius. Alleen van die wind gingen de ogen tranen en de neus lopen.

Terwijl hij de kraag hogerop zette, keerde hij zich om en liep met de wind in de rug terug naar het "Veerhuis". Het was een dag van verveling. De politie had hem nog een keer gebeld. Hij had verwacht dat ze langs zou komen. Dat deed ze toch altijd als ze met een onderzoek bezig was? Hij had nota bene tegen ze gelogen over Floris van der Zwan en de rechercheurs wisten het! In elk geval had hij de hele dag hun komst afgewacht. Toen ze niet kwamen, had hij een kort wandelingetje gemaakt.

Allerlei gedachten tolden onophoudelijk door zijn hoofd.

De dood van Floris van der Zwan had zijn leven flink opgeschud. Dit kon niet zonder consequenties blijven, zoals het telefoontje van Evert de Heus aangetoond had. Zou hij met Rudolf contact opnemen? Van Middelstum en hij hadden in het verleden afgesproken, elkaar uit veiligheidsoverwegingen niet onnodig te bellen. Hoe minder ze in elkaars nabijheid werden gesignaleerd, hoe beter het was. Die regel had hij Rudolf zelf bijgebracht. Toch moesten ze hun verhalen gelijkstemmen.

De beslissing werd hem uit handen genomen toen hij het huis naderde en Willems in de deuropening verscheen. Er was telefoon. Rudolf van der Zwan was aan de lijn.

'Ik heb mijn maatregelen genomen', zei deze op barse toon. Hij was duidelijk net zo ontstemd over de huidige situatie als Van Middelstum zelf. 'De politie laat me schaduwen. Al de hele dag.'

'Je hebt een ander mobieltje?', begreep de bewoner van het "Veerhuis". Op de display van zijn eigen toestel zag hij dat zijn vriend een ander telefoonnummer had.

'Pure noodzaak. Ik heb ze van me af weten te schudden. Ze weten niet hoe ze onopvallend moeten volgen. Sukkels zijn het.'

Rogier van Middelstum was zijn studeerkamer binnengelopen. Terwijl hij de ander aanhoorde, nam hij plaats op een stoel bij het raam, zodat hij over de dijk heen van hetzelfde uitzicht kon genieten als buiten, maar dan zonder dat het tranen losmaakte. Met toenemende woede luisterde hij, hoe de ander hem vertelde dat de politie wist dat Floris zich bezig had gehouden met heroïnesmokkel.

'Wat?', reageerde Van Middelstum. 'Ben je nou helemaal gek geworden?'

'Ik heb ze van Gert Daalwijk verteld.'

'Denk je echt dat die achter de moord op Floris zit? Die Gert is nog te achterlijk om het verschil tussen cocaïne en koffiepoeder te proeven. Maar je hebt de politie wel op mijn spoor gezet. Gert werkte voor mijn bedrijf! Ik ben uit de *business*, en daarom heb ik er geen behoefte aan er opnieuw mee geconfronteerd te worden!'

'Houd er dan rekening mee dat ze een keer langskomen. Zoals je zegt, jij bent uit de *business*. Je hebt niets van ze te vrezen.'

'Je hebt geblunderd', zei Van Middelstum streng. Hij vreesde dat de politie terug zou komen, en dat zij de schilderijen zou ontdekken. Dat kon hij niet hebben. Zodra het donker was, zou hij zijn dierbare kunstschatten naar een andere locatie moeten overbrengen. 'Ik houd daar niet van.'

'Wat heb jij tegen de politie gezegd?', vroeg Van der Zwan.

'Ik heb tegen ze gezegd dat ik Floris niet gekend heb. Die rechercheur die bijna kaal is, had me in de hoek gedreven met zijn gevraag. Ik vond het verstandiger om te doen, alsof ik Floris niet gekend had. Maar toen vertelde hij, dat Mignon over mij verteld had. Hij had me bewust uit de tent gelokt.'

'Heb je je er uit weten te lullen?'

'Met moeite, Ruud. Die rechercheur verstaat zijn vak. Ik kreeg niet de indruk dat hij mij geloofde. Enfin, ik zit niet meer in die troep, dus mij kunnen ze niets maken. Maar ik heb er geen behoefte aan mijn verleden opgerakeld te zien worden, of dat ze hier komen met een huiszoekingsbevel. Wie dat lijk van Floris bij mij gedumpt heeft, wilde mij een loer draaien. Kars Becker zit erachter, en ik wil dat hij gepakt wordt. Maar, net als Gert, kan hij niet alleen geopereerd hebben.'

'Dit is niet goed, Rogier. We moeten op onze tellen passen.'

'Vertel mij wat! Ik heb zelfs de moordenaar aan de lijn gehad.'

'Wat?', reageerde Van der Zwan met opperste verbazing.

'Kars Becker?'

'Nee, Evert de Heus. Om tien over twaalf vandaag belde hij. Hij liet doorschemeren dat hij achter de moord zit. Hij heeft gedreigd. Hij zei, dat wat Floris is overkomen, een lot is dat anderen ook boven het hoofd hangt die niet willen betalen.'

'Hij heeft jou dus bedreigd?'

'Ja. En je weet namens wie hij werkt?'

'Ja, dat weet ik', was het antwoord aan de andere kant van de lijn. Rudolf van der Zwan zweeg een ogenblik. Vervolgens zei hij: 'We hebben Henk te lang links laten liggen. We hadden hem meteen moeten aanpakken.'

'Pak jij hem?', vroeg Van Middelstum die er zelf niets voor voelde. Hij had gedacht, dat hij dit allemaal achter zich gelaten had. Het liefst zou hij zich weer volledig richten op zijn passie: de schilderijen. 'Dan neem ik contact op met Bertje Timmer om met Evert de Heus af te rekenen. Dit moet stoppen, Rudolf. Nu!'

Hoofdstuk 16

Woensdag 9 oktober 16.25 uur
Het sleuteltje ging het contactslot in. Met enig gesputter
sloeg de motor aan. Meteen liet Rudolf van der Zwan de
motor ronken, voor hij optrok. Nu hij Rogier van
Middelstum gesproken had, begon hem duidelijk te worden
waarom zijn zoon vermoord was. Dit was niet alleen door
Kars Becker gedaan, maar Evert de Heus zat hierachter. En
De Heus op zijn beurt, was de loopjongen van Henk
Winsemius, de gladjanus uit Hilversum.

Met piepende banden reed hij de weg op.

In zijn achteruitkijkspiegel had hij ze al gauw ontdekt: de
achtervolgende auto, waarin de twee agenten zaten die hem in
de gaten moesten houden. Ze waren in burger, maar hun volg-
technieken waren zo belabberd, dat hij ze snel in de gaten had.
Zij waren niet zijn grootste probleem. Je kon nooit weten, of
er anderen waren, die op afstand volgden. Hij moest ze van
zich afschudden, voor hij naar Hilversum kon gaan.

Hij bereikte de Hoofdstraat in Driebergen en sloeg linksaf, richting Doorn. Zodra hij ze kwijt was, moesten ze denken dat hij in oostelijke richting reisde. Dan zouden ze hem
daar zoeken. Eerdere ervaringen met de politie, hadden hem
trucjes geleerd om volgauto's kwijt te raken.

Om niet de indruk te wekken dat hij wist dat hij gevolgd
werd, reed hij met een gematigd tempo via Doorn en de
andere Heuvelrug-dorpen naar Rhenen. Ondertussen zag hij,
tot zijn tevredenheid, dat de agenten achter hem overtuigd
waren dat ze hem niet kwijt zouden raken. De afstand tussen
de auto's werd groter. Hij kreeg een voorsprong die hij in de
bebouwde kom van Rhenen nodig had.

In het stadje op de flanken van de Heuvelrug sloeg hij
linksaf, een wijk in. Vervolgens nam hij in korte tijd zoveel

verschillende zijstraatjes, dat hij het de agenten moeilijk maakte te volgen. Hij kende de weg hier evengoed als elke hoek en kamer van zijn nachtclub. Toen hij er zeker van was dat de agenten hem uit het zicht verloren hadden, maakte hij de onverwachte zwenking. Hij wist dat zijn achtervolgers vermoedden dat hij hier ergens moest zijn, of in elk geval ergens in de buurt van Rhenen. Maar in plaats daarvan vond hij het weggetje dat hem, recht tegen de laaghangende zon in, op de provinciale weg terugbracht.

Nu moest hij vaart maken. Alleen als hij veel pech had, zouden ze hem nog vinden.

-

Woensdag 9 oktober 16.30 uur
Steven Bosma had tegen het eind van de middag een afspraak voor de halfjaarlijkse gebitscontrole bij de tandarts. Daarom had hij hard doorgewerkt om de feiten over het verongelukte kind bij elkaar te sprokkelen voor hij vertrok.

Het bleek dat de familie Kooiman eind september naar Polen geëmigreerd was. De reden voor het plotselinge vertrek werd verklaard door de achtergebleven familie. Het gezin wilde een rustigere omgeving voor de resterende twee kinderen die respectievelijk zeven en tien jaar oud waren. De rust van het Poolse platteland had daarom een onweerstaanbare aantrekkingskracht gekregen. Ten tijde van de moord waren ze daar.

De heer Kooiman was een bekend gynaecoloog die tot voor kort voor een ziekenhuis in Zaandam werkzaam was geweest. Nu beoefende hij zijn vak in het voormalige Oostblokland. Van de moord op Floris van der Zwan waren hij en zijn vrouw in totale onwetendheid. Dat gold ook voor de in Nederland achtergebleven familie.

'Dus,' had Bosma geconcludeerd, 'het is niet waarschijnlijk dat de familie iets met de moord te maken heeft.'

Dat nam niet weg dat de dood van het kind hem aangreep, hoewel hij zelf geen kinderen had. Zijn jongste broer had een zoontje in dezelfde leeftijd dat eens aangereden was. Gelukkig had hij het overleefd, maar het jongetje had jarenlang in het medische circuit doorgebracht. Degene die hem aangereden had, was dronken. Daarom kon hij zich enigszins in de situatie van de ouders verplaatsen. Het was een drama.

'Maar je kunt het nooit weten, zou Bram zeggen', had Bloem daarna opgemerkt.

'Dat is waar. Goed, ik ga!'

-

Woensdag 9 oktober 16.45 uur
Verwoed trok John van Keeken aan het stuur. Ergens in de straatjes van Vreewijk, een buurt die tijdens de wederopbouw uit de grond was gestampt, was hij Van der Zwan kwijtgeraakt. Het was vlug gegaan. Hij had even met de ogen geknipperd, en daarna was de ander weg. Hij had de nachtclubeigenaar teveel voorsprong gegeven, om hem bij het snelle bochtenwerk te kunnen blijven volgen.

Ergens vlak voor Rhenen had Van der Zwan in de gaten gekregen dat hij gevolgd werd, dat wist de rechercheur zeker. Van Keeken die nog maar tien maanden eerder in Veenendaal was komen wonen, kende in Rhenen de weg niet. Hij had het gevoel hopeloos verdwaald te zijn. Hij wist zelfs niet, welke richting hij opging. Ze kwamen in een straatje hoog op de heuvel, waarop Rhenen gebouwd was. Er waren flats. Als hij rechtdoor ging, kwam hij dan in het centrum uit? Of juist niet.

'We zijn hem kwijt!', riep de collega naast Van Keeken.

'Alsof ik dat niet in de gaten heb! Roep jij om bijstand. In deze straatjes kunnen we hem nooit vinden. Waarom doen we dit ook maar met zijn tweetjes!'

Woest sloeg John van Keeken op het stuur. Eindelijk kreeg hij taken waarbij er wat actie te beleven was, verknalde hij het. Het onderzoek verliep helemaal niet zoals hij gewild had. Als het aan hem gelegen had, was Rudolf van der Zwan voor verhoor ingerekend. Hij had hen kunnen vertellen waar Kars Becker was, en wie de opdrachtgever kon zijn. Die vent wist meer, daar was Van Keeken zeker van. Maar Bram Petersen ging er niet meer akkoord om Van der Zwan te verhoren en daarom moesten ze hem schaduwen.

Als ik het onderzoek zou leiden, zou ik het helemaal anders aanpakken, dacht de rechercheur.

-

Woensdag 9 oktober 16.50 uur

Na het vertrek van Steven Bosma, bleven Inge Veenstra en Ronald Bloem alleen achter. Petersen was nog in gesprek met Griesink. Hij was al een halfuur geleden naar het kantoortje van de districtschef gegaan. Ze hadden het bericht gekregen dat Van Keeken tijdens het schaduwen van Van der Zwan, deze uit het oog verloren had. Alle patrouillewagens in district Heuvelrug waren op de hoogte gebracht. Iedereen keek uit naar Van der Zwan.

Veenstra keek op van haar werk in de richting van haar collega. Ze moest weer denken aan hem en Manuela. Hun verkering was zo vanzelfsprekend geworden, dat de gedachte nooit bij haar was opgekomen dat er plotseling een einde aan kon komen.

Ronald Bloem voelde zich bekeken.

'Wat is er?' Hij keek naar haar peinzende gezicht. Geen

spier in haar gezicht vertrok. Elke lijn bleef even strak staan, nadenkend gespannen.

'John vertelde mij vanochtend wat Manuela heeft gedaan', antwoordde ze uiteindelijk. Met een starende blik keek ze hem in de ogen.

'Oh, denk je daar weer aan.'

Inge Veenstra negeerde hem. 'John heeft Manuela gisteravond gesproken, vertelde hij mij. Hij kwam haar in het centrum tegen.'

Dat trok zijn aandacht.

'Kwam hij haar toevallig tegen?'

'Hij zei dat hij haar uit gevraagd heeft.'

'Wat? Heeft zij ingestemd?' Woest schoot Ronald Bloem overeind.

'Dat zegt hij.'

Haar collega greep zijn jas die om de stoel hing, en sloeg haar om zich heen. Met achterlating van alle papieren op zijn bureau, liep hij de projectruimte uit.

-

Woensdag 9 oktober 16.55 uur

'Is Ronald er niet?', vroeg Bram Petersen die de projectruimte binnenkwam. Hij liep naar zijn bureau om zijn jas te pakken.

'Die is vertrokken', antwoordde Inge Veenstra met het gezicht naar het beeldscherm van de computer gericht.

'Naar het toilet? Of komt hij niet terug?'

'Hij heeft het niet gezegd. Maar ik denk dat hij naar Manuela is.'

Ze had er geen behoefte aan om het uit te leggen. Eigenlijk betreurde ze het dat ze Ronald Bloem over Manuela verteld had. Ze kende John van Keeken goed genoeg om te

211

weten, dat wat hij haar verteld had, ook opschepperij kon zijn.

'In dat geval wil ik dat jij met me meegaat.'

Ze keek verrast op. 'Waar naartoe?'

'Naar Driebergen. Mignon van Elshout wil ons spreken.'

'Waarover?'

'Dat heeft ze niet gezegd. Ze heeft alleen gezegd dat het gaat over iets dat een maand geleden gebeurd is dat ze zich opeens herinnerde. Het schijnt belangrijk te zijn.'

-

Woensdag 9 oktober 17.00 uur

Met de blik in de achteruitkijkspiegel zag Rudolf van der Zwan tot zijn tevredenheid, dat er geen auto achter hem zat. Hij moest er honderd procent zeker van zijn dat hij niet gevolgd werd, anders kon hij niet in actie komen. Zijn hand gleed over de rechterzak van zijn colbertjasje en voelde de bobbel. De revolver.

Het was een gewicht dat voortdurend het jasje scheef wilde trekken. Even had hij overwogen in de zak aan de andere kant een tegengewicht te stoppen, om het evenwicht te herstellen. Hij vond het belangrijk een goed voorkomen te hebben, ook nu. Daarom droeg hij doorgaans een driedelig pak.

Er waren geen parallelle routes, of ze moesten enorm om rijden. Nee, als ze hem volgden, dan zaten ze op dezelfde weg die dwars door het beboste gebied voerde. Het was de weg die over de heuvels heen van Amerongen naar Overberg leidde. De enige automobilisten die hier kwamen, raasden hem hard voorbij. Ondanks alle bochten leek het wel een snelweg!

Hij had de in burger geklede agenten van zich afgeschud, alsof het vliegjes waren die niets te betekenen hadden. Maar je kon er nooit te gauw zeker van zijn dat ze niet terugkwamen, of dat er anderen waren. Jaren geleden had hij ze ook op de hielen gehad en op een gegeven moment was hij ervan overtuigd geraakt, dat hij ze kwijt was. Maar toen bleken ze hem met een andere auto te volgen. Een goed getrainde agent kon een ongekende kleefkracht hebben.

De auto vond een parkeerplaats rechts van de weg. Enkele minuten verstreken. Als ze buiten zijn gezichtsveld achter hem zaten, moesten ze hem wel passeren. Ze wisten immers niet dat hij het bos ingegaan was. Daarom zouden ze denken dat hij al verder was.

Nog een minuut verstreek voor hij de weg weer opreed, in tegenovergestelde richting. Terug in Amerongen zette de auto zijn weg voort naar Leersum, waar een andere weg door bos en over heuvel noordwaarts voerde. Hier herhaalde hij het trucje om er absoluut zeker van te zijn dat hij niet gevolgd werd.

Ten opzichte van zijn woonplaats was hij globaal steeds in zuidoostelijke richting gegaan. Hier was de politie het spoor bijster geraakt en daarom kon hij met een gerust hart naar het noordwesten verder gaan, via Maarsbergen richting Amersfoort. Dat was de snelste route uit district Heuvelrug, want buiten hun verzorgingsgebied zouden ze hem ongetwijfeld niet zoeken.

Een vastomlijnd plan van wat hij zou doen, had hij niet. Nadat Rogier hem van de brutale Evert de Heus had verteld, waren alle stoppen doorgeslagen. De Heus zat achter de moord op Floris en hij handelde nooit op eigen initiatief. Dat Evert aan de schulden gerefereerd had, was een duidelijke handwijzing. De schulden moesten met zijn opdrachtgever Henk vereffend worden. Die zat dus achter de moord en Evert was slechts zijn beschermeling. Daarom moest de moord vergolden worden. Of ik ga eraan, dacht Van der Zwan grimmig, of zij gaan eraan. De bedreiging van Evert stond hem duidelijk voor ogen.

Kille woede vuurde hem aan. De snelheid van zijn lea-seauto ging geleidelijk omhoog, maar hij moest uitkijken dat hij te midden van het andere verkeer niet ging opvallen. Hij had al de A28 bereikt en reed nu richting de Stichtse Rotonde. Hij moest de borden naar Soest volgen. Ondanks zijn woede probeerde hij kalm te blijven. Het was een bijna onmogelijke opgave. Elke keer als hij weer aan zijn zoon dacht, begon hij zijn geduld te verliezen.

Toen hij Soest voorbij was, reed hij over de provinciale weg langs Paleis Soestdijk en door de bossen richting Baarn. Maar voor die plaats sloeg hij linksaf, de weg naar Hilversum. Hij was nu niet ver van de eindbestemming. Henk woonde in een van de betere wijken aan de rand van de Hoorneboegse Heide in het zuiden van de stad.

Om tegemoet te komen aan het onzekere gevoel dat aan hem bleef knagen, juist op dit kritieke moment, nam hij een weg die het bos in voerde. Mocht de politie hem ondanks alles toch volgen, dan moest hij het er op wagen ze hier van zich af te schudden. De methode was nu anders. In plaats van een parkeerplaats op te rijden, gaf hij plotseling meer gas en reed met veel te hoge snelheid door het bos naar de Lage Vuursche.

Hij nam een weg naar rechts, reed door tot er een weg naar links kwam. Met piepende remmen kwam hij bijna tot stilstand, maakte de bocht en zette de voet weer hard op het gaspedaal. Met duizelingwekkende vaart schoot de auto vooruit.

Na enkele bochten kwam hij in de Lage Vuursche, waar hij wel vaart moest temperen. Pas nadat hij de bebouwde kom en kasteel Drakesteyn achter zich gelaten had, zoefde de auto weer hard verder. Er was geen volgauto te zien. In gedachten zag hij het lijk van Floris voor zich. Voor hem deed hij dit allemaal. Zijn dood moest gewroken worden. Uit pure frustra-tie drukte hij ongemerkt het gaspedaal nog verder in.

Toen gebeurde het.

Hij had te lang in de achteruitkijkspiegel gekeken. Het was slechts een fractie van een seconde en in dat onoverbrugbare ogenblik zag hij de doorgang gedeeltelijk versperd door een auto die door een onoplettende chauffeur half op de weg was geplaatst. Vermoedelijk van een wandelaar die zich niets vermoedend in het bos bevond.

In een hopeloze poging het obstakel te ontwijken, raakte hij de macht over het stuur kwijt en sloeg hard tegen een boom aan de overzijde van de weg. De auto maakte een kwartslag en kwam tegen een andere boom met een ruk tot stilstand. De airbag werd in zijn gezicht geslagen. Toen werd het stil.

-

Woensdag 9 oktober 17.00 uur

Eerst wilde hij naar het adres rijden waar John van Keeken woonde. Zonder nadenken en in razernij was hij in de Mazda gestapt en de weg op gereden. Maar toen hij voor het verkeerslicht stond, realiseerde hij zich dat zijn collega niet thuis zou zijn. Zou hij hem bellen?

Het licht werd groen.

Nee, hij zou Manuela zelf opzoeken. Het was woensdag en ze had elke woensdagmiddag vrij. Hij zou haar in de flat aan de Palmengrift vinden. Onderweg dacht hij aan wat hij van Inge had gehoord. Hij had het onderwerp eigenlijk laten rusten. Dat de verkering voorbij was, was nog zo pril, dat hij er niet aan denken wilde. Maar zijn vrouwelijke collega had hem op andere gedachten gebracht. Bloem wist dat John van Keeken een oogje op Manuela had. Dat had hij nooit onder stoelen of banken gestoken. Dit had bij Bloem een ongekende jaloezie opgeroepen. Maar Manuela was gelukkig nooit op de avances van Van Keeken ingegaan. Nu kon dat anders uitpakken.

Voor ze iets kon zeggen, zette hij de voet tussen de deur, want hij zag dat ze de deur in een reflex wilde sluiten. Dat ze hem niet wilde zien was dus menens! Maar hij liet zich niet als een Jehova's Getuige wegzenden.

'Manuela, we moeten praten', zei Bloem, terwijl hij de deur openduwde.

'Jeetje, Ronald, doe eens normaal!' Maar ze gaf haar verzet onmiddellijk op. Met loden stappen liep ze naar de keuken, waar ze eten stond te koken. Hij volgde haar. Het kruidige aroma van een Indisch maal kwam hem tegemoet.

'Waarom wil je niet met me praten?'

Ronald Bloem zag dat ze nu echt kwaad begon te worden. Met de handen in de zij keek ze hem strak aan. 'Omdat jij nooit serieus kunt doen als ík wil praten. Ik heb je gezegd dat ik met rust gelaten wil worden.'

Hij wilde haar bij de schouders vastpakken, met haar praten, maar ze weerde hem af.

'Blijf met je handen van me af', blafte ze hem toe, alsof hij iets kwaads in de zin had. Het zat echt mis tussen hen. Maar begrijpen deed Ronald Bloem het nog steeds niet. Hij had haar nooit eerder zo gepikeerd gezien.

'Wat is er toch? Zaterdag wilde je ook al niet praten.'

'Ik wilde wel praten, maar toen hing jij opeens op. Zo gaat het altijd.' Ze keerde zich veelzeggend om en begon in een pan met saus te roeren. Alsof hij lucht was.

Hij slaakte een zucht. Ah! Oud zeer! Maar hoe moest hij haar dit uitleggen? Had ze het nieuws niet gevolgd? Of interesseerde zijn werk haar helemaal niet? Hoe langer hij hier was, hoe minder hij haar begreep. Toch waren ze eens zo close geweest. Ze had met hem willen trouwen. Hij niet. Het leek nu zo onbelangrijk, zo irreëel.

'Ik hoorde dat John met je wilde stappen.'

'Nou en?', was haar uitdagende reactie.

-

Woensdag 9 oktober 17.05 uur

Ze keek Ronald niet aan. Haar aandacht was gericht op de pan met rijst, waarvan ze het deksel optilde. Ze schrok van haar eigen felheid. Eigenlijk wilde ze niets liever dan dat hij haar in de armen nam. Maar tegelijkertijd hield ze haar been stijf, want het zou niets oplossen. Ze hadden al zolang om elkaar heen gedraaid.

'Nou en? Je moest eerst niets van hem hebben!'

'Het is uit tussen ons, Ronald. Ik hoop dat je dat eindelijk beseft. Als ik zin heb om met iemand anders te gaan stappen, dan doe ik dat. Ik laat mij de wet niet door jou voorschrijven. En als je jaloers wilt zijn, ga je maar ergens anders zitten kniezen.'

Ze zag dat hij niet kon geloven dat ze deze dingen zei. Het deed haar pijn, maar desondanks zette ze door. Ze wilde dat hij haar serieus nam, dat hij haar vertrouwde, niet alleen als het hem uitkwam.

'Maar waarom, Manuela?'

'Omdat je mij niet met rust laat. Daarom! Ik heb het je gevraagd, en je respecteert mijn wens niet eens. Ik heb wekenlang moeten wachten op een antwoord op een vraag van mij. Zes weken! Het enige wat jij toen deed, was uitvluchten zoeken en grapjes maken. Zo wil ik gewoon niet verder.' Ze wilde dolgraag met hem verder, dat had ze al zo vaak tegen hem gezegd. Maar waarom gedroeg hij zich niet volwassen? Als hij even nadacht kon hij begrijpen hoe hij haar gekwetst had.

'Ik begrijp je gewoon niet meer. Eerst maak je het uit. En

nu ga je met John stappen terwijl je niets van hem moest weten.'

'Nou, als je het niet begrijpt, dan kun je beter gaan. Ik verwacht bezoek en jouw gemok kan ik niet gebruiken.'

'Oh, fijn hoor', beet hij haar toe. 'Dus, zo denk je over mij.' Hij liep naar de hal met de bedoeling te vertrekken.

'En jij vertrouwt me ook niet', riep zij hem na. 'John heeft me wel gevraagd, maar ik heb niet gezegd dat ik op hem ingegaan ben.'

-

Woensdag 9 oktober 17.40 uur

Al bijna tien jaar – sinds zijn pensionering – reed Jan van Bennekom elke dag de pendeldienst van zijn woonplaats in de bossen nabij kasteel Drakesteyn naar ziekenhuizen in de omgeving. De laatste rit van vandaag had hij er bijna op zitten. Hij had een oudere vrouw naar Utrecht gereden voor opname in het Diaconessenhuis. Daarom zat hij nu alleen in de auto, op weg naar de behaaglijke warmte van zijn huis.

Opeens zag hij het tafereel van een ongeluk, twee auto's en de gewonde man die midden op de weg stond en met een van zijn armen wild gebaarde. Een wond aan zijn hoofd kleurde de linkerslaap rood, terwijl het ooit keurige driedelige pak helemaal verfomfaaid zat. De man hield een verbandgaasje tegen de wond.

Hij was alleen. Zijn auto lag om een boom gevouwen. Eigenlijk was het een wonder dat hij het er levend vanaf had gebracht. Mooi wagentje ook, zag Van Bennekom. Wat zonde! De verzekering zou natuurlijk het schadebedrag uitkeren.

Dus er waren geen andere voertuigen bij het ongeluk betrokken. De andere auto stond onbeschadigd aan de andere kant van de weg en leek er niets mee te maken te hebben. Dat was al een meevaller. Of zaten er gewonden in de auto?

Van Bennekom remde af en kwam vlak voor de man tot stilstand. Die was niet aan de kant gegaan. Van Bennekom wilde zijn hulp aanbieden. Dat was hij gewend. De hele dag had hij mensen de helpende hand toegestoken en één ritje kon er nog wel bij. Maar de gewonde man sprong al voor de motorkap langs en opende het portier aan de bijrijderzijde.

'U wilt naar het ziekenhuis?', vroeg hij hulpvaardig. De man nam plaats op de stoel naast hem, maar deed geen moment dankbaar voor de geboden hulp. Hij liet het verbandgaasje los en trok het portier woest dicht.

De razernij van de man kon Van Bennekom niet goed begrijpen. Was hij zo kwaad omdat hij een ongeluk had gehad? Hij mocht blij zijn dat hij het overleefd had! De enige kwetsuur was een schram op de slaap. Als zijn bloed de bekleding van de auto maar niet besmeurde.

'Naar Hilversum!'

De auto ging weer vooruit. Dan naar het ziekenhuis in Hilversum. Dat was ook prima, vond Van Bennekom. Het maakte hem niets uit. Maar was het voor de gewonde nodig? Zo ernstig leek de hoofdwond niet.

'En nu ga jij eens iets meemaken!', verzekerde de man naast hem. Hij trok een revolver uit zijn colbertjasje en zwaaide er gevaarlijk mee in de lucht.

Hoofdstuk 17

Woensdag 9 oktober 18.00 uur

Mignon van Elshout opende de deur met de zoveelste sigaret van die dag tussen wijsvinger en middelvinger geklemd. Haar arm trilde nerveus, terwijl ze de sigaret naar de lippen bracht. Het uiteinde lichtte als een rood oog kort op. Daarna walmde ze de rook uit.

'Komt u alstublieft binnen', sprak ze met schorre stem en een flauwe glimlach. Bram Petersen vond dat ze er slecht uit- zag. Haar gezicht was grauw en de ogen hadden een fletse uitdrukking. 'Rudolf is er niet en daarom heb ik gebeld. Ik heb hem er liever niet bij.'

'Waarom niet?' Petersen stelde de vraag kalm, maar haar hoofd schoot met een ruk opzij, terwijl hij langs haar naar binnenstapte.

'Omdat hij op alles geprikkeld reageert. Hij kan niets heb- ben.'

In de woonkamer namen ze plaats in de fauteuils en vroeg de Veenendaalse rechercheur haar wat ze op haar hart had.

'In september is Floris met Claire op vakantie geweest', vertelde ze. 'Hij had mij gevraagd om op het huis te passen. Ze hebben wat planten staan die verzorgd moeten worden. En ik keek de post na. Ik weet niet eens meer hoe het kwam, maar ik had onnadenkend een envelop opengemaakt. Hij was niet dichtgeplakt, en daarom dacht ik, dat het reclame was. Zoiets kan toch gebeuren?'

Petersen knikte begripvol.

'Het adres en de naam van Floris stonden er duidelijk op, dus hoe ik ertoe kwam om de brief te openen, begrijp ik nu nog niet. Ik moet er echt met mijn gedachten niet bij zijn geweest. Toen zag ik wat er in de brief stond. Het was een dreigbrief.'

'Wat was de inhoud?'

'Het stond vol scheldwoorden en bedreigingen.'

'Werd duidelijk waarom de bedreigingen geuit werden?'

'Nee.' Mignon van Elshout tuurde naar de veraste punt van de sigaret, en de rook die eruit kronkelde. Ze leek een moment ver weg te zijn. Vervolgens keek ze Petersen weer aan. 'Het was een brief vol schuttingwoorden. Ik ben ervan geschrokken.'

'Was er een naam van de afzender?'

Ze schudde het hoofd somber. 'Ik kan het me niet herinneren. Het was vooral de inhoud die mijn aandacht trok. Toen Floris van vakantie terug was, heb ik het hem uitgelegd. Ik vond het werkelijk vreselijk. Maar hij deed er luchtig over. Claire was daarbij. Zij kan het bevestigen. Volgens Floris had het niets te betekenen. Hij zei dat ik het moest vergeten.'

Dat had ze kennelijk gedaan.

'Wat is er met de brief gebeurd?', vroeg Inge Veenstra nu.

'Hij verfrommelde het in mijn bijzijn. Hij deed dat met een brede glimlach op zijn gezicht. Daarom begon ik te geloven dat het echt niets te betekenen had. Dat het een rare grap was van zijn collega's. Er zijn ruwe personen bij, in dat truckerwereldje. Ik begin bijna te twijfelen of het echt gebeurd is. Maar Claire kan het jullie bevestigen.'

-

Woensdag 9 oktober 18.05 uur

Woest sprong Van der Zwan uit de auto. Met het vuurwapen in zijn hand, rende hij naar de voordeur van de villa van Winsemius. Achter hem hoorde hij de auto van zijn gijzelaar met piepende banden wegrijden. Hij wist niet zeker of Winsemius om dit tijdstip thuis was, of dat hij in zijn cafés elders in Hilversum was. Of in Utrecht.

Hij had niet het geduld aan te bellen en te wachten tot er iemand kwam om open te doen. Hij was hier eens eerder geweest, en daarom rende hij om het huis heen naar de tuin erachter. Hier was het gazon, dat grensde aan het terras aan de achterkant van het huis. Hier waren de tuindeuren en kon hij in de woonkamer kijken. Hij zag niemand.

De tuindeuren waren niet op slot.

Van der Zwan stelde zich zo voor dat, met het zonnige weer vandaag, Winsemius door de tuindeuren het gazon opgelopen was en er later niet aan gedacht had de deur te vergrendelen.

Hij was nauwelijks binnen, toen de deur naar de hal openzwaaide. In de deuropening verscheen Henk Winsemius zelf, met een licht geamuseerde uitdrukking op zijn gezicht. Zijn joviale gedrag, goede voorkomen en bedaardheid riepen meteen haat bij Van der Zwan op. Alsof hij zich onbewust was van de revolver, waarvan de loop nu dreigend op hem gericht werd, liep Henk Winsemius Van der Zwan tegemoet.

'Rudolf,' riep hij op hartelijke toon, 'waaraan heb ik dit onverwachte bezoek te danken?'

Van der Zwan trilde op zijn benen van spanning. Hij had de wijsvinger om de trekker gekromd, maar kon het nog niet opbrengen die over te halen. Eerst moest hij meer weten.

'Waarom heb je Floris laten vermoorden?', siste hij.

Henk Winsemius schudde afkeurend zijn hoofd. Hij stond nu een halve meter voor de loop. 'Dacht je dat ik dat gedaan had?'

'Evert de Heus heeft het gedaan. Iedereen weet dat hij voor jou werkt.'

'Ach, kom, kom, Rudolf, dat kan niet waar zijn. Of denk je dat, omdat je je schuldig voelt dat jij en Rogier Evert te pakken hebben genomen? Hij is er niet erg blij mee, dat je hem getild hebt. Hij is hier vandaag. Dus, als je dat geld terugbetaalt, zal hij je nooit meer lastig vallen. Misschien moet je er eens met je goede vriend Rogier over praten. Ah, Evert,' Winsemius keek naar iemand die achter Van der Zwan zou staan en via de tuindeuren binnenkwam, 'kom verder'.

Van der Zwan draaide zich om, om Evert de Heus te zien. Te laat zag hij dat er niemand was. Op datzelfde moment werd hem de revolver uit de hand geslagen en volgde een dreun tegen zijn slaap. Hij wankelde achteruit, bleef met de hiel haken achter het tapijt en viel.

Voor hij overeind kon krabbelen, zag hij dat er toch twee mannen in de woonkamer waren. Naast de vals grijnzende Henk Winsemius zag hij de spiermassa van Evert de Heus. Winsemius zwaaide met de revolver, om bij Van der Zwan elke gedachte aan verzet te verjagen.

'Ik krijg nog geld van jou', sprak De Heus op intimiderende toon. 'Ik heb Henk een voorschot betaald voor die auto. Nu wil ik dat geld van jou hebben.'

'Je hebt dat geld voor Van Middelstum voorgeschoten!', protesteerde Van der Zwan.

'Jij weet net zo goed als ik, dat de deal nooit doorging omdat jij en je zoon ons gedwarsboomd hebben.'

'Jij hebt Floris vermoord.'

Evert de Heus liet een lachje horen dat veel leek op het gekrijs van spelende apen. Het paste niet bij zijn enorme postuur. 'Dat was helemaal niet nodig. Kars deed het uit zichzelf. Jij hebt Kars ook laten zitten. Geen wonder dat hij geen aanmoediging nodig had.'

'Je liegt!'

'Ik weet wel methodes om je aan het betalen te krijgen', verzekerde De Heus hem, waarna de ploertendoder tevoorschijn kwam.

-

Donderdag 10 oktober 8.50 uur

'Rudolf van der Zwan is opgenomen', liet Steven Bosma de volgende dag weten. Hij kwam de projectruimte binnengelopen met een memoblaadje in zijn hand. 'Er is net door zijn vrouw gebeld.'

'Opgenomen?', vroeg John van Keeken met een pijnlijk gezicht. Hij was juist gearriveerd maar zijn ogen kon hij nog nauwelijks openhouden. Petersen vermoedde dat zijn collega na zijn aflossing naar zijn stamcafé was geweest, met als eindresultaat dat hij nu met een bonkend hoofd op zijn werkplek zat. 'Op de televisie?'

'In het ziekenhuis natuurlijk.'

'Wat is er gebeurd?', vroeg Inge Veenstra geschrokken.

'Heeft hij net zoveel gezopen als ik gisteravond?', zei Van Keeken weer. 'Zeg, heeft iemand voor mij een aspirine?'

'Hij is gisteravond in een bewusteloze toestand voor het gebouw van zijn nachtclub in Utrecht aangetroffen. Volgens de berichten is hij beurs geslagen. Letterlijk.' Bosma somde het op van papier: 'Gebroken neus, gekneusde ribben, drie voortanden weggeslagen, gebarsten lippen, gebroken jukbeen. Het mag een wonder heten dat het niet erger is.'

'Is hij door zijn eigen personeel zo afgetakeld?', vroeg Van Keeken.

'Onbekend. Door onze Utrechtse collega's zijn de medewerkers van de nachtclub gehoord, maar die weten van niets. Zeggen ze. Maar er is ook een ander bericht binnengekomen.'

Onder het memoblaadje zat een tweede notitie.

'Deze melding heb ik zojuist van collega's gekregen. Gistermiddag heeft een gijzeling plaatsgevonden. Het lijkt erop dat onze Van der Zwan daar ook bij betrokken was. Zijn auto is in het bos ten zuiden van de Lage Vuursche *total loss* teruggevonden. Hij heeft een ongeluk gehad en daarna heeft hij een passerende auto tegengehouden en de bestuurder in gijzeling genomen. De gijzelaar was ene Jan van Benne-kom.'

'Die Van Bennekom heeft zich gemeld?', wilde Petersen weten. Hij keek even naar zijn collega die bij de deuropening was blijven staan. Daarna gleed zijn blik naar Ronald Bloem, die achter zijn bureau zat en apathisch voor zich uit staarde.

'Ja. Daardoor weten we wat er gebeurd is. Onder bedreiging van een vuurwapen werd hij gedwongen naar Hilversum te rijden, terwijl Van der Zwan onderweg bezwoer dat hij een moord zou gaan plegen. Het moet voor Van Bennenkom een afschuwelijke ervaring zijn geweest. Hij dacht dat zijn laatste uur geslagen was. Van der Zwan moet echt des duivels zijn geweest.'

'Waar in Hilversum moest hij naartoe rijden?'

'Naar de Utrechtseweg.'

'Wat gebeurde daar?'

'Dat is niet duidelijk. Van der Zwan stapte uit en Van Bennekom is toen met piepende banden weggereden. Hij weet niet eens voor welk huis hij gestopt was. Heel erg vreemd is dat niet, als je bedenkt dat die straat heel lang is. De Utrechtseweg strekt zich over een lengte van twee kilometer aan de zuidzijde van Hilversum uit. Maar we zullen er wel achterkomen welk huis het was.'

Bram Petersen stond op.

'Ronald en ik zullen Van der Zwan in het ziekenhuis opzoeken. Als jij Griesink dan op de hoogte stelt, Steven. Ronald, kom je?'

Er kwam geen reactie. Ronald Bloem bleef voor zich uit staren. Bram Petersen vroeg zich af wat er gebeurd kon zijn dat zijn assistent vandaag zo was.

'Ronald!'

Petersen liep naar de werkplek van zijn collega om de aandacht op zich te vestigen. Hij keek bedenkelijk. Ze zaten midden in een belangrijk onderzoek en daarom kon hij het niet gebruiken dat zijn assistent tegelijkertijd in beslag genomen werd door persoonlijke beslommeringen, hoe vervelend die ook waren. Gisteren was hij opeens weg, nu was er dit! Het leidde hen onnodig af. De opdrachtgever van Kars Becker was de lachende derde. Het onderzoek verliep al moeizaam genoeg. Zelfs John van Keeken draaide ondanks zijn kater op dit moment beter dan hij in het team mee.

'Als je je niet op het werk concentreren kunt, kun je beter naar huis gaan.'

'Nee, nee, ik kom', zei Bloem. Hij sprong op, trok zijn jas van zijn stoel en liep al naar de gang.

-

Donderdag 10 oktober 10.40 uur

Als Bram Petersen gedacht had dat Rudolf van der Zwan een verklaring zou afleggen, dan had hij het mis. Ze vonden hem op een kamer die hij voor zichzelf had, ingezwachteld in verband en vertroeteld door attente verpleegsters.

Een halfuur nadat hij gisteravond gevonden was, was hij bij bewustzijn gekomen. De tong leek hij sindsdien verloren te hebben. Niet dat hij niet kon spreken. Met ogen die gloeiden van haat, keek hij de twee rechercheurs aan. Hij wist precies wie hem mishandeld had, maar wilde de naam niet noemen. Nog altijd zon hij op wraak. Als hij uit het ziekenhuis kwam, zou hij in actie komen!

'U hebt een ongelukje gehad?', probeerde Petersen met gevoel voor understatement, maar het bleek verspilde moeite te zijn. Van der Zwan zweeg en zou dat blijven doen. Waarschijnlijk zou hij die meedogenloze medewerkers van hem motiveren zijn aartsvijand in de gaten te houden.

'Ik geloof dat u beter naar huis kunt gaan', fluisterde een oudere verpleegster met grijzend haar. 'Meneer Van der

Zwan is vermoeid en praten doet pijn. Als u een andere keer terugkomt, zal hij beter in staat zijn te spreken.'

Een ijdele hoop!

-

Donderdag 10 oktober 11.35 uur

Het was wonderlijk hoeveel verschil een paar uur kon maken. Esmée Bloemhard keek nu met andere ogen naar de posters in haar slaapkamer. Vanochtend vroeg had ze op de rand van haar bed wezenloos voor zich uit zitten staren, niet wetend wat ze zou doen. Ze voelde zich verdoofd, terwijl de gedachte in haar hoofd dreunde dat ze niet de wil had om door te gaan met leven.

Haar blik had gegleden over de posters van Egypte. De afbeelding van sarcofagen en koningsgraven. Egypte. De plek waar ze met Kars een nieuw leven had willen opbouwen. De plek waar ze nu had willen zijn. Had kúnnen zijn.

Een telefoontje had verandering gebracht. Ze zat nog steeds op de rand van het bed. Opnieuw keek ze naar de posters, maar nu met een milde interesse. Totaal onverwacht en tot haar onstellende blijdschap had hij vanuit Zuid-Europa gebeld. Kars stond op het punt naar Egypte te varen!

Esmée Bloemhard staarde naar de zwart gelakte nagels van beide handen. Ze zat in dubio. Enerzijds voelde ze haar loyaliteit ten opzichte van Kars. Ze weigerde de gedachte ingang te laten vinden, dat hij een moordenaar zou zijn. Haar halfbroer Johan had haar tot vervelens toe geprobeerd haar met die gedachte te hersenspoelen, maar tot nu toe had ze halsstarrig weerstand weten te bieden. Waarom hield hij nooit op met zijn giftige praatjes? Dacht hij echt dat ze meer wist van die ontvoering en moord? Gebruikte hij haar vooral om bij zijn meerderen in een goed blaadje te komen, hopend op promotie? Of maakte hij misbruik van de situatie om haar te vernederen, zoals hij zo vaak had gedaan, omdat hij haar vroeger al als een indringster in het gezin had gezien? Nee, ze hield hoe dan ook haar mond. De laatste persoon aan wie zij Kars zou verraden, was haar halfbroer!

Maar toch...

Anderzijds was er een moord gepleegd en als iemand de politie kon verder helpen, was Kars het. Die gedachte liet haar al twee uur niet meer los.

Ze was nog enorm opgewonden van blijdschap zijn stem weer te hebben gehoord! Het was bijna niet te geloven! Ze was er zeker van geweest dat hem iets overkomen was.

Hij had verteld wat hij had doorgemaakt. Hoe hij op de vlucht geslagen was, gevolgd door de mannen van Van der Zwan. Met de pont was hij de rivier overgestoken om aan zijn moordlustige belagers te ontsnappen. Daar, in de Betuwe, had hij besloten op eigen houtje naar Egypte te reizen, in de hoop dat zij dat ook zou doen. Ze had hem immers het adres van de penvriendin gegeven, waar ze verwacht werden.

Liftend had hij zijn weg door Europa gevonden. Het was een avontuurlijke onderneming geweest. Dat hij onderweg gestolen had om in leven te blijven, vertelde hij er eerlijk bij. Uiteindelijk was hij dwars door Italië in een havenstad beland, waar hij de overtocht naar Egypte zou maken. Hij wilde dat zij gauw overkwam.

Maar op dat punt aarzelde ze.

Ze had hem gevraagd wat hij wist van de moord. Daarover moest ze eerst meer duidelijkheid hebben. Dat hij met de ontvoering te maken had, moest ze wel geloven. Hij had het over de telefoon ruiterlijk toegegeven. Hij had echter ook gezworen niets van de moord te weten. Hij was sinds zaterdagochtend niet meer in de kelder van zijn oom geweest. Iemand anders had Floris onthoofd en zijn lichaam verplaatst naar de garage van Van Middelstum. Ze wilde hem zo ontzettend graag geloven. Maar, waarom wilde hij er verder niets over zeggen? Wilde hij niemand verraden? Maar dat maakte hem toch juist medeplichtig aan die moord? Wat haar het meest dwars zat, was dat hij de moord gepleegd kón hebben.

Nu vroeg ze zich af, hoe ze haar leven moest voortzetten. Ze kon in Wijk bij Duurstede niet blijven. Haar stiefmoeder wist waarmee Kars zich bezig hield, daar had Johan wel voor gezorgd. Dus, hoe was haar positie tegenover hen, bij wie zij inwoonde? En, hoe zat het met haar positie ten opzichte van de politie? Zij wist nu waar Kars zich bevond. Moest ze dit niet doorgeven?

Ik kan het niet, dacht ze. Kars is alles wat ik nog heb.

Er werd beneden aan de deur gebeld.

'Es!', hoorde ze de schelle stem van haar stiefmoeder roepen. Haar geroep galmde in het trapgat. De buren konden het ook horen. 'Es! Er is bezoek voor je. De politie!'

Hoofdstuk 18

Vrijdag 11 oktober 11.10 uur

Petersen en Bloem stonden in de vestibule van een prachtig landhuis met rieten dak aan de Utrechtseweg in Hilversum. Gisteren hadden ze nog een keer met Esmée Bloemhard een gesprek gevoerd, en zij herinnerde zich dat Kars een keer over ene Henk had gesproken. Deze zou een heler uit Utrecht zijn die een huis in Hilversum moest hebben. Verdere navraag via de collega's in Utrecht had de nodige informatie over ene Henk Winsemius opgeleverd.

Aan het begin van de donderdagochtend hadden ze door de berg met zijn persoonlijke gegevens gebladerd, om een beeld te krijgen van zijn activiteiten. Net als Van der Zwan was hij eigenaar van een nachtclub in het centrum van Utrecht. Deze had hij enkele jaren geleden gekocht en gerenoveerd. De club was tot een populaire uitgaansgelegenheid uitgegroeid. Maar van oorsprong kwam Winsemius uit Hilversum, waar hij ook eigenaar van een tweetal cafés was.

Dat was de legale kant van de *business*. Wat vermoed werd, was dat hij diep in het criminele circuit zat. Maar – net als in het geval van Van der Zwan – was dat nooit met harde bewijzen gestaafd. Daarom leefde hij als een prins in zijn kapitale villa aan de rand van de Hoorneboegse Heide. Hij verdiende genoeg geld om zich niet meer actief met het werk te bemoeien, en daarom troffen de twee rechercheurs hem tegen het eind van de ochtend thuis aan.

Een dienstmeisje dat gekleed was in een stijf pakje, deed open. In de fraaie hal, waar ook de trap naar boven was, nam ze hun jassen aan.

'Meneer Winsemius zal u in de *living* ontvangen', zei ze op formele toon, waarna ze hen voorging.

De living bleek een zeer ruime L-vormige kamer te zijn

die aansloot op de eetkamer. Het totale oppervlak was groter dan de werkruimte die Petersen en Bloem in Veenendaal met vier collega's moesten delen. De inrichting was modieus, ruim, en van alle gemakken voorzien. Aan de tuinzijde was een serre aangebouwd. Van daaruit had het huis een mooi zicht op een keurig aangelegde parkachtige tuin, met een groot gazon dat omzoomd werd door struiken en bomen.

In het midden van de kamer lag op de parketvloer een zandkleurig wollen tapijt. Daarop stonden rond een glimmend donkerbruine salontafel een bank en enkele diepe stoelen. Op een van die stoelen zat Henk Winsemius, onderuitgezakt en tevreden trekkend aan een sigaar.

Bij het zien van de twee rechercheurs sprong hij verheugd op. Het viel rechercheur Petersen op, hoe lang de ander was.

'Ah, heren, wat goed van u dat u gekomen bent. Neemt u toch plaats.'

Bram Petersen koos de bank uit en ging zitten. Daarna sloeg hij zijn blik op naar de gastheer die hun even de rug had toegekeerd om het stompje van de sigaar in de open haard te werpen. De peuk werd opgevangen door de flakkerende vlammen van het vuur dat de kamer verwarmde.

Henk Winsemius was gekleed in een ruimzittende, antracietkleurige ochtendjas met sjaalkraag en ceintuur die de jas om zijn lichaam hield. Behalve de jas had hij ook pantoffels aan de voeten, maar geen sokken. Het was niet te zien of hij iets onder de jas droeg, maar Petersen kreeg de indruk dat het niet zo was. Borsthaar krulde van onder de jas omhoog.

Volgens de eerste indruk die Petersen kreeg, kon Winsemius niet ouder zijn dan een jaar of vijfendertig. Maar toen hij ging zitten, werden de rimpels in het voorhoofd duidelijker zichtbaar. Hij was waarschijnlijk iets ouder dan veertig. Zijn donkere haar vertoonde nog geen grijs, maar dat kon geverfd zijn, zoals Rogier van Middelstum dat ook deed. Een stoppelbaardje en zijn joviale gedrag gaven hem een jeugdige indruk. Hij speelde de vermoorde onschuld.

'Wilt u soms iets drinken?' Hij gebaarde naar het glas whisky dat op de ronde salontafel stond. 'Whisky? Of iets lichters. Een sherry misschien?'

'Tijdens mijn werk drink ik geen alcohol', gaf de Veenendaalse rechercheur te kennen.

'Heel verstandig. Kan ik u dan iets anders aanbieden? Jus d'orange?'

'Graag. Dank u.'

Winsemius wenkte naar de jonge vrouw die in de deuropening was blijven staan in afwachting op nieuwe opdrachten. 'Wilma, schenk jij eens voor de heren een heerlijk glas jus d'orange in. Daarna heb ik je even niet meer nodig.' Petersen zag dat hij haar heimelijk een knipoog gaf.

'Zo heren,' zei hij, nadat twee hoge glazen met het goudgele vocht op de tafel waren neergezet en Wilma vertrokken was, 'wat kan ik voor u doen?'

Petersen keek de ander nogmaals aan en legde daarna de reden van hun komst uit. Ronald Bloem die naast hem had plaatsgenomen, nam eerst een slok en pakte vervolgens zijn notitieblokje en pen.

'Floris van der Zwan? Ik heb het in de krant gelezen. Een huiveringwekkende geschiedenis!' Hij knikte meelevend.

'Ik zal er niet omheen draaien', sprak de Veenendaalse rechercheur op ernstige toon. 'Zijn vader is hier gisteren geweest.'

'Hoe laat?', reageerde de ander verwonderd.

'Rond vijf uur in de middag.'

'Ach, wat vervelend nou, toen was ik niet thuis. Maar dan zou Wilma ervan moeten weten. Wat raar dat ze mij dat niet gezegd heeft.' Hij stond op en beende met korte, snelle stapjes de woonkamer uit. Het klapperende geluid van de sloffen klonk op de plavuizen in de hal en daarna volgde zijn stem. Een moment later kwam hij samen met het dienstmeisje terug.

'Ik weet van niets, meneer', antwoordde ze beleefd, nadat haar werkgever gevraagd had of er gisteren bezoek was geweest.

Winsemius ondervroeg haar voor het oog van de twee rechercheurs.

'Je bent toch de hele middag hier geweest?'

'Ja, meneer. Maar er heeft niemand aangebeld.' Ze was óf een verbluffend goede leugenaar, óf ze sprak de waarheid. Maar dat haar werkgever een toneelstukje opvoerde, was voor Petersen zeker.

'Ook de heer Van der Zwan niet?'

'Nee, meneer.'

Hij richtte zich weer tot zijn gasten. 'Ziet u wel, ook zij weet van niets. Ga maar weer, Wilma', zei hij, waarbij hij haar met vlakke hand een klapje op haar billen gaf. Hij liet zich terugzakken in zijn stoel. 'Heeft Van der Zwan gezegd dat hij van plan was hier naartoe te gaan? Hij kan van plan veranderd zijn.' Dat was wat hij hen wilde doen geloven.

'Hij is door iemand voor uw huis afgezet.'

'Ik vind het echt heel rot voor hem dat hij voor niets gekomen is.'

Er klopte niets van wat hij zei. Hoe was Van der Zwan dan zonder vervoer in het hart van Utrecht beland? Wie had hem zo toegetakeld? Maar zolang Van der Zwan geen beschuldigende vinger ophief of een aanklacht indiende, kon Petersen niets tegen deze miljonair uit Hilversum beginnen. Die was zich duidelijk van zijn positie bewust.

Hij besloot het over een andere boeg te gooien.

'Hoe kent u Van der Zwan?'

'Ik neem aan dat u weet dat wij collega's zijn. We zijn allebei eigenaar van een nachtclub in Utrecht. In dat wereldje kent iedereen elkaar persoonlijk.'

'Kars Becker?', vroeg Petersen verder.

'Wat is er met hem?'

'Kent u hem?'

Hij gebaarde onzeker met zijn handen. 'Nee. Hoezo?'

'Weet u het zeker?', vroeg Petersen met een onaangename grimas op zijn gezicht. Hij keek de ander scherp aan. 'Becker zegt zelf dat hij zaken met u gedaan heeft, als heler.'

Winsemius was op zijn hoede. 'Ik ben misschien een keer aan hem voorgesteld', antwoordde hij voorzichtig. 'Hij is bevriend met een ex-werknemer.'

'Ah, u kent hem dus wel.'

'Nou, kénnen, zo zou ik het niet willen noemen. U bent nu hier, meneer Petersen, maar ik kan toch niet zeggen dat ik u écht ken. Ja, de ontmoeting is echt, maar het kénnen niet. Nog niet. Ik kén mijn vrienden en zij kennen mij. Ik weet wie mijn buren zijn, maar echt kénnen doe ik ze niet.' Hij liet een innemende glimlach zien. 'Mag ik weten waarom u opeens over Becker begint? Heeft hij iets met de moord te maken?'

'Mogelijk.'

'Dat is interessant', zei Winsemius hoofdknikkend. Hij nipte even aan de whisky en zette het glas daarna terug op de salontafel. 'Wat zou zijn reden zijn om Floris te vermoorden?'

Uit tactisch oogpunt ging rechercheur Petersen niet op de vraag in.

'Wat hebt u te zeggen op Beckers beschuldiging dat u een heler bent?'

'U hebt hem dus? En u gelooft iemand die al verschillende malen veroordeeld is geweest voor diefstal en geweldpleging?'

'Dus u weet toch het één en ander over hem', wreef de rechercheur hem onder de neus.

De gastheer moest glimlachen. 'Ach, ik hoor wel eens wat. Stemmetjes die in mijn oor fluisteren.'

'Wat zou u ervan vinden als Becker in de rechtbank als getuige tegen u wordt opgeroepen?'

'Aha, dus u huldigt inderdaad dezelfde verheven ideeën over mij als uw geachte collega's in Utrecht', klonk zijn spottoon. Vervolgens legde hij een vlakke hand op de borst. 'Ik kan u met de hand op mijn hart verzekeren, dat ik zo onschuldig ben als een pasgeboren lammetje. U ziet mij dus helemaal verkeerd. Goed, goed, het is waar dat ik mensen in dienst gehad heb die zich met heling ingelaten hebben. Uw collega's hebben hen ontmaskerd en ik heb die mensen op staande voet ontslagen. Uw collega's zijn daarbij aanwezig geweest. Die Becker is ook ontslagen toen uw collega's zo goed waren om mij te komen vertellen, dat ik een zwart schaap in de kudde had.'

'U had hem in dienst?'

'Wist u dat nog niet? Ik neem aan dat het in zijn dossier staat. Ach, ik heb mij nooit met het personeel bemoeid.'

'Maar, als ex-werknemer zou hij wel geweten hebben, hoe het er bij u aan toe ging.'

'Ik zou niet weten hoe Becker tegen mij zou kunnen getuigen, als hij zich op eigen houtje met diefstal bezighield. Ik kan u verzekeren dat, als hij gezegd heeft dat hij dat zal doen, zijn beweegredenen puur egoïstisch zijn.'

'Hoe bedoelt u?'

'Nou, in de hoop op strafvermindering. Maar wat is erger, de valse beschuldiging van heling of moord?'

'Wij denken,' legde Petersen op vlakke toon uit, 'dat Becker in opdracht van iemand werkte om Floris te vermoorden. Want Beckers motief is niet duidelijk. Zijn opdrachtgever is iemand die iets te vereffenen had met Floris van der Zwan en zijn vader. De moord wordt gepleegd en Rudolf van der Zwan rijdt in razernij en gewapend met een revolver naar Hilversum. Hij gijzelt onderweg iemand en bezweert dat hij iemand gaat vermoorden. Hij komt bij u terecht. Dezelfde dag wordt Van der Zwan zwaargewond in Utrecht gevonden. Daarmee ligt het voor de hand te denken

dat Van der Zwan zelf weet wie een rekening met hem te vereffenen had.'

'Goh, u had verhalenverteller moeten worden!', riep
Winsemius lachend uit. 'Het klinkt net alsof het echt gebeurd
is. Als u uw intonatie laat variëren, klinkt het nog spannen-
der! Maar als u een moordenaar zoekt, wil ik u wel een suggestie van de hand doen.' Hij sprak als een rijke man die het
zich veroorloven kon met gulle hand te geven. 'Ik zal u daarvoor ook een verhaaltje vertellen. Het ene verhaaltje is het
andere waard, toch?'

Hij boog zich naar voren en pakte een doos sigaren van de
salontafel.

'Zal ik u eerst iets te roken aanbieden?' Staande hield hij
hen een sigarendoosje voor. 'Nee? U vindt het toch niet erg
als ik er één rook. Je kunt geen verhaaltjes vertellen zonder
een fijne sigaar.'

Terwijl hij bleef staan, stak hij een sigaar tussen de lippen
en liet de punt ontbranden met een aansteker. Vervolgens
ging hij zitten. Hij nam er zijn gemak van, zakte achterover
en sloeg het rechterbeen over het linker. De rook liet hij over
de tong rollen.

'Het verhaal,' begon hij uiteindelijk met de blik gericht op
het plafond, 'gaat zo... Er was eens een eigenaar van een
uiterst succesvolle keten van reiswinkels. Overal had hij die
winkels staan, zowel in zijn vaderland als in verre streken.
De mensen kwamen massaal naar zijn winkels toe, en hij
genoot groot aanzien als een succesvol ondernemer. Maar
wat die mensen allemaal niet wisten, was dat hij het met de
wet niet zo nauw nam. Hij zat in de smokkel van heroïne en
sigaretten.'

Winsemius keek even naar de twee rechercheurs of ze
hem konden volgen. Er gleed een glimlach van voldoening
over zijn gezicht, toen hij zag dat Bram Petersen heel goed
begreep waarover hij het had.

'Goed,' vervolgde hij met de blik weer naar het plafond gericht, 'deze reisondernemer raakte door zijn werk bevriend met een eigenaar van een nachtclub in dezelfde stad als waar de reisondernemer zijn hoofdkantoor had. Ze mochten elkaar wel, omdat de eigenaar van de nachtclub een grote hulp was bij de distributie van de illegale sigaretten. Hij was zo ontzettend aardig! Bovendien wilde de reisondernemer wel eens iets hebben dat niet op de markt komt en de ander kon ervoor zorgen dat deze het kreeg. Zeg maar een handel van niet verhandelbare producten.'

'Om wat voor een waar gaat het?', wilde Petersen weten.

'Laat me even uitpraten. Het verhaaltje is nog niet uit. Ik zal u eerst iets vertellen over die geweldige eigenaar van de nachtclub. Hij was in het handeltje van niet verhandelbare producten gerold na eerst wat kleiner spul gedaan te hebben. Geleidelijk aan begon dat vak hem zo goed te bevallen, dat hij overschakelde op het echte werk: het afhandelen van bestellingen. Als iemand een partijtje dure merkkleding wilde hebben voor een aanvaardbaar bedrag, dan regelde onze nachtclubeigenaar het. Er werd dan een ramkraak in een stad ergens in Nederland gepleegd. En moest het drank zijn of computers, ook dat was geen probleem. Hij regelde alles!

Maar de spanning begon op te lopen. Want een concurrent vestigde zich in de stad. Een nachtclub was door een rijke heer uit een naburige stad overgenomen. Paniek sloeg toe, want deze nieuwkomer werd verdacht van dezelfde praktijken als de vriend van de reisondernemer. Er deden allerlei vreselijke geruchten de ronde. Zo zou deze nieuwkomer geweld niet schuwen om concurrenten uit de markt te duwen en hij werd beschuldigd van oplichting. Mensen werden bang voor de grote boze man.'

Hij onderbrak de monoloog een ogenblik om een trekje van de sigaar te nemen en de overtollige as boven de asbak af te kloppen.

'Het meest misselijke van deze spanningen was, dat het allemaal leugentjes waren die werden verspreid om het imago van de nieuwkomer te beschadigen. In werkelijkheid was hij volkomen onschuldig. Hij had werknemers in dienst die hij niet vertrouwen kon. Maar de nachtclubeigenaar die de nieuwe concurrent niet persoonlijk kende, wist dat niet. Hij zag alleen een concurrent waarmee hij wilde afrekenen. Daarom nam hij contact op met zijn vriend de reisagent.

Op een dag kreeg de nieuwkomer in zijn luxe villa bezoek van de reisagent. Het was een prettige ontmoeting, waarbij de reisagent naar voren bracht dat hij een nieuwe auto op het oog had, maar dat hij van het prijskaartje teruggeschrokken was. Maar helaas voor hem wist zijn gastheer geen oplossing voor zijn probleem. Met kromme schouders vertrok de man daarop, teleurgesteld in de afloop van de ontmoeting die hij zo anders had voorgesteld.

De jaloerse clubeigenaar liet het er niet bij zitten. Achter de schermen gebeurde er van alles zonder dat de concurrent uit de naburige stad er iets van wist, tot op een dag de politie zijn nachtclub bezocht. In een parkeergarage onder de club van de concurrent werd een gestolen auto gevonden, van hetzelfde merk als de auto die de reisondernemer had willen kopen. De beschuldigende vinger werd uitgestrekt naar de nieuwkomer. De jaloerse clubeigenaar wreef zich vergenoegd in de handen, want hij had de politie getipt.

Maar als hij dacht dat hij zo gemakkelijk van de ander afkwam, dan had hij het mis. Want heel zijn handelen was gebaseerd op de roddel, dat de nieuwkomer net zo was als hij. Maar hij had de situatie verkeerd ingeschat, want justitie kon geen van de roddels bewijzen. De auto was door werknemers van die club gestolen. Die werknemers werden gestraft, maar hun werkgever ging terecht vrijuit. Hij was immers zelf slachtoffer van misplaatst vertrouwen in zijn werknemers.

Hij was niet het enige slachtoffer van het marchanderen van de jaloerse clubeigenaar. In het schaakspel had die een pion opgeofferd: een man die hij zelf in dienst had en die hij allerlei smerige klusjes liet opknappen die anderen niet durfden te doen. Deze persoon had zich als uitsmijter bij de nieuwkomer aangeboden, hoewel zijn ware gedaante die van spion was. Helaas voor hem werd hij ook door de politie gearresteerd, omdat zijn werkgever hem niet op tijd gewaarschuwd had. Sindsdien heeft zijn werkgever hem laten stikken. En hiermee zijn we gekomen bij het open einde van mijn verhaaltje.'

'Dus Kars Becker heeft namens Van der Zwan voor u gewerkt!', begreep Bram Petersen die tegelijk moest denken aan de woorden van Ricardo Peek. Van der Zwan was een vies mannetje, had de journalist gezegd. Via Van Middelstum had hij Winsemius een loer willen draaien. Becker was een soort infiltrant geweest.

'Dat is uw conclusie.' Hij glimlachte. 'Misschien is het wel zo. Ik ken mijn werknemers allemaal niet persoonlijk. Ik weet niet wat de achterliggende reden is, dat ze bij mij willen komen werken.'

'In uw verhaaltje komt Floris van der Zwan niet voor.'

'Heb ik hem weggelaten? Wat vervelend nou. Zal ik het verhaaltje opnieuw vertellen, met vermelding van de dappere zoon van de nachtclubeigenaar die alles geregeld had? Die de spion van zijn vader beloofd had te helpen een advocaat te betalen? Een afspraak die hij overigens niet nakwam. Wat kon hem het lot van de ander schelen!'

'Stel nu,' zei rechercheur Bram Petersen ten slotte, 'dat in uw verhaaltje de nieuwkomer wel gestolen goederen overnam en doorverkocht. Dan had hij door de concurrent een flinke financiële aderlating ondergaan. Zou dat geen reden voor hem zijn om zijn concurrent een klap terug te geven?'

Winsemius grijnsde breed. 'Oh, dat is best mogelijk. In

die hypothetische situatie kan ik mij dat best voortellen. Maar een ontvoering zou nergens op slaan.'

-

Vrijdag 11 oktober 12.55 uur
'Wat moet je van hem nu denken?', vroeg Ronald Bloem zich hardop af, toen ze op de terugweg waren. Ze zaten op de A27. Voor hen lag Utrecht, waar in het verblindende licht van de middagzon de Domtoren nog wazig viel te onderscheiden te midden van de andere gebouwen. 'Kun je hem geloven of niet?'

'Natuurlijk is hij een gewiekste leugenaar.' Dat stond voor Petersen vast. Hij keek even opzij, naar zijn collega, maar vestigde daarna zijn blik weer op de weg. Het deed hem goed te merken, dat Bloem opgelet had. 'Van der Zwan is bijvoorbeeld wel bij hem geweest. Daar twijfel ik niet aan. Maar hij houdt vast aan de rol van de onschuldige. Zolang wij geen bewijs hebben, beginnen we niets tegen hem. Daar is hij zich van bewust. Daarom kon hij het zich veroorloven zoveel te vertellen.'

'Bedoelt hij nu dat Rudolf van der Zwan hem geprobeerd heeft een beschuldiging van diefstal en heling in de schoenen te schuiven?'

'Daar komt het op neer. Volgens hem heeft Van der Zwan zijn vriend Van Middelstum ingeschakeld om een auto bij Winsemius te "bestellen". Kars Becker werkte bij Winsemius, maar hij had eerder voor Van Middelstum gewerkt. Becker stal de auto en verborg hem in de garage behorend bij de club van Winsemius. Becker lichtte daarna Van der Zwan in. Die bracht de politie op de hoogte. Het was de bedoeling dat Winsemius voor de diefstal op zou draaien.'

'Hij kan de moordenaar van Floris van der Zwan zijn',

was Bloem van mening. 'Als dat verhaaltje van hem echt precies zo gebeurd is, heeft hij een motief. Rudolf en Floris van der Zwan waren bezig hem te dwarsbomen.'

Petersen gaf niet onmiddellijk een reactie. Hij had alle aandacht bij het verkeer nodig. Ze hadden knooppunt Lunetten bereikt, waar Petersen zijn blauwe BMW de A12 op stuurde.

'Maar dat motief heeft Winsemius ons zelf gegeven', zei hij even later. 'Natuurlijk kan het blufpoker zijn. In zoverre wij met de feiten bekend zijn, sluiten die aan bij zijn verhaal. Er is inderdaad een inval in zijn nachtclub geweest, waarbij een gestolen auto werd aangetroffen. Onze Utrechtse collega's kwamen in actie na het krijgen van een anonieme tip. We moeten het dossier nog doorlezen om erachter te komen of Becker toen ook als uitsmijter voor Winsemius werkte. Hij zegt van wel. Als dat zo is, en als Floris van der Zwan Becker rechtsbijstand beloofd had en Becker die niet gekregen had, had Becker een motief om zich op Floris van der Zwan te wreken.'

'Ik mag hem niet', zei Bloem. Hij bedoelde Winsemius. 'Ik denk dat hij meer van de moord weet dan hij zegt. Hij is ook rijk genoeg om de aanbetaling voor UVSO te doen en hij kende Becker, terwijl hij dat in het begin van het gesprek ontkende. Dus hij past in ons daderprofiel.'

'Maar,' merkte Bram Petersen op, 'als hij achter de moord zit, dan zal het bar lastig worden het aan te tonen. Hij doet de dingen nooit zelf. Daarvoor heeft hij zijn mannetjes. Ook heeft hij een punt, dat het niet logisch is om eerst Floris te ontvoeren en daarna pas te vermoorden. In zijn geval zie ik de logica niet. Ondertussen vraag ik me af of Van Middelstum meer van de moord weet dan hij gezegd heeft.'

'Van Middelstum? Waarom hij?'

'Het is maar een gedachte.'

Ronald Bloem haalde zijn neus op. 'Ik zou geen motief

weten. Hij en Van der Zwan zijn bevriend.'

'Ik vraag me af hoe het met de gestolen auto is gegaan. Laten we ervan uitgaan dat Winsemius de opdracht wel aannam. Ik kan me indenken dat hij een voorschot op de betaling wilde hebben. Dan heeft het Van Middelstum geld gekost, waar hij later niets voor terugkreeg. De gestolen auto werd immers in beslag genomen.'

'Je denkt dat hij verwachtte dat Van der Zwan de onkosten zou vergoeden, en dat die het niet gedaan heeft?'

'Het is slechts een gedachte', herhaalde Petersen met een peinzend gezicht.

Ze bereikten Veenendaal kort na lunchtijd. Tijd voor een onderbreking was er echter niet. Agent Van den Boom die baliedienst had, vertelde hen dat er iemand was die met Petersen wilde spreken.

'Wie is het?'

'Ene Bert Timmer. Hij zit in de verhoorkamer.'

'Heeft hij speciaal naar mij gevraagd?'

Van den Boom knikte. 'Hij wilde alleen met jou praten. Ken je hem?'

'Nee.'

Bert Timmer zat met kiepende poten op de stoel en had lui de benen over de tafel gelegd. Naast de benen stond een blikje Heineken onaangeroerd. Ondertussen peuterde hij met de pink van zijn rechterhand in een neusgat en veegde daarna de hand af aan zijn broek.

Hij was stevig gebouwd, had een ring door het linkeroor en tatoeages op zijn behaarde armen. De spijkerbroek die hij droeg, stond strak van het vuil. Petersen zag ook dat hij een lelijk litteken bij zijn rechterslaap had die het ooglid aan die kant naar beneden trok, waardoor hij voortdurend woest leek te kijken. Hij keek de politiemannen ontstemd aan.

Terwijl Petersen en Bloem binnenliepen, kwam de geur

van sigaretten hen tegemoet. Op dit moment rookte de man niet, maar de verspreid op de grond liggende hoopjes as en de uitgetrapte peuk bewezen dat Bert Timmer het niet zo nauw nam met het schoonhouden van zijn omgeving. Hij maakte een ongunstige indruk op Petersen.

'Zo, hé, zijn jullie daar eindelijk', mopperde hij, terwijl hij in een vloeiende beweging zijn voeten van de tafel trok. Met een klap kwamen de voorste poten van de stoel op de grond terug. 'Ik zit hier minstens een halfuur te wachten. Jullie hebben ondertussen geluncht. En ik maar wachten!' Zijn zware accent verraadde zijn Utrechtse afkomst.

'Dank u voor het wachten', sprak Petersen met een vriendelijk knikje, waarna hij zichzelf en Bloem voorstelde. 'We werden opgehouden. Als u straks met ons mee wilt lunchen, dan bent u welkom. We zullen eerst uw verhaal horen.'

De twee rechercheurs namen aan de andere kant van de tafel plaats. Bert Timmer legde de armen over de tafel heen en keek van de een na de ander, zonder iets te zeggen.

'U wilde ons iets vertellen?', hielp de rechercheur de ander op weg.

'Ja, er is toch een beloning?'

'Een beloning? Voor welke zaak bedoelt u?'

'Die moordzaak. Floris van der Zwan.'

'Er is daarin nog geen beloning uitgeloofd', merkte Petersen op.

'Nou, dat staat toch echt in de krant. Ik las het vanochtend in de *Telegraaf.* Voor de gouden tip in de moordzaak kun je 20.000 euro vangen.' Hij pakte met een onverschillig gezicht het blikje op, trok het open en nam een flinke slok die gevolgd werd door een boer.

'En u hebt die tip?'

Hij knikte gretig. 'Ik heb geld aangeboden gekregen als ik Floris om zou leggen.'

Hoofdstuk 19

Vrijdag 11 oktober 13.45 uur
Rechercheur Bram Petersen liet niet merken of deze uit-
spraak hem verbaasde. Hij zag de man tegenover hem
belangstellend kijken naar wat de reactie van hem en Bloem
zou zijn. Met de armen over elkaar keek Bert Timmer glunderend naar de jonge collega van Petersen. De mond van
Ronald Bloem was opengevallen van verbazing. Petersen
besloot zijn collega te negeren. Met een strakke blik keek hij
naar Timmer, zonder een vin te verroeren.

'En?', vroeg hij na een ogenblik van stilte. 'Hebt u het
gedaan?'

'Wat gedaan?'

'De moord gepleegd.'

Hij keek Petersen verstoord aan. 'Nee, wat dacht u! Dat
ik mijzelf met hangende pootjes kom melden? Ik ben wel
goed gek!'

'Kunt u ons dan vertellen wie u geld aangeboden heeft?'

'Dat ga ik dus niet vertellen zolang ik geen garantie heb,
dat ik inderdaad het uitgeloofde geld vang.' Hij leek daar
oprecht bezorgd over te zijn. Petersen vroeg zich af wat er in
de krant had gestaan. Hij vermoedde dat het tipgeld was uitgeloofd door Rudolf van der Zwan. Dat zou verklaren waarom de man tegenover hem eerst een garantie wilde hebben,
dat hij het geld kreeg.

'Ronald, haal even de krant op. Ik wil eerst weten wat dit
te betekenen heeft.'

Terwijl zijn collega verdween, keek Petersen naar de man
tegenover hem die met een tevreden glimlach op zijn gezicht
een sjekkie begon te rollen. Met de tong likte hij het vloeitje
dichten brak de tabak die uit het vloeitje stak, af. Daarna pers-
te hij het sjekkie tussen zijn lippen.

'Er wordt hier niet gerookt', gebood de Bram Petersen, toen Timmer de aansteker uit de strakke broekzak trok.

'Wilt u nu weten wie mij benaderd heeft of niet?', was de brutale reactie. De aansteker vlamde.

Petersen kaatste de bal terug. 'Wilt u de kans ontlopen om een beloning van 20.000 euro te ontvangen?'

'Nou, oké, dan.' Met die woorden stak hij het sjekkie achter zijn rechteroor. 'Dan steek ik 'm straks wel op.'

Ronald Bloem keerde met de *Telegraaf* van die ochtend terug. Hij spreidde de krant over de tafel uit en begon te bladeren. Petersen was opgestaan en keek mee.

Na enig zoeken en op aanwijzingen van Timmer vonden ze het bericht. Behalve de verslaglegging over het onderzoek naar de moord op Floris van der Zwan, werd ook melding gemaakt van de beloning die de familie had uitgeloofd. De gouden tip die: *...leidde tot de arrestatie van de persoon die verantwoordelijk is voor deze laffe moord, is goed voor 20.000 euro. Zo verzekerde Rudolf van der Zwan, de vader van het slachtoffer.*

Het viel Petersen meteen op hoe het geformuleerd was. Er werd niet gevraagd naar een tip die leidde tot de arrestatie van de moordenaar, maar naar de persoon die er verantwoordelijk voor was. En in dit geval waren dat waarschijnlijk twee verschillende personen. Kars Becker was mogelijk de moordenaar, maar had in opdracht gehandeld.

Petersen begreep dat Van der Zwan dit ook moest beseffen. Was hij daarom naar Hilversum gereden, omdat hij Winsemius als verantwoordelijke zag zonder dat te kunnen bewijzen? En, omdat de poging om Winsemius om zeep te helpen hopeloos mislukt was, gooide hij het met het tipgeld daarom over een andere boeg?

'Wij weten hier niets van', vertelde Petersen aan Timmer, nadat hij was gaan zitten. Hij was daar tegelijkertijd ontstemd over. Van der Zwan bleef op eigen houtje opereren.

Eerst had hij veroorzaakt dat Kars Becker op de vlucht was geslagen, en nu dit! 'Maar het geld komt van de heer Van der Zwan. Als uw tip inderdaad leidt tot de aanhouding van de verantwoordelijke, dan zal u van Van der Zwan de 20.000 euro ontvangen.'

Bert Timmer begreep dat hij het daarmee moest doen. Het was niet de keiharde garantie waarop hij gehoopt had.

'Kunt u ons nu vertellen van wie u geld aangeboden kreeg om Floris van der Zwan te vermoorden?'

'Oké, dan maar.' Hij nam de laatste slok uit het blikje en liet het met een klap op de tafel neerkomen. Met de vuist sloeg hij het blikje plat alsof het hem geen moeite kostte. 'Evert de Heus kwam bij mij langs.'

'Wie is Evert de Heus?'

'Iemand die ik uit Utrecht ken.'

'Uit het criminele circuit?', vroeg Petersen.

'Zo zou je het wel kunnen noemen', was het antwoord. 'Hij zal vast in jullie boeken voorkomen. Om hem kort te beschrijven: hij is iemand die ingeschakeld wordt als er schulden betaald moeten worden. Als hij op de stoep staat, ben je nog niet jarig. Dan is het betalen en geen gemaar.'

'Dus hij regelt incasso's van de heren criminelen. Hoelang geleden kwam hij bij u?'

Timmer reageerde schouderophalend en hoofdschuddend, alsof hij het niet meer zo precies wist. 'Een maandje of drie terug. Misschien vier maanden.'

'Waarom kwam hij juist naar u toe? Hebt u ervaring?'

'Heel veel', sprak hij grijnzend. 'Dat is voor mij dagelijkse kost! Een moordje hier, een moordje daar. Ik krijg het allemaal voor mekaar.' Hij moest hard lachen om zijn rijmpje.

Rechercheur Petersen besloot er niet dieper op in te gaan. Het was allang duidelijk dat de man tegenover hem van hetzelfde laken en pak was als Evert de Heus. Ze zouden het doopceel van Bert Timmer lichten en dan zou de vraag alsnog beantwoord worden. Hij vroeg zich alleen af of de naam van de ander in werkelijkheid een bijnaam was, gebaseerd op de gewelddadige manier waarop hij met anderen omging.

'U besloot niet op het aanbod in te gaan. Wat gebeurde er precies?'

'Oh, nee, zo is het helemaal niet gegaan', vertelde Timmer. 'Tegen Evert zeg je geen nee.'

'U bedoelt, dat u wel op zijn verzoek inging om die moord te plegen?'

Hij schudde het hoofd vol ongeduld. 'Luister, Evert de Heus accepteert het niet van je als je hem de zin niet geeft. Als je commentaar hebt, timmert hij er op los. Dus doe je wat hij zegt.'

'Als hij zo'n agressief persoon is,' vroeg Petersen daarop, 'waarom had hij u dan nodig om de moord te laten plegen?'

Bert Timmer veegde het geplette blikje van de tafel. Het kletterde op de grond en bleef met de opening naar beneden liggen zodat enkele druppels van het gerstenat wegsijpelden. 'Omdat hij zelf buiten schot wilde blijven.'

'Vertelde hij u dan waarom de moord gepleegd moest worden?', vroeg Petersen die opstond om het blikje in de afvalemmer te deponeren.

'Nee. Dat ging mij geen zak aan, vertelde hij mij.'

'Kunt u ons vertellen hoe het dan gegaan is? Hij bood u geld om de moord te plegen en u hebt niet geweigerd. Inmiddels is Floris van der Zwan vermoord. Toch zegt u de moord niet gepleegd te hebben. Hoe verklaart u dit?'

'Ik was bang voor Evert. Hij heeft een slechte naam. Dus toen hij kwam, heb ik gezegd dat ik het zou doen. Ik was helemaal niet van plan om op zijn verzoek in te gaan. Ik zei dat om hem aan het lijntje te houden. Van die dag af bleef hij me lastig vallen. Hij wilde weten wanneer ik het zou doen. Ik heb hem daarom gezegd dat ik de klus door iemand anders wilde laten opknappen. Die persoon zat op dat moment in de bajes en ik hoopte daarom dat Evert er vanzelf over zou ophouden. U moest eens weten hoe vaak hij mij gebeld heeft! Hij bleef druk op mij uitoefenen. Maar ik hield vol dat ik iemand anders voor de klus had, en dat hij nog even geduld moest hebben. Uiteindelijk liet hij niets meer van zich horen. Ik was het alweer vergeten tot ik van de moord in de krant las.' In plaats de politie direct van zijn kennis op de hoogte te stellen, had hij daarmee gewacht tot er een interessante beloning in het vooruitzicht gesteld was. Het verwonderde Petersen niet.

'Om hoeveel geld ging het eigenlijk?'

'Ik kreeg 10.000 euro aangeboden. Ik wilde een voorschot van duizend euro van hem hebben, maar toen werd hij pas echt pissig.'

Er was nog een vraag die Petersen te binnen schoot. 'Wie was de persoon die u op het oog had?'

'Dat is de persoon die ook met de moord in verband gebracht wordt. Ik volg de krant. Het is eigenlijk best spannend om te volgen. Ik vroeg me af wanneer jullie Evert zouden pakken.'

'Dat is geen antwoord op mijn vraag.'

'Kars Becker. Ik heb Evert zijn naam genoemd, want hij kende Kars ook en wist dat die in de bajes zat. Nou, als Kars de moordenaar is, dan weet ik wie hem daartoe de opdracht gaf. Als jullie hem arresteren, wil ik de beloning opstrijken.' Het dubbele bedrag van wat hem door Evert de Heus was aangeboden!

-

Vrijdag 11 oktober 15.30 uur

'Bert Timmer is geen lieverdje, maar ook geen moordenaar', zei Bram Petersen tegen zijn districtschef. Hij had informatie over de verdachte ingewonnen. Bert van de Ven was zijn echte naam. De Utrechtenaar had een uitgebreid strafblad.

Griesink keek hem vanachter zijn bureau gespannen aan. Hij had zojuist gehoord, met welke beschuldiging Timmer alias Van de Ven aan het adres van Evert de Heus was gekomen. Hij zuchtte diep.

'Aan verdachten hebben we geen gebrek', zei hij, met zijn blik op de sigaar die op de rand van de asbak rustte. 'Sinds we weten dat Van der Zwan tegen zijn vrouw loog, lijkt het alsof we een blik verdachten hebben opengetrokken. Gert Daalwijk uit Amersfoort bedreigde Floris van der Zwan, en Evert de Heus uit Utrecht ook. Wat meer zullen we nog tegenkomen?'

'De vraag is, of De Heus de opdrachtgever is, of dat hij slechts een schakeltje uit de keten is. Bert Timmer zegt dat De Heus Kars Becker inhuurde. Maar De Heus staat bekend als iemand die incasso's verricht voor mensen als Rudolf van der Zwan en Henk Winsemius.'

'En hoe zit het met die man in Wijk bij Duurstede?'

'Van Middelstum?'

Griesink knikte.

'Daar is niets van bekend', antwoordde Petersen. 'Hij was eigenaar van een keten van reisbureaus, maar die heeft hij van de hand gedaan. Sindsdien leeft hij in alle rust. Misschien heeft hij zich met het criminele beziggehouden. Dat is nooit bewezen. Ik heb wel mijn bedenkingen. Hij heeft in Wijk bij Duurstede veel panden laten opknappen. Ideaal om zwart geld wit te wassen. Nee, ik denk niet dat hij de opdrachtgever is. Waarom zou hij dat lijk in zijn eigen lijkkist stoppen? Het trekt de aandacht naar hem toe, en daar zal hij juist geen behoefte aan hebben. Niet op die manier. Misschien dat hij een motief had, en dat is al vergezocht.'

'Maar, hij kende het slachtoffer. En hij kende Kars Becker. Ik ga de officier van justitie om een huiszoekingsbevel verzoeken, Bram.'

'Oh?'

'Net voor jij kwam, heb ik iets te horen gekregen. Dat huis met de kelder waarin Floris van der Zwan werd gevonden, daarvan is bekend dat Van Middelstum de eigenaar is. Hij heeft hem ook laten restaureren. Hij moet geweten hebben van de kelder. Ideaal om een ontvoering en een moord te plannen.'

-

Vrijdag 11 oktober 21.20 uur
Een week nadat Manuela hun relatie beëindigd had, stapte Ronald Bloem voor het eerst sinds maanden zijn favoriete café in het centrum van Veenendaal binnen. Achteraf kon hij niet zeggen wat hem precies had gemotiveerd om die stap te nemen. Misschien kon hij, nu het weekend begonnen was, niet tegen het alleen zijn. Misschien had hij de behoefte om eens met iemand te praten, waar hij op zijn werk de kans niet toe kreeg door alle drukte. Bram Petersen had hem al een keer verweten dat hij zijn gedachten er niet bij had. Met een uiterste inspanning lukte het hem zich op het onderzoek te concentreren.

De vertrouwde geur van menselijke aanwezigheid en de gezellige stroom van stemmen roken en klonken hem als een welkom in neus en oren. Zijn ogen zagen onmiddellijk een aantal bekende gezichten, waaronder dat van John van Keeken.

Hij had geen zin in geruzie over de poging die zijn collega ondernomen had met Manuela aan te pappen. Ze had hem voor de zoveelste keer afgewezen en daarom was het zinloos het ter sprake te brengen. Tegelijk schaamde Ronald Bloem zich voor zijn aanstellerij, zoals hij in razernij naar Manuela's flat was gereden en zijn wantrouwen had geuit. Ook zij vond John kennelijk van tijd tot tijd irritant. Daarom kon hij beter oude ongenoegens over Johns pogingen om Manuela te kapen begraven.

'Hé, Ronald, wil je wat drinken?', groette zijn collega luidruchtig. Hij stond tegen de bar geleund, met de benen gestrekt over elkaar en de elleboog van de linkerarm op de bar. Zo stond hij half gekeerd richting een jonge vrouw naast hem, van wie Bloem alleen de rug en haar prachtige blonde haar kon zien dat tot halverwege op de rug lag.

Op de woorden van John van Keeken draaide zij zich om, zodat ze de nieuwkomer kon zien. Ronald Bloem herkende haar meteen, maar wist niet meer waarvan. Bij het zien van haar gezicht, golfde de schok der herkenning door zijn onderbuik.

Ze was mooi. Ze had een slank postuur. Haar vriendelijke gezicht werd omlijst door zijdezacht haar. En die dofgrijze ogen van haar, besefte hij, terwijl hij blosjes op haar gezicht zag komen, keken tot in het diepst van je ziel.

'Ik geloof dat je Dominique al kent?', zei Van Keeken.

Toen schoot het door Bloem heen.

'Van hotel "Figi"?'

Hij had haar van de zomer ontmoet, toen hij in het onderzoek naar de dood van Jeltje van Dam uit Doorn naar het hotel in Zeist was gereden. Daar moest hij een verdachte spreken. Dominique van Zuylen had hem als receptioniste geholpen de verdachte te traceren, van wie hij alleen een voornaam had gehad.

'Zo, dat je dat nog weet', sprak ze stralend. Ze schudde de hand die hij uitstak. 'Jij bent Ronald Bloem.'

'Ben je hier voor het eerst?'

Voor zij kon antwoorden stak John van Keeken hem een glas bier toe. 'Ze komt hier elk weekend.'

'Eigenlijk pas sinds begin september', vertelde ze.

Dus kort na hun eerste kennismaking in Zeist, begreep Bloem. Hij herinnerde zich hoe ze hem toen met grote, bewonderende ogen had aangekeken, alsof hij een beroemdheid was van wie ze al jaren fan was.

Ronald Bloem liet de schuimkraag een snor op zijn bovenlip groeien. Daarna zette hij het halfvolle glas op de bar. Het puntje van zijn tong veegde het schuim weg. 'Woon je hier in Veenendaal?'

'Nee, ik woon nog steeds in Zeist. Ik heb een appartementje vlakbij mijn werk.'

'Hoe ben je hier dan verzeild geraakt?'

'Toevallig', antwoordde ze glimlachend op zijn spervuur van vragen. 'Ik kwam hier en ik vond het wel gezellig en daarom ben ik gebleven.'

'De eerste keer heb ik de hele avond met haar gekletst', vertelde John van Keeken. 'Ze was echt helemaal verbaasd dat ik jou ken. Ik heb nog geprobeerd om haar te versieren, maar ze wilde het alleen maar over jou hebben.' Hij zei het met een knipoog.

'Oh!', riep ze uit, alsof ze het niet waar was. Ze gaf hem een duw. Maar een woordelijke ontkenning volgde niet.

'Sorry hoor,' zei Van Keeken, 'ik ga eerst even sassen en daarna een sigaretje paffen.'

Met die woorden liep hij weg, zodat Ronald Bloem met Dominique alleen achterbleef.

Hij ging aan de bar staan. Hij wist even niet wat te zeggen en daarom liet hij de laatste helft uit het glas in zijn keel glijden.

Ondertussen inhaleerde hij haar parfum. Het verbaasde hem hoezeer het genot daarvan hem opwinden kon. Onmiddellijk kwam Manuela weer in zijn gedachten bovendrijven. Wanneer had hij voor het laatst vlinders in zijn buik gevoeld, zoals hij die nu had? Waar was de verliefdheid gebleven, de momenten van geluk? Was de sleet al in hun relatie gekomen, lang voordat hij er oog voor had? Of was de hele discussie over trouwen of niet tussen hen in komen te staan, en had hij daardoor de mooie kant van hun relatie uit het oog verloren? Waarschijnlijk was dat slechts een symptoom geweest, van wat er werkelijk mis was.

Bloem werd in zijn overpeinzingen gestoord door de jonge vrouw.

'Ben je altijd zo verlegen?', vroeg Dominique met een goedmoedig stootje, waarmee ze hem uit zijn gedachten losmaakte. Ze plaagde hem. 'Je bent echt geweldig gezelschap voor een eenzame jonge vrouw als ik.'

'Sorry, mijn gedachten waren er even niet bij.'

'Problemen?', informeerde ze voorzichtig. Haar glimlach was weg. Ze kwam dichter bij hem staan terwijl haar stem omlaag ging. Hun schouders raakten elkaar.

'Mijn vriendin heeft het uitgemaakt.'

'Oh, sorry, dat wist ik niet.'

'Ach, dat geeft ook niet', zei hij met een glimlach, zonder haar aan te kijken. 'Misschien ben ik ook wel toe aan iemand anders.'

'Het kan anders heel rot zijn', sprak ze meelevend. 'Ik heb vier jaar verkering gehad en van de ene op de andere dag maakte hij het uit. Zomaar! Ik ben toen helemaal afgeknapt. Ik studeerde, maar met mij en de studie werd het niets meer. Ik kon me gewoon niet meer concentreren. Vier jaar had ik alles met hem gedeeld, en opeens schoof hij me opzij alsof ik bij het oud vuil hoorde. Mijn ego liep een flinke deuk op. Vandaar dat de studie mis ging. Daarom ben ik in een heel ander vak terechtgekomen.'

'Wat studeerde je?', vroeg hij belangstellend.

'Sociologie.'

'Heb je er spijt van?'

'Eerst wel. Maar ik kon het niet langer volhouden. Ik had teveel gemist. Het ligt al een paar jaar achter me. Nu spijt het me helemaal niet meer. Ik heb in mijn huidige baan ook voldoening. Als ik was blijven studeren, had ik vanavond hier niet gestaan.' En had ze hem niet ontmoet, leek ze te willen zeggen. Haar beminnelijke glimlach kwam weer op het gezicht. 'Als ik wil, kan ik later de studie oppakken.'

Er was iets aan haar dat hem geweldig aantrok, maar hij wist niet wat. Nu ze zo vertrouwelijk tegen hem aan stond te praten, kon hij met moeite de verleiding weerstaan haar in de armen te nemen en op de lippen te kussen. Kon hij dat maar met Manuela doen. Waarom moest zij zich zo moeilijk opstellen?

'Ik ben wel oplettender geworden', vertelde ze rustig verder. 'Ik zou niet nog eens zoiets willen doormaken als toen. Als ik nog eens verkering krijg, hoop ik dat hij voor mij de ware is. Ik heb gemerkt dat ik ontzettend aan iemand kan hechten.'

'Daarom kwam het zo als een klap', reageerde hij, waarbij hij vooral aan zijn eigen situatie moest denken. 'Toen je werd losgelaten scheurde het als het ware los.'

'Precies.' Ze knikte ten teken dat ze zich begrepen voelde. 'Daarom ga ik niet zo gauw meer relaties aan. Ik ben voorzichtiger. Maar ik sluit me er niet voor af, als je dat soms denkt. Ik heb een leerzame ervaring erbij en daarom maak ik geen haast.'

'Als je je daar nu goed bij voelt', zei hij.

'Nou, dat is het niet helemaal. Toch denk ik dat ik in een relatie gelukkiger zal zijn.'

'Bedoel je geluk als een voortdurende toestand of momenten van geluk?'

Ze gaf te kennen dat ze begreep wat hij wilde zeggen. 'Het zijn vooral momenten, dat je merkt dat je gelukkig bent. Dat heb ik in mijn vorige relatie ook ontdekt. Het was een aaneenschakeling van momenten van geluk. De diepste momenten van geluk in mijn leven heb ik tijdens die verkering beleefd. Dat laat me zelfs nu niet los. Het is toch een periode in mijn leven, waar ik voortdurend aan terugdenk. Ik heb nu het gevoel dat ik niet alles uit het leven haal.'

'Alsof je leven toen in bloei stond?' Hij herkende het bij

zichzelf. Sinds hij Manuela had leren kennen, had hij zich zelden zo goed gevoeld. Nu het voorbij was, liet het zo'n knagend, leeg gevoel achter.

'Ja. En het klinkt misschien ouderwets, maar ik denk dat er misschien maar één man is die bij mij past en met wie ik gelukkig zal worden. Die hoop ik nog te ontmoeten. Daarom maak ik geen haast. Hoe kort geleden is het dat je vriendin het uitgemaakt heeft?'

'Een week', vertrouwde hij haar toe.

'Hield je van haar?'

Hij knikte. In het kort vertelde hij hoe het gegaan was. Alleen de grote lijnen, want hij had er geen behoefte aan de diepste van zijn gevoelens aan haar bloot te leggen.

'Dan weet ik hoe rot je je nu voelt.'

'Helemaal onverwacht kwam het niet, zoals in jouw geval.'

'Toch lijkt het me dat ook niet erg fijn. Ik kon in die tijd met mijn verhaal bij mijn ouders terecht en dat was een hele opluchting. Kun jij er met iemand over praten? Met vrienden?'

'Ja', sprak hij aarzelend.

Veel tijd had hij de afgelopen week echter niet gehad om vrienden te ontmoeten. Het onderzoek naar de ontvoering en moord op Floris van der Zwan had veel tijd opgeslokt. Daarom sprak hij er vanavond voor het eerst sinds zijn gesprek met Mignon van Elshout openlijk over. Het deed hem goed een gesprekspartner te hebben die zijn gevoelens niet belachelijk maakte.

John van Keeken keerde van het toilet terug met een sigaret in de mondhoek. 'Zo,' brabbelde hij tussen de lippen door, 'ik heb even heerlijk een splinter uit mijn achterste getrokken. Stinken, joh!'

Het gesprek kwam vanuit de diepte meteen naar de oppervlakte en kabbelde rustig door. Ronald Bloem bood hen nog wat te drinken aan, maar zij sloeg het aanbod vriendelijk maar beslist af.

'Je bent toch met de bus gekomen?', vroeg John van Keeken verbaasd die het als vanzelfsprekend beschouwde het glas te aanvaarden. Hij had al aardig wat pilsjes op en hij zou het café niet verlaten voor hij flink aangeschoten was. 'Je hoeft niet te rijden.'

'Moet je nog helemaal met de bus terug naar Zeist?', vroeg Bloem verwonderd. Hij vond het een flinke reis.

'De bus terug gaat niet meer. Ik loop naar het station en ga dan met de trein naar Driebergen-Zeist. Daar moet ik met een andere bus. Het is een heel gedoe allemaal.'

'Dat meen je niet!' Hij zette zijn glas op de bar. 'Zal ik je naar huis brengen? Ik heb de auto hier vlakbij staan.'

Ze overwoog het aanbod even. Toen hij verzekerd had, dat het voor hem echt geen moeite was, aanvaardde ze het. 'Heel graag, dan!', zei ze, stralend.

-

Zaterdag 12 oktober 9.10 uur

Zaterdagochtend keerde Ronald Bloem op het bureau terug waar hij het vriendschappelijke gemopper van John van Keeken aanhoorde. Die vertelde dat hij bonkende hoofdpijn had. Het was weer laat geworden en de nachtrust veel te kort en onrustig. Maar hij was gekomen omdat Petersen erop had gestaan dat ze op zaterdag doorwerkten. Bloem kon een grijns niet onderdrukken toen zijn collega Petersen voor een slavendrijver uitmaakte.

'Zo,' zei Van Keeken nadat hij zijn hart gelucht had, 'ik had gedacht dat jij nog in Zeist zou zitten.' Hij keek even naar de andere collega's. 'Ronald heeft een vriendin van mij naar huis gebracht. De lieftallige Dominique. Was het gezellig, Ronald? Een romantische nacht?'

Bloem schudde het hoofd. 'Ik heb haar alleen afgezet en

toen ben ik naar huis gegaan.'

'Dat maak je mij niet wijs.' Hij ging op de rand van Bloems bureau zitten. 'Heeft ze niet gevraagd om binnen te komen om iets te drinken?'

'Nee.' En eigenlijk had hij dat jammer gevonden, want hij had geconstateerd dat er bij hem ongemerkt snel een gevoel van verliefdheid was ontkiemd. Sinds hij bij haar weggereden was, was het gevoel hevig gaan groeien. Er ging iets verslavends uit van haar aanwezigheid, alsof hij bij haar genegenheid vond die hij van Manuela moest missen. Tegelijkertijd riep het een schuldgevoel tegenover Manuela op. Raar was dat. De verkering was immers uit en tussen hem en Dominique was niets gebeurd. Niets fysieks tenminste. Hij had alleen langer met haar willen praten. Hij had zich prettig bij haar gevoeld. Een gevoel dat de leegte in zijn hart wegdrukte die Manuela had achtergelaten. Hij had er op dit moment gewoon enorme behoefte aan.

'Ik kan het gewoon niet geloven! Ze komt nu al een paar maanden in mijn stamkroeg. Elke keer bied ik haar aan naar huis te brengen. En wat zegt ze dan? Nee! Jij komt een keertje gezellig doen, en ze kan niet wachten om er met je vandoor te gaan. Je hoeft mij niet te vragen waar zij op uit is!'

'Jaloers?'

'Ik? Natuurlijk!' Van Keeken lachte luid. 'Tenzij jij die Manuela voor mij kunt regelen. Dat lijkt mij een prima deal!'

'John!' Bram Petersen was opgestaan. Iedereen keek nu op. 'Als jullie willen praten, doen jullie het maar op de gang. Er moet hier wel gewerkt kunnen worden.'

'Hebben jullie Evert de Heus dit weekend niet ingerekend dan?'

'Hij is niet thuis', vertelde Steven Bosma. 'Zijn vriendin zal vanochtend komen voor verhoor.'

-

Zaterdag 12 oktober 9.55 uur

Lizelotte Vermeer woonde geruime tijd met Evert de Heus samen. Ze kende hem al zes jaar en was in 1999 bij hem ingetrokken. Vanochtend was ze uit hun woonplaats Nieuwegein naar Veenendaal gereden.

Ze was eind dertig, had kort, geblondeerd haar en een mollig postuur. Haar lippen waren met lipstick bewerkt. Het vurige rood contrasteerde met een overigens flets gezicht. Nerveus draaide ze op de stoel in de verhoorkamer.

'Sta ik onder ede of zo?', vroeg ze, niet wetend wat ze moest zeggen. Ze keek schichtig naar de twee politiemannen die haar aan de tand zouden voelen. Petersen had instructies gegeven haar alleen te vertellen dat ze langs moest komen om een verklaring over haar vriend af te leggen.

'U staat niet onder ede.'

Rechercheur Petersen stak zijn hand uit en stelde zichzelf en Ronald Bloem voor. De twee namen tegenover haar plaats. Ze trok de kraag van haar suède jasje aan, alsof ze last had van tocht op de nek.

'Maar we verwachten wel dat u de waarheid vertelt. Alles wat u zegt, zal worden gecontroleerd. Mevrouw Vermeer, klopt het dat u samenwoont met Evert de Heus uit Nieuwegein?'

'Ja, dat klopt.' Ze zag hoe de jongste van de twee rechercheurs aantekeningen maakte.

'Waar was uw vriend een week geleden? Dus op zaterdag vijf oktober. We willen vooral weten waar hij 's middags tussen vier uur en half zes was.'

'Eerlijk gezegd weet ik het niet.'

Hij keek haar scherp aan. 'Hij was dus niet thuis, neem ik aan.'

Ze knikte.

'Was u thuis?'

'Ik ben de hele dag de deur niet uit geweest.'

'En uw vriend, heeft hij iets gezegd toen hij die dag van huis ging?' Petersen vond het belangrijk om dit te weten. De vermoedelijke opdrachtgever had immers rond 16.05 uur vanuit een Amersfoortse telefooncel naar Kars Becker gebeld. Dokter Van Barneveld had inmiddels ook gemeld dat nader onderzoek uitgewezen had, dat de moord waarschijnlijk aan het eind van die middag gepleegd was.

'Hij is die dag niet van huis gegaan, want hij was die nacht ook niet thuis.'

Petersen kwam niet veel verder. 'Kunt u ons dan vertellen wat u wél weet?'

'Ik zie Evert de laatste weken niet meer. Hij komt alleen thuis wanneer hij er zin in heeft.'

'Hij woont toch op hetzelfde adres als u?'

Lizelotte Vermeer streek zenuwachtig een hand door het haar.

'Wanneer hebt u hem dan voor het laatst gezien?', probeerde Petersen vervolgens. Het leek erop, dat hij weinig waardevolle informatie uit haar zou krijgen.

'Op een dinsdagavond. Twee weken geleden. Hij is toen thuisgekomen en de volgende ochtend is hij om tien uur met de noorderzon vertrokken.'

Dus hij had alleen de nacht met haar doorgebracht.

'U weet dat uw vriend verdacht wordt van criminele activiteiten?' Het archief had enige informatie over hem opgeleverd. Zo werd zijn naam met Winsemius in verband gebracht. Net als Kars Becker had hij enkele veroordelingen achter de rug. De laatste keer was anderhalf jaar geleden, toen hij een maand in de gevangenis had gezeten voor vernieling. Het was opmerkelijk dat de gedupeerde daarvan, ook een bekende van de politie, geen aangifte had gedaan. Maar zijn vrouw wel. Een poging tot schikking was door haar beslist van de hand gewezen en dat had geresulteerd in de veroordeling.

Ze knikte bedeesd.

'Ik heb me daar nooit mee bemoeid', was haar commentaar. 'Ik weet alleen dat hij voor allerlei klusjes op pad ging. Er werd regelmatig door mensen een beroep op hem gedaan. Maar waar het over ging, weet ik niet.'

'Hij wordt verdacht van medeplichtigheid bij het plegen van een moord.'

'Oh?', reageerde ze geschrokken. Met grote ogen staarde ze Bram Petersen aan. Haar handen kneep ze krampachtig in de schoot samen. 'Wat erg!'

'Kent u Bert Timmer, ook bekend als Bert van de Ven.'

'Evert heeft zijn naam een keer genoemd. Ik herinner mij dat hij hem aan de telefoon heeft gehad.'

'Bert Timmer is door uw vriend benaderd met het verzoek een moord voor hem te plegen. We moeten op dit moment nog gokken naar het motief, en daarom willen we uw vriend spreken.' Er was zelfs een arrestatiebevel verspreid. De verklaring van Bert Timmer was reden genoeg om de verdachte in hechtenis te nemen.

'Wilt u weten of er een motief is?'

'Is hij de laatste tijd ergens boos over geweest?'

Dat bleek het geval te zijn. Lizelotte Vermeer vertelde hoe haar vriend enkele maanden geleden erg kwaad was geweest, omdat hij een financiële strop geleden had. Het fijne wist ze er niet van, maar het had met de aanbetaling voor een auto te maken. Iemand wilde een auto kopen en moest een aanbetaling doen, en dat geld had haar vriend als tussenpersoon tussen koper en dealer voorgeschoten. Maar omdat de auto gestolen werd, ging de koop niet door.

'U weet niet wie hij voor de financiële strop verantwoordelijk hield?', vroeg Bram Petersen.

Ze schudde haar hoofd. 'Maar het verbaast me niets dat Evert een moordenaar is.'

'Hoezo?'

'Omdat ik denk dat hij ook achter de dood van een vriendin van mij kan zitten.'

Ronald Bloem keek verrast van zijn notitieblokje op.

'Daniëlle. Ze was een hartsvriendin van mij. Zij werd in 1998 lafhartig vermoord.'

Hoofdstuk 20

Zaterdag 12 oktober 11.15 uur

'De zaak is indertijd door onze collega's van district Lekstroom behandeld', legde Petersen op vlakke toon uit. Hij zat in het benauwde kantoortje van Theo Griesink om mondeling verslag te doen van het gesprek met Lizelotte Vermeer. Dat de districtschef ook op zaterdag present was, was iets dat zelden voorkwam. Hij was zelfs 's ochtends vroeg al in Wijk bij Duurstede geweest, voor de huiszoeking in het "Veerhuis".

'Een dader heeft dat nooit opgeleverd.'

Het bureaublad kreunde onder het gewicht van de districtschef. Zijn dikke onderarmen steunden op het bureau, terwijl hij naar voren overhelde. De onafscheidelijke sigaar smeulde op het randje van de asbak.

'Zeg mij, Bram, was die Evert de Heus een reële verdachte?'

'Ik heb met onze collega's contact gehad om mij te laten inlichten. Evert de Heus was vanaf het begin de belangrijkste verdachte. Dat bleek uit vrijwel alle getuigenverklaringen. De aanwijzingen dat hij die moord gepleegd had, waren heel sterk. Maar er kon geen doorslaggevend bewijs gevonden worden. Daarmee was het onderzoek afgelopen.'

'Vertel wat er gebeurd is. Wie werd er vermoord?'

In het kort vertelde Bram Petersen wat hij uit het dossier te weten was gekomen. Het slachtoffer was Daniëlle van der Kamp, met wie Evert de Heus op dat moment samenwoonde. Uit verschillende verklaringen werd duidelijk dat zij een verhouding had met de overbuurman. Ze kwam regelmatig bij hem over de vloer. Die buurman werd op een gegeven moment bijna overreden door een blauwe auto van een Japans merk. Precies zo'n type auto in die kleur bleek De Heus te hebben.

'Was het een aanslag vanwege die verhouding?', vroeg Griesink die met zijn sigaar wuifde om de monoloog te onderbreken.

'In de buurt werd dat beweerd. De geruchten werden sterker, toen duidelijk werd dat er inderdaad een verhouding was. Want zij trok bij haar buurman in. Ze beweerde dat ze door haar vriend mishandeld werd. Evert de Heus moet woedend gereageerd hebben. Tegenover anderen liet hij zich uit over de gang van zaken, dat hij het niet zou pikken. Kort daarop werd Daniëlle van der Kamp vermoord. Ze werd in de keuken gevonden, badend in een plas bloed.'

'De keuken van de overbuurman?'

'Ja. Met drie kogels door haar hoofd was ze vermoord. Sectie wees uit dat het ging om zogeheten contactschoten, waarbij het pistool tegen haar hoofd gehouden moet zijn. En dat zou duiden op een enorme haat van de dader jegens het slachtoffer. Alles wees daarmee op De Heus. Van hem wordt gezegd, dat hij niet met zich laat spotten.'

'Het is geen doorslaggevend bewijs', merkte de districtschef op. 'Hoe zat het met zijn alibi?'

'Er was geen alibi', antwoordde Petersen. 'Hij was op het moment van de moord thuis en dus kan hij de straat overgestoken zijn en het gedaan hebben. Maar er was meer dat tegen hem gebruikt kon worden. Uit afgetapte telefoongesprekken bleek, dat hij contact had met een Belgische wapenhandelaar. Het moordwapen was in de winkel van deze persoon gekocht. Er waren tegenstrijdigheden in de verschillende verklaringen die hij heeft afgelegd.'

'Dat verandert de zaak. Dus, het is waarschijnlijk dat hij de moordenaar was. Is dit voor de rechter gekomen?'

'De Heus werd gedagvaard om voor de rechter te verschijnen. Deze dagvaarding is later ingetrokken door de officier van justitie.'

Theo Griesink begreep dit niet. 'Waarom dan? Dat is toch niet in de lijn der verwachting?'

'Er werd door de advocaat van de verdachte beweerd, dat dit gebeurde omdat de politie gebruik had gemaakt van een verboden afluistertechniek. Bij een rechtszaak zou dat boven water zijn gekomen, en dat zou gezichtsverlies zijn geweest voor het Openbaar Ministerie. Daardoor heeft Evert de Heus zich nooit voor de rechter hoeven te verantwoorden.'

-

Zaterdag 12 oktober 13.40 uur
'Zijn we er?', vroeg hij op een toon, die zijn irritatie niet verhulde. Natuurlijk kon hij zien dat ze er waren. Ze stonden met de Bentley immers vlakbij de hoofdingang van het ziekenhuis.

Met de handen stevig op de knop van zijn wandelstok, keek Rogier van Middelstum de ander in de nek. Vanuit de rug krioelde een spoor van fijne krulhaartjes omhoog om over te gaan in de weelderige bos dat het hoofd van zijn chauffeur bedekte. Een behaarde rug!

Als Van Middelstum ergens van gruwde, was het van mannen die een aapachtige gestalte kregen door overvloedige haargroei. Hij had eens een man in een zwembroek gezien die net een mensaap leek, zo was zijn rug behaard! Het was op een strand aan de Vlaamse kust. Jaren geleden! Het meest onvoorstelbare, en daarom had hij het voorval onthouden, was dat deze aapmens vergezegeld werd door een bijna onmogelijk knappe vrouw. Hadden die haren soms invloed op de mannelijke aantrekkingskracht? Dan moest Willems zijn rug onmiddellijk laten scheren, of beter, de haren laten epileren. Het was een onaanvaardbare gedachte dat de chauffeur zich liet afleiden door vrouwelijk schoon.

'We zijn er, meneer.'

'Willems, waarom scheer je de haren niet van je rug?'

'Is het zo erg, meneer?' Hij probeerde tevergeefs bij zichzelf in de kraag te gluren.

Rogier van Middelstum schudde zijn hoofd geërgerd. Niets kon hem vandaag in een betere stemming brengen. Zijn humeur had flink te leiden sinds Rudolf van der Zwan woensdag gebeld had. Vanochtend had de door hem gevreesde huiszoeking plaatsgevonden, waarbij de dikke districtschef persoonlijk aanwezig geweest was. Van Middelstum noemde dit een betreurenswaardig incident. Sinds dat ogenblik stond niets hem aan en iedereen moest het weten. Ook zijn chauffeur. Die wist wel dat hij zich anders nooit druk maakte over de haren van Willems. Maar ook hij moest zijn ongenoegen met alles om hem heen merken, vond Van Middelstum.

'Je lijkt meer op een chimpansee in een goed pak dan een mens', sprak hij laatdunkend. 'Het ziet er niet uit.'

'Ik zal er wat aan laten doen, meneer.'

De chauffeur stapte uit. Eerst veegde hij wat huidschilfertjes van zijn schouders. Vervolgens liep hij om de auto en opende het portier van de Bentley.

'Terwijl ik naar binnen ga,' zei Van Middelstum bij het uitstappen, 'zoek jij een kapper op om er wat aan te laten doen.' Hij stak de ander een bundeltje biljetten toe. Dat moest meer dan toereikend zijn om de rekening te betalen.

Hun wegen gingen uiteen.

Met de lift bereikte Van Middelstum de eerste verdieping. Het bezoekuur moest nog beginnen. Hij had het precies zo uitgekiend. Het zou niet lang meer duren voor hele volksmassa's de gangen zouden bevolken en de zalen in stromen. Die moest hij voor zijn.

Het kamertje van Rudolf van der Zwan was gauw gevonden. Hij was alleen. Van Middelstum stapte binnen zonder kloppen, zonder groet, zonder enig blijk van medeleven met zijn zwaargewonde vriend. Zelfs de blik die hij de ander toewierp was koud, onvriendelijk.

Hij nam op een stoel naast het bed plaats.

'Rogier', brabbelde de gewonde. Het praten ging nog moeilijk. Naar het gebroken gebit moest nog gekeken worden.

'Je hebt gefaald, Ruud', was het eerste dat Van Middelstum zei. De wandelstok stond recht overeind en de beide handen leunden op de metalen knop waarmee de stok een indrukwekkend wapen was. 'En ik houd niet van mensen die falen. Je bent andermaal stom geweest. Je hebt het zelf willen doen. Ik hoor dat je zo de politie naar Winsemius hebt geleid door die stommiteiten. Als je iets doet, gebruik dan je eigen mensen en ga niet zelf lopen klunzen. Dit is beneden je waardigheid. Ik verbied het je nog een vinger naar Winsemius uit te steken.' Hij hief belerend een wijsvinger, waarbij de donkere krulletjes aan weerszijden van zijn hoofd trilden. 'Denk erom! Geen actie van jouw kant. Je kunt meer schade aanrichten. Ik heb uit voorzorg al mijn schilderijen elders onder moeten brengen.' Daar was hij zeer ontstemd over. Gelukkig had iemand van het districtsbureau in Veenendaal hem persoonlijk gewaarschuwd en had hij maatregelen kunnen nemen. Het risico was levensgroot dat hij zo kort voor zijn sterven alsnog ontmaskerd zou worden. En dat door het prutswerk van zijn vriend. 'De politie heb ik al over de vloer gehad.'

'Floris moet gewroken worden', siste Van der Zwan vastberaden.

Hij wilde overeind komen om zijn woorden kracht bij te zetten, maar met een van pijn vertrokken gezicht gaf hij op. Rogier van Middelstum zag hem naar zijn gekneusde ribben grijpen, zonder ze aan te raken. Elke beweging was kennelijk een kwelling.

'Laat het nu een zaak van de politie zijn. Bert Timmer is bij hen geweest om ze op de goede weg te helpen. Wist je dat hij door De Heus benaderd is om de moord op je zoon te laten plegen?'

'Wat?' Hij gromde. 'We hadden dit kunnen weten!'

'Nu weet de politie het', merkte Van Middelstum op. 'We zullen moeten afwachten of ze slim genoeg zijn om het raadsel op te lossen. Anders helpen we ze nog een handje. Maar zelf blijven we aan de kantlijn staan. Begrepen?'

'Flikker op, man!'

-

Zaterdag 12 oktober 13.50 uur

Ronald Bloem kwam met een opgewekt gezicht de projectruimte binnenlopen.

'Evert de Heus is gearresteerd', kwam hij melden.

'Waar?', vroeg John van Keeken meteen. Hij liet zijn werk rusten.

'In Soest. Het schijnt dat hij daar de laatste weken gewoond heeft. Hij heeft een andere vriendin, bij wie hij ingetrokken is.'

'Hij woont officieel nog samen met Lizelotte Vermeer', sprak Inge Veenstra verbaasd.

'Een schatje in ieder stadje', merkte Van Keeken lachend op. 'Dat is het grote ideaal dat ik ook ooit eens wil nastreven. Wat een prachtkerel. Die krijgt iedere vrouw plat!'

'Waarschijnlijk is hij een moordenaar', riep zijn vrouwelijke collega ontstemd. Ze had er een hekel aan als haar collega zo over vrouwen sprak. 'Die noem jij een prachtkerel!'

'Ach, er kan niet alles slecht zijn aan hem.'

'Hij wordt over twintig minuten binnen verwacht', vertelde Bloem nog. De blonde rechercheur zocht zijn werkplek weer op.

-

Zaterdag 12 oktober 14.30 uur

Sinds het nieuwe districtsbureau er gekomen was, had Petersen nog niet zo vaak van de verhoorkamer gebruik gemaakt als hij de laatste dagen had gedaan. Ook ditmaal zocht hij die sombere cel op voor het verhoor met de arrestant.

Helemaal hetzelfde als de vorige keren was dit gesprek niet. Dit keer werd het verhoor volgens de officiële richtlijnen opgenomen, zodat het later gebruikt kon worden. Desondanks vroeg hij Ronald Bloem zijn notitieblokje mee te nemen om korte aantekeningen over de hoofdpunten in het verhoor te maken.

Evert de Heus was een indrukwekkend persoon. Hij had het postuur van een bodybuilder, terwijl er van zijn manier van voortbewegen iets dierlijks uitging. Het waren de steelse bewegingen van een luipaard die met de tong uit de bek zijn prooi nadert. Zo hijgde De Heus ook als hij praatte. Het had een intimiderend effect. Vooral de sluwe manier waarop hij een ander aan kon kijken, kon op mensen die er niet op voorbereid waren, verlammend werken. Wat vrouwen in hem zagen, was Petersen een raadsel.

De eerste vraag die hij de ander stelde, was degene die Lizelotte Vermeer onbeantwoord had gelaten.

'Waar was u vorige week zaterdag van vier uur tot half zes?'

'Weet u het nog?', was de wedervraag.

In de ogen van de ander zag Petersen, dat De Heus besloten had in de aanval te gaan. Met glinsterende ogen keek hij de rechercheur onafgebroken aan, terwijl zijn gespierde armen op de tafel tussen hen in rustten.

'Moet ik alles registeren, zodat ik een logboek kan overhandigen elke keer als u mij arresteert?'

'Probeert u mijn vraag te beantwoorden.'

'Dat zal niet gaan lukken. Misschien was ik thuis.'

'Gisteren is Bert Timmer hier geweest', zei Petersen. Hij zweeg een moment om de reactie van de ander af te wachten. Maar die zei niets. De blik bleef onveranderd. 'Hij heeft over u een verklaring afgelegd. U weet dat wij de moord op Floris van der Zwan onderzoeken?'

'Nee. Is die vermoord dan?' Hij deed alsof hij totaal niet onder de indruk was.

'Dat is uitgebreid in het nieuws geweest', zei Ronald Bloem.

'Sorry, dat volg ik niet. Of is dat tegenwoordig ook verplicht?'

Rechercheur Petersen negeerde de toon van de arrestant. 'Kunt u ons vertellen, waarom u enkele maanden geleden Bert Timmer benaderd heeft?'

'Ik neem aan dat hij bij u al een lulverhaal heeft opgehangen.'

'U zou hem benaderd hebben om de moord te plegen.'

'Lachwekkend', vond De Heus. 'Hoe komt hij erbij! Weet u, hij had schrijver moeten worden. Zoals die kan liegen! Daar zakt je broek van af. En? Hebt u al kunnen ontdekken waarom ik Floris had willen vermoorden?'

'Daarover bestaan vermoedens', vertelde Bram Petersen. 'Wij hebben tot nu toe gehoord dat er een auto op bestelling gestolen werd. Deze auto werd door onze collega's in Utrecht onderschept, voor hij bij de klant afgeleverd kon worden. Het gevolg daarvan was dat de auto niet betaald werd. En u, meneer De Heus, zou een voorschot gegeven hebben, omdat u de tussenpersoon was tussen klant en handelaar. Wilde de klant het voorschot niet terugbetalen? Of besloot u zich te wreken op de persoon die ervoor gezorgd had, dat onze collega's van de deal wisten?'

De blik van de arrestant week voor het eerst af naar de tafel. Petersen begreep dat hij op het goede spoor zat.

'De heer Winsemius is ons behulpzaam geweest, evenals

uw vriendin. Het is genoeg om u voorlopig vast te houden op verdenking van betrokkenheid bij de moord. U hebt kennelijk ervaring met moorden, zoals de moord op Daniëlle Vermeer.'

Woest haalde Evert de Heus met zijn vuist uit. Het knalde in de verhoorkamer, nadat de vuist op de tafel neergedaald was. Everts ogen vlamden van woede.

'Hoe durft u daar weer over te beginnen! Dat is al vier jaar geleden en elke keer dat ik opgepakt wordt, willen jullie mij die moord in de schoenen schuiven.'

'Wilt u dan niet dat de moordenaar gevonden wordt? Zij was uw vriendin.'

'Daarmee ben ik nog niet de moordenaar. Goed, ik wil nu wel toegeven dat ik een aanslag op die klootzak van haar gepleegd heb. Ze was een hoer en een verdraaid goede leugenaar. Maar ik heb haar niet vermoord. Waarom hebben jullie alleen oog voor alles dat in mijn nadeel lijkt te zijn, maar niet voor alles dat in mijn voordeel spreekt. Het is altijd hetzelfde liedje. Jullie hebben een verdachte op het oog, en die moet het dan ook gedaan hebben, want anders leiden jullie gezichtsverlies.'

'Het moordwapen zou u van een vriend gekocht hebben', wreef Ronald Bloem hem onder de neus.

De arrestant keek de jonge rechercheur giftig aan.

'Ja, de waarheid verdraaien kunnen jullie als geen ander. Welk moordwapen? Er is nooit een moordwapen getraceerd. Ik heb nooit een wapen van het kaliber, dat gebruikt is, gekocht. Die vriend van mij kan dat bevestigen. Hij heeft al eerder verklaard dat hij nooit een dergelijk wapen aan mij verkocht of gegeven heeft.'

'En,' vervolgde hij op even felle toon, 'als ik het gedaan had, dan had ik bloedspatten op mijn kleren moeten krijgen. De patholoog-anatoom was het daarover eens. Nou, al mijn kleding is in beslag genomen en er is geen bloed aangetroffen. Dus er wás en ís geen bewijs dat ik het gedaan zou hebben. Jullie hebben er nooit naar willen luisteren, dat de overbuurman haar zelf vermoord heeft.'

'Waarom denkt u dat?', vroeg Petersen belangstellend.

'Zijn alibi deugde niet. Hij was zogenaamd weg om de auto te tanken. Maar hij was een uur weg. Het benzinestation is nauwelijks een minuut rijden vanaf de straat waar we toen woonden. Hij had binnen een halfuur terug kunnen zijn. Volgens mij heeft hij getankt en de auto ergens geparkeerd. Hij is via een steegje teruggekomen om haar dood te schieten.'

'Waarom zou hij dat gedaan hebben?'

'Weet ik veel. Ik weet alleen dat hij ook geen lieverdje was.'

-

Zaterdag 12 oktober 15.05 uur

'Wat een vent!', riep Bloem uit, toen ze door de gang liepen. Evert de Heus was naar zijn cel geleid. De twee rechercheurs keerden naar de gezamenlijke projectruimte terug. 'Wat zou een vrouw bezielen om met hem samen te willen wonen? Die Lizelotte verdenkt hem zelfs van de moord! Daniëlle was een hartsvriendin van haar. Toch is ze bij hem ingetrokken. Volgens mij moet zij wel een minderwaardigheidscomplex hebben om met zo'n vent te willen samenwonen.'

'Of ze denkt helemaal niet dat hij de moordenaar is', merkte Petersen op.

'Ze heeft het zelf gezegd!', reageerde Bloem vol ongeloof.

'Geloof jij alles wat je verteld wordt? Misschien wilde ze hem alleen verdacht maken.'

'Waarom?' Dit klonk de jonge rechercheur bizar in de oren.

'Ze is bij hem ingetrokken', legde zijn collega uit. 'Het huis is dus van hem, of het een huurhuis is of een koophuis. Nou, als hij voor een tijdje achter de tralies verdwijnt, heeft zij het huis voor haarzelf. Dat is vooral leuk, als het een koophuis is. De mogelijkheid bestaat ook, dat ze hem verdacht wil maken omdat zij zelf haar vriendin vermoord heeft.'

'Zij de moordenaar? Daar geloof ik niets van. Dat is het laatste dat ik zou geloven. Ze denkt echt dat hij haar vriendin vermoord heeft.'

'Laat je niets wijsmaken', zei Petersen. 'Als je het dossier van die moord erop naleest, zul je ontdekken, dat De Heus indertijd niet de enige verdachte was. Je moet nooit een verdachte uitsluiten, zolang daar geen gegronde reden voor is. Er was een aanleiding om aan haar te denken als dader en zij wist dat ze verdacht werd.'

'Echt waar?'

'Ze had bijvoorbeeld geen alibi.'

'En het motief?'

'Daar is naar gegist. Misschien had ze een oogje op De Heus en was de vriendin een rivale geworden. Zulke dingen gebeuren.'

Bloem had sterke twijfels. 'Maar als ze zoveel om De Heus geeft dat ze er een moord voor zou doen, waarom doet ze dan nu alsof hij de moordenaar was?'

'Mogelijk uit rancune. Hij heeft haar kennelijk voor een ander in de steek gelaten.'

'Net zoals Gert Daalwijk zijn vrouw.'

Petersen knikte. 'Daar lijkt het wel op.'

Hoofdstuk 21

Zaterdag 12 oktober 22.40 uur
Nu hij zich opengesteld had voor de gedachte, dat hij na Manuela een relatie kon hebben, kon hij geen moment naar haar lieve gezicht kijken zonder dat zijn hartslag versnelde. Dit was verliefdheid. Het gevoel dat je zwevend door het leven ging als zij je een blik waardig gunde, het gevoel dat je in het verderf kon storten zodra het idee postvatte dat je afgewezen werd. Maar Dominique had de hele avond alleen oog voor hem gehad. Hij zweefde op de thermiek van de liefde, bedwelmd door haar aanwezigheid!

Nadat hij zich omgekleed had, was Ronald Bloem naar het centrum van Veenendaal gereden, naar de stamkroeg van John van Keeken. Hij had half gehoopt dat hij Dominique van Zuylen daar weer zou ontmoeten en tot zijn vreugde was dat het geval geweest.

Weer hadden ze de hele avond in gezelschap van elkaar doorgebracht, pratend over allerlei onderwerpen. Dit was puur genot. Urenlang hadden ze een boom opgezet over de zin van het leven, en hij zag zijn gedachten daarover weerspiegeld in de hare. Ze hadden in een rustige hoek van het café gezeten, en toen zij opstond om naar huis te gaan, had ze zijn aanbod om haar weg te brengen heel natuurlijk gevonden.

Hij stond nu met de Mazda schuin tegenover haar appartement in de Montaubanstraat, twee straten van haar werk vandaan.

'Wil je misschien binnen nog een pilsje drinken?', bood ze ditmaal aan. Hij ging er gretig op in. Ze stapten uit en staken de straat over.

Ze had een ruim driekamerappartement dat gezellig was ingericht. Via een halletje kwamen ze in de woonkamer, waaraan een halfopen keuken grensde. Dominique maakte licht, zodat hij de kamer in alle glorie kon aanschouwen.

Bij de doorgang naar de keuken had ze een eettafel staan, waarboven een eenvoudige kroonluchter hing. Vlakbij de tafel was een kast tegen de muur geplaatst, waarop een aquarium stond die levendigheid aan de kamer gaf. Veelkleurige vissen zwommen rond temidden van zachtgroen loof dat sloom wuifde door de continue stroming die de waterververser veroorzaakte.

In het midden van de woonkamer stond een tafel met een vaas waarin fraaie roze bloemen van de hortensia op stelen stonden. Er stonden ook bloemen op de salontafel van de zithoek aan de raamzijde van de kamer. Hier waren twee diepblauwe zitbanken haaks op elkaar geplaatst. De televisie stond schuin naast de ene bank, zodat vanaf de andere bank ernaar gekeken kon worden.

Blauwgrijs was het tapijt. De muren waren wit gesaust. Er was nog een muurkast waarop een kleinere viskom stond, met een goudvis erin. Dominique had meer gedaan om de gezelligheid in haar woning te verhogen, want overal was sfeerverlichting aangebracht, in de meest sierlijke vormen.

'Wat een mooie kamer', zei Bloem spontaan, en hij meende het.

'Dank je', antwoordde ze, blij.

Gebiologeerd stapte hij op het aquarium af en keek hoe de vissen met lome interesse zijn aanwezigheid gadesloegen. Het was een goed onderhouden aquarium, want er was op de glazen behuizing geen spoor van algenvorming te ontdekken.

'Hier zul je vast veel werk aan hebben. Prachtig is het.'

'Het is een liefhebberij die ik van mijn vader heb overgenomen', reageerde zij vanuit de keuken. Hij hoorde haar de koelkast openen. Ze kwam terug met twee flesjes bier en glazen die ze op de salontafel zette. 'Hij heeft thuis een nog veel groter aquarium. Dat vind ik echt heel mooi. Als er niet zoveel werk in ging zitten, zou ik ook zoiets willen hebben.'

'Dan help ik je er wel bij', hoorde hij zichzelf aanbieden.

Ze glimlachte. 'Dat vind ik echt heel lief van je, Ronald. Maar je hebt er geen idee van wat erbij komt kijken. Het levert altijd problemen op als je op vakantie of een weekendje ertussenuit wilt gaan. Je bent er ontzettend gebonden door. Maar je mag me wel helpen, dan zul je het merken.'

'Afgesproken!' Hij kwam naar haar toe.

Nadat zij het rolgordijn voor de ramen had getrokken, ging zij op de ene bank zitten, hij op de andere.

'Van de zomer ben ik nog in Arnhem geweest, om de aquaria van het Burgers dierenpark te zien', vertelde Ronald Bloem. 'Echt prachtig is dat!'

'Ja, hè! Ik vind dat ook elke keer schitterend om te zien. Het aquarium van mijn vader is natuurlijk lang niet zo groot. Voor een amateur vind ik het echter heel bijzonder. Ik zou het je best een keer willen laten zien.'

'Lijkt me leuk.'

Hij goot de helft van het flesje leeg in het glas.

'Zijn hier in Zeist ook leuke cafés?', vroeg hij, terwijl hij het glas hief.

'Oh, best wel.' Ze volgde zijn voorbeeld. 'Maar ik ken hier mensen die ik soms liever niet tegen kom. Oud zeer.'

'Vandaar dat je helemaal naar Veenendaal reist.' Niet dat het alles verklaarde. Ze had ook Utrecht kunnen kiezen, of Amersfoort, of een van de dorpen in de nabijheid van Zeist. Ook daar waren talrijke uitgaansgelegenheden. 'John vertelde mij dat hij wanhopig geprobeerd heeft je te versieren.'

Dominique grinnikte. 'Hij heeft altijd sjans. Oh, begrijp me niet verkeerd. Ik vind hem reuze aardig. Maar ik geloof dat het tussen ons niets zou worden.'

'En hij maar aanbieden je naar huis te rijden.' Hij lachte. Maar zij niet.

'Nu je hier bent zal ik het je eerlijk zeggen, Ronald',

begon ze ernstig. Ze zette haar glas neer en leunde met haar rug tegen de kussens. Haar ene been sloeg ze over de andere en haar dofgrijze ogen keken hem strak aan. 'Ik ga nooit met het openbaar vervoer naar Veenendaal. Elke keer dat ik de lift van John afsloeg, had ik de auto honderd meter verderop geparkeerd.'

Ronald Bloem reageerde verwonderd.

'Ook nu?'

Ze knikte.

'Dus ik heb je al twee keer naar huis gereden, terwijl je eigen vervoer had?'

'Ja.' Ze sloeg de armen demonstratief over elkaar en keek hem met zo'n triomfantelijke blik aan, dat hij niets anders kon dan in lachen uitbarsten. Slechts één woord kon hij uitbrengen.

'Waarom?'

'Waarom ik altijd doe alsof ik met het openbaar vervoer kom?' Ze haalde de schouders op. 'Dat is zo gegroeid. Toen ik in september naar Veenendaal ging, deed ik dat in de hoop dat ooit, op een dag, ik iemand tegen zou komen die mij een lift naar huis aan zou bieden. Ik had één persoon op het oog. De eerste avond kwam ik John tegen en van hem hoorde ik dat hij jou kende en dat jij in datzelfde café ook wel eens kwam. Ik heb mijn kans afgewacht.'

Hij kon zijn oren niet geloven.

'Dus,' begreep hij, 'omdat jij me een keer hebt gezien, in hotel "Figi", ben je naar Veenendaal gekomen in de hoop mij weer tegen te komen?'

'Ik geloof dat veel mannen daar heimelijk over fantaseren, dat een vrouwelijke bewonderaar ze achterna zit.' Ze grinnikte. 'Toch ben ik zo gek geweest om het te doen. Ik weet ook niet wat mij bezield heeft, Ronald. Misschien is het de sport.'

'Waarom nodigde je me niet meteen in je flat uit?'

Ze haalde de schouders weer op. 'Ik wilde niet te hard van stapel lopen.'

Hij vond dat ze wél hard van stapel liep met haar openhartigheid. Het overrompelde hem. Maar ook dat kon hij in haar waarderen. Ze had een ongelofelijke aantrekkingskracht, waardoor hij haar eerlijkheid verwelkomde. Ze was ook een vrouw die precies wist wat ze wilde en ook dat mocht hij in haar.

'Omdat je eerst wilt ontdekken of ik de ware ben?', vroeg hij. 'Of omdat mijn verkering met Manuela zo kort uit is?'

'Nee', zei ze met nadruk. 'Geen van beide. Ik wist wel dat je met me naar binnen wilde. Daarom deed ik het juist niet. Ik vond het zo'n heerlijk idee dat je naar mij verlangde. Door je niet uit te nodigen, hoopte ik dat verlangen aan te wakkeren. Dat je vanavond voor de tweede achtereenvolgende avond in het café was en weer een lift aanbood, gaf me een goed gevoel.'

'Ben ik dan jouw "ware", waar we het gisteren over hadden?'

'Mijn gevoel zegt dat jij,' en daarbij wees ze met een roze gelakte nagel in zijn richting, 'nu de ware voor mij bent.'

Een heerlijk gevoel, vond Bloem.

-

Maandag 14 oktober 9.00 uur

Aan het begin van de nieuwe werkweek - voor hij met districtschef Griesink in overleg zou treden - belegde rechercheur Petersen een vergadering, waarin de geboekte resultaten geëvalueerd werden. De districtschef had nog steeds de algehele leiding over het onderzoek.

Ze schoven aan bij de grote vergadertafel in de projectruimte. Twee thermoskannen stonden op tafel. Petersen nam zelf aan het hoofd van de rechthoek plaats, Bloem tegenover hem, Van Keeken en Veenstra aan de ene lange zijde, Bosma aan de andere. Alleen Bloem nam niet actief deel aan het gesprek. Hij staarde enkel dromerig en met een verheerlijkte glimlach op het gezicht in de zwartheid van zijn koffie. Zijn meerdere zag dit met afkeuren aan, maar besloot vooralsnog niets te zeggen.

'Zijn we iets wijzer geworden?', was de openingsvraag van Bram Petersen.

Van Keeken knikte glunderend. 'Ik heb me beziggehouden met de vraag van wie de dreigbrief afkomstig zou zijn geweest. Dat heeft iets opgeleverd.'

'Van wie?'

'Van Kars Becker. Bij de huiszoeking zijn papieren van hem naar het bureau meegekomen die de afgelopen dagen zijn doorgenomen. Daarbij is een vel papier gevonden die hij als ondergrond heeft gebruikt bij het schrijven van de brief. Stom natuurlijk. De letters zijn doorgedrukt. Daardoor weten we dat hij die brief schreef en wat erin stond.'

'Denk je dat hij aanleiding had om Floris eerst te ontvoeren, en daarna pas te vermoorden?', vroeg Petersen. Als dat waar was, zou het afwijken van de heersende overtuiging dat Becker een opdrachtgever had gehad.

'Dat zou ik niet willen beweren', antwoordde Van Keeken. Hij liet een uitdraai van de computer zien. 'Dit kreeg ik van Marcel Veltkamp. Ik kwam hem op het parkeerterrein tegen. Kars Becker had de brief niet anoniem geschreven, dus Floris wist van wie hij afkomstig was. Becker is duidelijk in wat hij schrijft. Hij zou in opdracht van Floris van der Zwan in de nachtclub van Winsemius gaan werken. Daarvoor zou hij een van tevoren afgesproken beloning ontvangen. Hij wist ook dat zijn rol hierin zou leiden tot zijn arrestatie, met de bedoeling Winsemius in de val mee te trekken. Floris van der Zwan zou voor een goede advocaat zorgen. Becker werd gearresteerd, maar kon fluiten naar het geld en de goede advocaat. Bij zijn vrijlating heeft hij die brief geschreven en verstuurd.'

'Steven, heb jij de financiële situatie van Becker doorgelicht?', wilde Petersen verder weten. 'Was hij enkele maanden geleden in staat de aanbetaling voor UVSO te doen?'

Bosma schudde bedachtzaam het hoofd. Tegelijkertijd streek hij met een hand over zijn ringbaardje. 'Het lijkt erop van niet. Maar hij kan met zijn praktijken voldoende geld opgepot hebben, en dat op een ons onbekende rekening gestort hebben. We hebben ook geen inzage in de bankrekening waar het geld via UVSO terechtgekomen is. Wie weet wat hij daarop heeft staan. Dus ik sluit nu niet uit, dat hij alleen heeft gehandeld. Hij is misschien sluwer dan we tot nu toe gedacht hebben. Maar, wie is dan de onbekende beller uit Amersfoort?'

'Misschien werkte hij toch met Gert Daalwijk samen', zei Van Keeken.

'Hij heeft in elk geval niet met Gert Daalwijk uit Amersfoort samengewerkt', zei Inge Veenstra. Ze zat te roeren in haar kopje thee. 'Ik heb uitgevogeld waar hij is.'

'En?'

'Hij zit niet bij een andere vrouw in huis, zoals jullie dachten.'

'Waar dan wel?', vroeg Van Keeken. 'Heeft-ie soms een vriend?'

Ze schudde haar hoofd glimlachend. 'Nee, hij zit al drie weken in de gevangenis. In Frankrijk! Hij was daar voor zijn werk. Tussen zijn lading is een pakketje aangetroffen dat heroïne bleek te bevatten. Hij zal voorlopig niemand kwaad doen.'

'Nou, dan houden we het erop, dat Kars Becker toch de moordenaar is', concludeerde John van Keeken. 'Einde vergadering! Ik neem nog een kop koffie.' Met die woorden schonk hij zichzelf in.

'Toch denk ik dat het niet zo gemakkelijk is', vond Steven Bosma. 'Er zijn veel meer mogelijkheden die we niet uitvoerig uitgezocht hebben.'

Inge Veenstra was het met hem eens.

'Neem bijvoorbeeld die onduidelijke situatie rond Winsemius', merkte zij op. 'Ik zou wel eens de rol van Rogier van Middelstum daarin willen uitdiepen. Griesink heeft bij hem een huiszoeking laten verrichten en dat heeft niets opgeleverd. Toch zou hij gestolen waar in huis moeten hebben. Misschien heeft hij belangen op het spel. Vergeet niet hoe eenvoudig het voor hem was, om het lijk van Floris in de kist te leggen en daarna te doen alsof hij van niets wist.'

'Dat bedoel ik niet.'

'Wat bedoel je dan, Steven?', vroeg ze.

'Nou, we hebben nauwelijks aandacht gehad voor de symboliek van de moord. De onthoofding. Het lijkt een middeleeuwse executie.'

'Dat past wel bij die Van Middelstum', vond Van Keeken. 'Raar ventje is dat.'

'Ik zat niet in zijn richting te denken. Ik ben navraag gaan doen, omdat het mij niet losliet.'

Hij werd weer in de rede gevallen. 'Wat niet losliet?'

'Laat Steven uitpraten, John', zei Petersen. Hij was benieuwd waarmee zijn collega zou komen. Misschien zaten ze op hetzelfde spoor.

'Het ongeluk waarbij Floris van der Zwan een kind doodreed. Wisten jullie dat het kind door het ongeluk in zekere zin onthoofd werd? Het hoofd was onherkenbaar verminkt.'

Petersen knikte. 'Mij was dat bekend.'

John van Keeken kon het niet laten zich er mee te bemoeien. '*So what*? Die ouders zitten in Polen. Ze hebben met de moord niets te maken. Kars Becker is de moordenaar, laten we dat voorop stellen. We hadden hem allang moeten arresteren. Vorige week al.'

'Wacht nou even naar wat Steven heeft te zeggen.'

'Ik heb contact gehad met de familie die in Nederland is achtergebleven. Zondag ben ik bij de grootouders van het doodgereden kind geweest. Weet je wat een schrijnende bijkomstigheid bij het ongeval was?'

'Nou?'

'De moeder van het kind, mevrouw Kooiman, kan geen kinderen meer krijgen. Er is ooit bij haar kanker vastgesteld, waarna de baarmoeder verwijderd werd. Dat is zes jaar geleden gebeurd.'

'Ze heeft toch twee kinderen van acht jaar oud?'

'Van zeven en tien jaar oud.'

'Maar het kind dat doodgereden werd, was vier jaar', bracht Inge Veenstra in herinnering. 'Hoe kan dat dan?'

'Dat hebben de grootouders mij verteld', zei Bosma. 'Het kind was geadopteerd.'

'Wie waren de biologische ouders?'

'Ze zeiden dat de officiële ouders ook de biologische ouders zijn.'

'Hè, dat kan toch niet?', reageerde John van Keeken verbaasd.

'De heer Kooiman is gynaecoloog', legde Bosma uit. 'Als ik de grootouders goed begrepen heb, zijn er eicellen van mevrouw Kooiman ingevroren.'

'Maar ze had geen baarmoeder. Hoe kon ze dan nog een kind ter wereld brengen?'

'Ze zouden gebruik hebben gemaakt van een draagmoeder', vertelde Bosma. 'Maar hun schoonzoon heeft nooit willen vertellen wie de draagmoeder was. Ik weet het nu. Ik denk dat Bram en ik weten wie achter de moord op Floris van der Zwan zit.'

-

Maandag 14 oktober 15.45 uur

Esmée Bloemhard wist dat het einde aan haar onzekerheid niet zonder moeilijkheden zou komen. Voor haar lag de hindernisbaan en ze was bang, dat ze al klauterend over haar eigen handen, benen en haren zou struikelen. Een fout was zo gemaakt. En, wat dan? Er lag een immense last op haar schouders.

Toch wist ze, dat ze dit door moest maken, als ze met Kars Becker herenigd wilde worden. Het was haar enige kans op gemoedsrust. De beschuldigende vinger van haar halfbroer had een gewetensstrijd in haar los doen branden die eerst uitgestreden moest zijn, voor ze de gemoedsrust kon hervinden die ze nodig had om de lange reis te ondernemen. Ze hunkerde ernaar de Nederlandse klei vaarwel te zeggen en in de armen van haar geliefde te vallen.

Was hij een moordenaar?

Die vraag spookte opnieuw door haar gedachten, terwijl ze de hoorn van het toestel nam. Ze stond voor een vuurproef die zijn onschuld moest aantonen. Hij mocht dan een dief en een ontvoerder zijn, maar geen moordenaar! Toch?

Ze had het nummer op een memoblaadje gekregen. Eén voor één toetste ze met trillende vingers de cijfers.

Er werd opgenomen. De ander noemde haar naam.

'U spreekt met Esmée, de vriendin van Kars Becker.... Heeft hij u niet over mij verteld? Ik woonde met hem bij zijn oma in, aan de Peperstraat in Wijk.... Ik zal u vertellen waarom ik u bel. Ik weet dat u het gedaan hebt. De moord op Floris van der Zwan. Kars heeft het mij zelf verteld.... Nee, hij zit in Egypte. Ik heb hem aan de telefoon gehad....Nee, ik ga u niet zeggen waar hij zit...'

Ze schrok van het idee dat in haar opkwam, dat de ander naar Egypte zou vliegen om de belangrijkste getuige uit de weg te ruimen. De vrouw had erop gerekend dat de mannen van Rudolf van der Zwan Kars vermoord hadden, als wraak op de moord op Floris. Wat een misrekening!

'Kars heeft gezegd, dat u mij zou helpen als ik erom vroeg. Ik heb geld nodig voor de reis naar Egypte. De politie heeft mijn paspoort ingenomen en daarom kan ik niet meer vliegen. Ik moet over land naar Egypte gesmokkeld worden. Misschien per boot. Maar ik heb geld nodig... Wilt u mij niet helpen?' Esmée deed alsof ze oprecht schrok van de onwelwillendheid van de vrouw. 'U moet mij helpen. Komt u alstublieft naar Wijk bij Duurstede. Morgen kan ik wegkomen als ik het geld heb. Drieduizend euro is genoeg. Komt u vanavond naar de Peperstraat? Nee?'

De ander had de hoorn erop gegooid. Esmée nam zich voor het later nog een keer te proberen.

Ik moet succes hebben!, dacht ze. Pas dan kan ik weg.

Hoofdstuk 22

Maandag 14 oktober 16.30 uur
'Het wordt echt tijd dat die Peek eens aangepakt wordt', riep Steven Bosma die geïrriteerd de projectruimte binnen kwam lopen. Zijn collega's keken verwonderd op van hun werk. Ze zagen dat hij de nieuwste editie van het *Utrechts Nieuwsblad* in de hand had.

'Wat schrijft hij nu weer?', vroeg Van Keeken.

'Een heleboel onzin. Die zuigt echt een sensationeel verhaal uit de duim. Het is vast goed voor de verkoopcijfers. Maar dit is toch geen journalistiek meer!' Kwaad sloeg hij met platte hand tegen de krant. De geur van verse drukinkt verspreidde zich in hun kantoor.

'Nou, wat schrijft hij dan?', vroeg Van Keeken nogmaals. Hij was opgestaan om de krant van de ander over te nemen.

'Ik zal het jullie voorlezen. Moeten jullie dit horen!'

SCHIPHOL - Dit weekend heeft zich een nieuwe ontwikkeling in het onderzoek naar de moord op Floris van der Zwan voorgedaan. Deze jonge inwoner van Maarsbergen werd dinsdag jongstleden levenloos aangetroffen in een lijkkist in Wijk bij Duurstede. Een woordvoerder van de politie wist zaterdag evenwel te melden, dat er een arrestatie in verband met het onderzoek was verricht.

Esmée B. werd op vliegveld Schiphol aangehouden op verdenking van betrokkenheid bij de ontvoering en de daaropvolgende moord. Zij is de vriendin van Kars B. die door de politie als de hoofdverdachte in deze zaak wordt gezien. Zaterdag kon door douanebeambten verhinderd worden, dat ze op een vliegtuig naar Caïro stapte. Het wordt algemeen aangenomen dat Kars B. zich daar momenteel bevindt. De aanhouding van Esmée B. vond plaats op last van justitie. Over de achtergronden van de arrestatie wilde de politie in het belang van het onderzoek geen verdere mededelingen doen.

Inmiddels is bekend, dat de verdachte wegens gebrek aan bewijs vrijgelaten is. Volgens een anonieme zegsman, zou zij geweigerd hebben een verklaring af te leggen. Haar paspoort is met het oog op vluchtgevaar tijdelijk in beslag genomen.

'Daar is echt niets van waar!', riep Inge Veenstra verbaasd uit.

John van Keeken was het hartgrondig met haar eens. 'Die Ricardo P. is echt een misselijk ventje!' Met die woorden trok hij Bosma de krant uit handen om het bericht nog eens door te lezen. 'Het staat hier nog echt ook! Er is helemaal geen arrestatie gedaan.'

'Ik vind echt dat we gerechtelijke stappen tegen de krant moeten ondernemen', vond Veenstra. 'Dat ben ik met Steven eens. Dit wordt steeds gekker. En dat om meer kranten in de losse verkoop te kunnen wegzetten. Hebben ze dan helemaal geen principes of zo? Het gaat hun alleen om primeurs.'

'Volgens mij weet Bram er meer van', zei Bosma.

Ze keken allemaal naar Bram Petersen. Die zat met de armen over elkaar achter zijn bureau. Een flauwe glimlach lag op zijn verweerde gezicht.

'Wat weet jij wat wij niet weten? Is Esmée Bloemhard wel gearresteerd?'

Hij schudde zijn hoofd. 'Dit is in overleg met Griesink gebeurd.'

'Maar er klopt niets van!', riep Veenstra vol onbegrip.

'Inderdaad. We hebben deze informatie Peek in het oor gefluisterd.'

'Weet Peek dat de informatie niet klopt?'

'Nee.'

Ook dat was een primeur!

-

Maandag 14 oktober 19.55 uur

Ze was er niet van overtuigd dat ze zou komen. Esmée moest haar geduld bewaren. Ze had de vrouw nog een keer gebeld en haar duidelijk gemaakt, dat als ze niet met geld over de brug zou komen, zij naar de politie zou stappen en vertellen wat ze wist. De politie, had ze de vrouw verteld, had haar al verschillende keren verhoord en daarbij had ze niets losgelaten.

"Ze vermoeden dat ik meer weet", had ze de ander laten weten. "Maar ik heb gezegd dat ik niets weet. Als ik het geld heb, kan ik tenminste het land uit en ben ik van het gezeur af. Of wilt u het risico lopen, dat ik me bij een volgend verhoor verspreek? Ik moet weg." Ze had het uitgeroepen alsof ze een hysterica was. "Weg! Weg! Ik houd het hier niet meer uit."

Alleen dat laatste was waar. Of de ander chantabel genoeg was, gevoelig voor dreiging, moest nog blijken.

In de woonkamer was ze op de antieken fauteuil gaan zitten, waarop de oma van Kars altijd zat. De oude vrouw was voor het eerst in lange tijd bij haar broer aan de Dijkstraat, zodat Esmée de woning voor haar alleen had.

Om de indruk te bevestigen dat ze hier thuishoorde, had ze haar ontblote voeten in muiltjes gestoken. Haar tenen liet ze gedachteloos langs de rand van de zool glijden over het behaaglijk zachte tapijt. Ze had geprobeerd het zo gezellig mogelijk in de kamer te maken. Daarom brandde de druipkaars, en had ze een schemerlamp naast haar stoel aangedaan. De zachte gloed probeerde tevergeefs de uithoeken van de kamer te bereiken. Alleen het getik van de Friese staartklok doorbrak de schaduwrijke stilte. Het was vijf over acht. Op een plotse trilling van het gordijn na was het rustig. Esmée concentreerde zich op het stroompje gesmolten kaarsvet, dat in de grilligste vormen lager aan de kaars vastgroeide.

Ze nam het gouden hartje in haar handen dat altijd op haar

kloppende hart rustte, bengelend tussen haar borsten. Het kleinood was een talisman voor haar die haar altijd met Kars verbond, zelfs nu duizenden kilometers hem van haar scheidde. Ze voelde de warmte ervan en probeerde zich in te beelden dat het zijn warmte, een blijk van zijn ontastbare aanwezigheid, was. Het schonk haar nieuwe kracht om de test te doorstaan.

De tijd verstreek oneindig traag. Seconde na seconde zag ze wegtikken, zonder dat er iets gebeurde. Het was ook mogelijk dat er niemand zou komen. Esmée had gedreigd de politie in te schakelen, maar de moordenares van Floris kon zelf inmiddels op de vlucht geslagen zijn. Dan kwam ze niet naar Wijk en was het inlichten van de politie zinloos. Of was ze naar Egypte, om Kars op te sporen?

Tien over acht.

Esmée stond op om naar de keuken te lopen. Ze had zin in een cappuccino. Van thuis had ze een pak meegenomen met daarin tien zakjes om een heerlijke kop te maken.

In het kastje boven het aanrecht vond ze een mok. Terwijl er een pannetje met water op het gas stond, scheurde ze een zakje open en deed het poeder in de mok. Het water hoefde niet te koken. Zodra ze de eerste belletjes zag verschijnen, deed ze het gas uit en goot onder het roeren het warme water op het poeder dat hevig schuimend omhoogkwam.

Toen ze met de mok naar de woonkamer liep, hoorde ze het vrolijke gerinkel van de voordeurbel in het halletje beneden.

'Ik ben blij dat u gekomen bent', zei ze, terwijl ze de ander binnenliet door aan het touw te trekken. In het trapgat beneden verscheen het gezicht van een verbitterde vrouw. Tegelijkertijd herkende ze haar eigen onzekerheid en nervositeit in de donkere ogen van de ander. Er ging iets onberekenbaars van uit. Er hing spanning in de lucht.

Wat gaat er gebeuren?, dacht ze.

Ze zou blij zijn als het allemaal achter de rug was.

'Ik ben wat later', sprak de ander. 'Ik moest nog geld halen.'

Ze liet haar omhoogkomen, de trap op. Zo had ze de kans om beter te kijken naar de vrouw in opdracht van wie Kars geopereerd had. Ze was gekleed in een gebleekt spijkerjack, waarvan de kraag omhoog stond. Haar donkere haren waren halverwege de nek samengebonden met een klip. Lange lokken rustten op haar rug.

Onder het spijkerjack droeg ze een donkere wollen trui en een donkerblauwe spijkerbroek. De zolen van haar beige knielaarzen tikten onrustig op de versleten traptreden, terwijl ze omhoogging. Vanwege de hoge hakken liep ze op haar neuzen.

'Ik wist niet dat Kars een vriendin had', zei de vrouw, toen ze de woonkamer binnengingen. Met een trillende hand hield ze een handtasje vast. 'Hij heeft het me nooit verteld.'

Begon ze daar weer over? Bij het eerste telefoongesprek had ze ook al twijfel geuit.

'Ik heb hem kort na zijn laatste vrijlating leren kennen. Twee weken geleden ben ik hier ingetrokken. Het was de bedoeling dat wij vorige week dinsdag naar Egypte zouden gaan. Maar dat is niet doorgegaan. U hebt het misschien gehoord.'

'Maar je woonde toch zeker nog bij je ouders?'

'Ja.' Ze bood de vrouw een plaats op de zitbank aan. 'Ik heb net cappuccino voor mezelf klaargemaakt. Wilt u ook een kop?'

'Doe geen moeite', snauwde ze. Ze nam plaats op de bank en liet haar blik door de kamer gaan. Ondanks de verbitterde trek rond haar mond, knikte ze goedkeurend. Ze vond de kamer blijkbaar gezellig.

Zwijgend zocht Esmée haar stoel weer op.

'Je bent heel anders dan ik me had voorgesteld', zei de

vrouw. 'Over de telefoon klonk je zo zelfverzekerd, dat ik verwacht had dat je veel ouder zou zijn. Hoe oud ben je eigenlijk?'

'Oud genoeg.' Ze had geen zin over koetjes en kalfjes te praten. 'Waarom hebt u eigenlijk de moord gepleegd? Waarom liet u het Kars niet doen?'

'Wil je dat echt weten?' Een bittere glimlach gleed over haar magere gezicht. Hoewel ze niet veel ouder was dan haar vriend, viel het Esmée op wat een wallen de vrouw onder haar ogen had. Zorgvuldig opgebrachte make-up kon niet verhullen, hoe afgeleefd haar gezicht was, getekend door de dagenlange stress.

'Het is zo gruwelijk gedaan.'

'Het is goed zo', vond de vrouw. 'Zo wilde ik het. Kars wilde ik het niet toevertrouwen. Hij durfde het niet. Ik heb het hem zelfs niet gevraagd. Ik heb Floris zelf vermoord. Kars had mij een kopie van de sleutel van de kelder gegeven, zodat ik erin kon komen. Stel jezelf met die gedachte gerust, kind. Hij heeft het niet gedaan. Maar zullen we tot de zaken overgaan? Je wilde drieduizend euro?'

De vrouw opende haar handtasje. Een bundeltje opgerolde biljetten kwam tevoorschijn, samengebonden met een elastiekje. Ze wierp het Esmée toe. Alleen het bovenste biljet van vijftig euro was zichtbaar, de rest zat eronder opgekruld.

'Je zult moeten tellen om te zien of het klopt', zei ze. 'Ik hoop dat het genoeg voor je is.' Toen Esmée geen aanstalten maakte, voegde ze er aan toe: 'Als ik jou was, zou ik het tellen. Misschien is alleen het ene briefje dat je ziet echt en de rest niet. Je weet nooit of je een moordenares kunt vertrouwen. Nou, toe dan!'

Met van zenuwen trillende vingers peuterde Esmée het elastiekje los. In haar onvoorzichtigheid schoot het weg, vlak langs de druipende kaars om op het hoogpolig tapijt een zachte landing te maken.

Het waren allemaal kleine coupures. Ze zag vooral biljetten van vijftig euro, een paar van honderd en tweehonderd, en één van vijfhonderd.

Betoverd bij de aanblik van al dat geld, boog Esmée zich naar voren om het op de salontafel uit te tellen.

-

Maandag 14 oktober 20.20 uur

Terwijl het meisje het geld telde, was zij zich onbewust van het gevaar. De vrouw zag haar kans. Ze liet haar hand langs haar been naar beneden glijden, tot ze de rits van haar rechterknielaars voelde. Zachtjes trok ze de sluiting iets naar beneden, tot ze het houten heft voelde. Geruisloos gleed het lemmet uit zijn leren schede. Vlijmscherp staal flikkerde in het kaarslicht, terwijl zij het uit het zicht van het meisje manoeuvreerde.

Ze stond op, kwam naast Esmée staan en telde mee.

'Tien briefjes van vijftig zijn dat, toch? Dat is vijfhonderd euro.'

'Ja', was de reactie van het meisje. Ze was helemaal ondersteboven van zoveel geld.

'Wat heb je daar? Dat is een briefje van tweehonderd euro. Dan zit je al op zevenhonderd euro.'

Zo ging het nog even door tot het volle bedrag bijna bereikt was.

Plotseling verstrakten de spieren van de vrouw, hief ze het mes om zonder enig mededogen de punt in de weerloze rug te kunnen stoten.

Op dat moment liet ze een krijs horen en stortte op de grond, gevangen in een wurgende greep. Ze krioelde venijnig onder de handen die de arm met het mes op haar rug gedraaid hadden tot ze het wapen losliet. Met een knie in haar onderrug werd ze in bedwang gehouden, zodat de kaken waarmee ze in de lucht hapte, geen vlees van haar tegenstander troffen. De agent die vanachter de zware brokaten gordijnen tevoorschijn was gesprongen, liet haar niet meer los.

Hoofdstuk 23

Dinsdag 15 oktober 10.35 uur

Er kon geen twijfel zijn dat deze dinsdag geen gewone werkdag zou zijn als alle andere dagen. 's Ochtends vond de
begrafenisdienst van prins Claus plaats, gevolgd door de bij-
zetting van zijn lichaam in het familiegraf van de Oranjes in
de Nieuwe Kerk in Delft.

Het was een grauwe dag, zowel qua weer als qua stemming. Van de begrafenisplechtigheid werd via radio en televisie uitgebreid verslag gedaan. Voor een moment stond
Nederland stil bij de dood, de dood van een geliefd lid van
het koningshuis. Net als door miljoenen medelanders werden
de plechtigheden ook door de rechercheurs gevolgd, die vanuit het kantoor van district Heuvelrug naar de uitzending
keken. Dit werd oogluikend toegestaan door Griesink die in
zijn eigen benauwde cockpit een radio had neergezet om zelf
evenmin iets te hoeven missen. Zo beluisterde hij de verslagen die via *Radio 1* vanaf tien over negen 's ochtends te volgen waren. Zelfs zijn sigaren bleven ditmaal in hun kistje in
de onderste lade van zijn bureau.

De enige twee politiemensen die niet bij radio of televisie
zaten, waren rechercheur Petersen en zijn collega Inge
Veenstra. De laatste verving Ronald Bloem die zich ziek
gemeld had. De twee bevonden zich de hele ochtend in de
verhoorkamer met hun arrestante.

Deze had al op de stoel aan de ene kant van de tafel
plaatsgenomen, toen Petersen binnenkwam. Omdat het nieuwe districtsgebouw alleen zogeheten ophoudcellen had die
ongeschikt waren voor nachtdetentie, had ze de nacht elders
doorgebracht. Petersen had gehoord dat ze de eerste helft van
de nacht opstandig was geweest. Ze had als een hysterische
gescholden, tegen de deur van de cel getrapt en op de vloer
lopen stampen. Daarna was ze gebroken.

Nu zat ze met de handen in het haar. Tranen stonden haar in de ogen. Toen ze Petersen zag, sloeg ze zichzelf.

'Ik wilde haar helemaal geen kwaad doen', riep ze wanhopig. 'Ik weet niet wat me overkwam.'

De rechercheur ging tegenover haar zitten. Terwijl Inge Veenstra naast hem plaatsnam, drong het tot hem door, dat hij zich niet een ander onderzoek uit zijn loopbaan kon herinneren, waarbij hij de uiteindelijke dader niet verdacht had. Nog had hij moeite te geloven, dat de vrouw aan de andere kant van de tafel Floris van der Zwan had vermoord.

Pas nadat Steven Bosma hem verteld had van het draagmoederschap, was hij nagegaan wie het kind op de wereld gezet kon hebben. Daarbij was haar naam boven water gekomen. Vervolgens was hij nagegaan, of zij op zaterdag 5 oktober om 16.05 uur vanuit Amersfoort naar Kars Becker gebeld kon hebben. De uitkomst verbijsterde hem. Hij had moeten denken aan haar wanhopige ongerustheid, toen Floris nog vermist was. Achteraf was dit toneelspel geweest. Nu herinnerde hij zich, hoe bedreven ze was in het spelen van een rol, zoals gebleken was op de avond dat hij haar voor het eerst ontmoette.

"Oom Bram!", had ze verheugd geroepen. "Ik had u niet verwacht."

Hij had niet doorgehad, dat ze aldoor van de ene naar de andere rol was geswitcht. Maandenlang had ze hier de tijd voor gehad, terwijl ze zon op wraak. Negen maanden sinds de dood van het kind dat ze ooit gedragen had.

Dat ze de moordenaar was, wist hij zeker. Haar gedrag overtuigde hem nu.

'Er was een gedachte in mij,' vervolgde de arrestante op droeve toon, 'dat als ik haar doodde, ik veilig zou zijn. Dat ik mijn geheim kon houden. Anders kon ik er niet aan ontsnappen, dat alles uit zou komen. Ik moest het doen, om rust te vinden.'

Petersen knikte begripvol. Hij herinnerde zich een voorval uit zijn jeugd, waarbij hij over iets dat hem dwars zat maandenlang een woede had opgebouwd. Uiteindelijk was dat tot een uitbarsting gekomen en toen pas had hij zich gerealiseerd waar hij mee bezig was. Het was alsof hij uit een tunnel kwam. Daarvoor had hij alleen het ene doel voor ogen gezien, niets anders. Het was het enige dat zijn gedachten domineerde.

'Het begon hiermee, mevrouw Van Elshout', merkte Petersen op. Hij had een dossiermap bij zich, dat hij opende. Na enig bladeren vond hij wat hij zocht. 'Ik heb hier een krantenknipsel over de veroordeling van Floris.'

AMSTERDAM - Een 19-jarige vrachtwagenchauffeur uit Maarsbergen die in april van dit jaar een kind doodreed, is vandaag veroordeeld tot een werkstraf van 90 uur. Daar werd een voorwaardelijke ontzegging van de rijbevoegdheid voor een periode van zes maanden aan toegevoegd.

Op 25 april van dit jaar deed het ongeluk zich voor op de splitsing van de Taxuslaan en de Kastanjelaan in Heerhugowaard. De 19-jarige trucker reed over de Taxuslaan, maar zag daarbij niet het kind dat in een onbewaakt ogenblik de straat overstak. De vierjarige jongen was op slag dood. Volgens omstanders reed de chauffeur harder dan de in de bebouwde kom toegestane vijftig kilometer per uur. Het ongeluk maakte diepe indruk op de chauffeur die in de rechtszaal duidelijk geëmotioneerd te kennen gaf niet te begrijpen hoe het mis had kunnen gaan.

In een persverklaring liet rechter C. Wever weten, dat de rechtbank bij het bepalen van de straf rekening heeft gehouden met de opstelling van de verdachte. Hij heeft bij verschillende gelegenheden de familie zijn spijt en medeleven betuigd. Ook bezocht hij de begrafenis. Dat alles heeft de rechtbank laten meewegen.

De officier van justitie eiste honderdvijftig uur werkstraf

en een jaar voorwaardelijke ontzegging van de rijbevoegd-
heid.

Met trillende handen strekte Mignon van Elshout zich naar het knipsel uit. Ze hield het even vast, alsof ze wilde weten dat het echt was, en niet een nare droom. Daarna liet ze het met een abrupte beweging vallen.

Ze knikte. 'Hier begon het mee.'

'Was de dood van het kind toevallig, of heeft Floris het expres gedaan?'

'Ik geloof niet dat hij het expres deed. Daar kan ik hem niet van beschuldigen. Het was een van die afgrijselijke toevalligheden van het leven. Dat juist ik getrouwd ben met de vader van de persoon die Yoeri doodreed. Ik heb de dood van Yoeri ervaren als de dood van een eigen kind. Ik ging eraan kapot, maar kon het niet laten merken. In die tijd ben ik gaan roken, iets wat ik nooit gedaan had. Maar het was een manier van afreageren.'

'U was de draagmoeder van Yoeri?', vroeg Inge Veenstra.

Ze knikte.

'Wist uw man ervan?'

'Nee. Het is zorgvuldig geheimgehouden. Toen ik Rudolf twee jaar later ontmoette, zag ik geen reden het hem te vertellen.'

'Als ik dit lees,' merkte Petersen op, 'dan had Floris duidelijk berouw van het ongeluk. Het was zijn schuld. Hij had het niet kunnen voorkomen. Maar hij kon het kind niet teruggeven.'

De rechercheur zag dat zijn woorden haar woedend maakten. In haar razernij kneep ze haar handen tot vuisten, tot de knokkels er wit van werden.

'Is het niet waar?', vroeg hij.

Ze schudde het hoofd. 'Het berouw dat hij in de rechtbank en publiekelijk toonde, was niet oprecht.'

Er viel een stilte in de verhoorkamer.

'Heeft hij zijn berouw gefingeerd?'

'Het was dood door schuld. Hij reed veel te hard. Er werd beweerd dat hij met tachtig door de bebouwde kom reed. Hij had kunnen weten dat daar ongelukken van konden komen. Floris toonde thuis helemaal geen berouw. Daar deed hij er zelfs luchtig over en gaf hij de ouders van het kind de schuld. Hij liet zich fnuikend over hen uit. Wat dacht u dat het voor mij was, om zoiets aan te horen? Ik hoor nog, hoe hij Yoeri's ouders bespotte. "Kunnen ze niet beter op dat rotjong passen?" en "Het is zijn eigen schuld, moet dat kind maar niet voor mijn wielen komen". Hij sprak voortdurend denigrerend over Yoeri. Dat moest ik, die Yoeri gedragen had, aanhoren.'

'Het was dus een andere Floris dan het publiek in de rechtszaal en op de begrafenis te zien kreeg', concludeerde Petersen. 'Een stukje theater, met als bedoeling een lagere straf te krijgen.'

Mignon van Elshout knikte verwoed.

'Toen de rechtszaak achter de rug was, deed hij tegenover zijn vader en in mijn bijzijn stoer over het eindresultaat. Hij vertelde dat hij er goed vanaf was gekomen en hoe stom de politie was geweest om geen ademtest te doen. Hij had gedronken.'

'Wat erg', zei Inge Veenstra.

'Vanaf die dag ben ik hem gaan haten. Zijn gevoelloze, hooghartige houding riep een diepe, hartgrondige haat in mij op. Maandenlang heb ik die haat bij me gedragen, zoals ik Yoeri heb gedragen, tot ik wist hoe ik hem moest laten voelen, wat hij Yoeri had aangedaan, en zijn ouders, en mij.'

'U besloot hem eerst te laten ontvoeren', zei Petersen. 'Hij moest eerst lijden, zodat hij wist hoe het was. Daarna vermoordde u hem. U kwam met Kars Becker in contact, omdat hij een dreigbrief naar Floris had gestuurd. Die brief schreef hij omdat Floris hem na zijn laatste arrestatie had laten vallen. Omdat Floris op vakantie was, kreeg u de brief onder ogen.'

'Zo is het gegaan', gaf ze toe. 'Door die brief kwam ik op het idee om Kars in te schakelen. Kars had van mij nadrukkelijk de opdracht gekregen, om na zaterdagochtend niet meer bij Floris te kijken. Kars wist niet, wat ik met Floris van plan was. Hij dacht dat ik hem zou vrijlaten, zodra het losgeld betaald was. Maar dat is nooit de bedoeling geweest. In de kelder heb ik Floris verteld wat ik van hem dacht. Daarna heb ik hem vermoord. Het was alsof ik zelf op dat moment doodging.'

'U hebt zijn lichaam ook in de kist van Van Middelstum gelegd. Hoe kon u daarbij komen?'

'Kars had een sleutel van de garage. Ik wist niets van de plannen die Rogier van Middelstum had voor een generale repetitie. Maar ik was wel ervan op de hoogte, dat hij zijn lijkkist in de garage had staan. Maandagavond heb ik het lichaam van Floris daarin opgeborgen.'

'Waarom?'

'Kort na mijn huwelijk ben ik erachter gekomen dat mijn man niet degene was voor wie hij zich uitgaf. Ik hoorde ook dat Van Middelstum in het criminele circuit zat. Daarom deed ik het. De moord moest in dat wereldje gezocht worden.'

'Daarom liet u Kars expres de pers op de hoogte brengen, zodat u uw man ook in het nauw zou drijven. Hij wilde niet met ons in zee gaan, omdat hij bang was dat we achter zijn criminele activiteiten zouden komen. Hij wil zijn onberispelijke imago hoog houden.'

Mignon van Elshout knikte. 'Zo is het. Ik wilde hem ook kwetsen, voor zijn bedrog, om daarna van hem te scheiden.'

'En dat vreemde bericht op de voicemail van Beckers, was dat ook uw idee?'

Ze knikte. 'Ik wilde dat u zou denken dat er behalve de

opdrachtgever nog iemand was die Floris haatte. Een man die er twee miljoen voorover had.'

'Zodat we de dader in het criminele circuit zouden zoeken.'

'Inderdaad.'

'Dat hebben we eerst ook gedacht, dat er nog iemand was. Technisch onderzoek maakte duidelijk dat Kars Becker zelf zijn voicemail had ingesproken. Als we dat niet ontdekt hadden, had u ons flink op het verkeerde been gezet. Hebt u er spijt van, dat u Floris vermoord hebt?'

'Nee', zei ze heel stellig. 'Ik heb alleen spijt dat ik mezelf niet meer in de hand had. Dat ik dat meisje ook kwaad wilde doen. Pas toen ik op de grond lag, met de boeien om mijn polsen, zag ik dat ik niet anders was dan Floris. Ook ik had iemand, die helemaal niet schuldig was aan de dood van Yoeri, willen vermoorden.'

-

Dinsdag 15 oktober 11.50 uur

Nadat Mignon van Elshout naar haar cel teruggeleid was, keerden Bram Petersen en Inge Veenstra terug naar hun werkplekken op de bovenste verdieping, waar op dat moment niemand aanwezig was. In de projectruimte ging de radio aan, zodat Inge Veenstra naar de begrafenis van prins Claus kon luisteren, terwijl ze achter haar computer werkte. Petersen begaf zich naar het kantoortje van Theo Griesink.

Na de tweeën keerde iedereen naar de eigen werkplek terug.

'Is Ronald er niet?', was de vraag die Steven Bosma bij binnenkomst stelde. Hij werd vergezeld door John van Keeken, met wie hij en andere collega's in een aangrenzend kantoor de begrafenis per televisie had gevolgd. Zij waren de laatste twee die terugkwamen.

'Hij heeft zich ziek gemeld', vertelde Petersen. 'Hij belde vanochtend vanuit Zeist.' Niet dat dit door zijn collega gezegd was. Maar Petersen het telefoonnummer gezien op het schermpje van zijn mobiele telefoon. Het was een kengetal van Zeist en de omliggende regio.

'Dan zit hij bij Dominique', wist Van Keeken te vertellen. Vervolgens deed hij verslag van wat er zich het afgelopen weekend tussen Bloem en Dominique van Zuylen had afgespeeld. Zaterdag had hij daarvoor de kans niet gehad.

'Daar snap ik dus niets van', zei Inge Veenstra vanachter haar bureau. 'Hij was anders zo gek op Manuela. Gisteren heb ik hem nog in een andere auto door het centrum zien rijden. Ik vond dat al zo raar. En nu is hij ziek?'

'Hij is helemaal niet ziek, alleen ziek van verliefdheid. Gelijk heeft hij. Dominique is echt een lekker wijf!'

'Dat verklaart waarom hij de afgelopen dagen zijn hoofd er niet bij had', merkte Petersen op. Hij was van plan om zijn collega er op aan te spreken, dat zijn functioneren verre van optimaal was.

'Ik dacht dat het kwam doordat Manuela het uitgemaakt had', zei Inge Veenstra verslagen. 'Gisteren zat hij hier met zo'n dromerig gezicht, dat ik dacht dat het weer goed was tussen hen. Ik was al zo blij. Oh, als Manuela dit hoort, wat zal zij dit erg vinden!'

'Ze hoeft het helemaal niet te weten', bromde Van Keeken. 'Tenzij jij erover gaat kletsen. Maar wat ik wil horen, is hoe het verhoor verlopen is. Heeft Mignon van Elshout iets willen loslaten?'

'Ze heeft een verklaring afgelegd', antwoordde Bram Petersen.

'Heeft ze bekend?'

Hij knikte.

Steven Bosma was achter zijn bureau gaan zitten. Terwijl

hij de computer liet opstarten, keek hij naar zijn beide collega's die bij het verhoor aanwezig waren geweest en vroeg of het waar was, dat Mignon van Elshout de draagmoeder van Yoeri Kooiman - het doodgereden kind - was geweest. Ook hierop knikte Petersen.

'Mevrouw Kooiman had een derde kind willen hebben. Die kinderwens kon haar man vervullen dankzij zijn werk als gynaecoloog. Hij werkte in een ziekenhuis in Zaandam waar ze sinds 1997 ervaringen hebben met draagmoederschap. Maar daarvoor hadden ze een draagmoeder nodig.'

'Maar, waarom mochten dan zelfs de grootouders van het kind niet weten wie de draagmoeder was geweest? Ik ben bij ze geweest en ze wisten het echt niet.'

'Omdat het op onwettige wijze is gebeurd', legde Bram Petersen uit. Hij stond op om koffie voor zichzelf in te schenken. De thermoskan stond op het bureau van John van Keeken. 'Het echtpaar Kooiman heeft eerst in de eigen kennissenkring naar een geschikte draagmoeder gezocht. Toen dat niet lukte, hebben ze commercieel draagmoederschap overwogen. Dat is in Nederland bij de wet verboden. Om die reden hebben ze altijd verzwegen wie de draagmoeder was geweest. Hun keus viel op Mignon van Elshout.'

'Waarom juist zij?', vroeg Bosma verder. 'Ze was immers een psychiatrisch patiënte. Als ik in zo'n situatie zou zitten, zou ik liever iemand anders nemen.'

'De heer Kooiman had haar leren kennen via een psychiater, met wie hij bevriend was. Die had verteld over haar worsteling met het verleden en de vernedering van haar eerste echtgenoot, omdat er geen kinderen kwamen. Onderzoek had inmiddels uitgewezen, dat ze wel vruchtbaar was. Volgens de psychiater zou het goed voor haar zijn, als ze een zwangerschap doormaakte, om haar gevoel van eigenwaarde te herwinnen. Maar wat we vooral niet uit het zicht moeten verliezen, was dat Mignon het zelf aangeboden had. Dat ze betaald zou worden, was vanzelfsprekend. Ook heeft dokter Kooiman zich niet aan het bij draagmoederschap geldende protocol gehouden, want dat protocol eist dat de draagmoeder zelf zonder complicaties één of meerdere zwangerschappen heeft doorgemaakt.'

'Wat hij gedaan heeft, is dus strafbaar', benadrukte Inge Veenstra. 'Als dit bekend was geworden, was hij uit zijn functie ontheven. Vandaar die geheimhouding.'

Steven Bosma knikte.

'Mignon vertelde ons,' vervolgde Petersen na een slok koffie genomen te hebben, 'dat de zwangerschap de gelukkigste tijd uit haar leven was. Ondanks het commerciële karakter van het draagmoederschap, ervoer ze een sterke emotionele band met het kindje dat in haar groeide.'

'Wat heel begrijpelijk is.'

'Yoeri is vervolgens geboren en bij de burgerlijke stand opgegeven als een zoon van Mignon van Elshout, om problemen te voorkomen. Mignon heeft het daarna ter adoptie afgestaan aan het echtpaar Kooiman. Mignon van Elshout heeft er tienduizend euro aan verdiend.'

'Het bedrag voor de aanbetaling voor UVSO!'

'Inderdaad.'

'Hoe wisten jullie eigenlijk dat zij achter de moord zat?', wilde Van Keeken nu wel eens weten. 'Want toen wij nog van niets wisten, kwam dat artikel van Peek. Dat was toch bedoeld om de indruk te wekken dat Esmée een vluchtgevaarlijke verdachte was?'

'Ja, dat was de bedoeling', gaf Petersen toe. 'Het idee kwam van Griesink zelf. Er was geen bewijs en daarom wilde hij haar uit de tent lokken. Griesink had contact laten zoeken met de familie Kooiman in Polen, en toen kwam uit wie de draagmoeder van Yoeri was geweest. In overleg met Esmée werd contact gezocht met Becker in Egypte, maar die bleef weigeren te vertellen in wiens opdracht hij gewerkt

had. Daarom zag Griesink zich genoodzaakt het zo te doen.'
Bram Petersen schudde daarbij het hoofd. Hij had het niet zo
op met deze methodes van zijn meerdere. Hij vond dat
Esmée onnodig risico had gelopen.

'Wij wisten al dat Mignon contact met Becker kon hebben gehad', vertelde Inge Veenstra. 'Vanwege de dreigbrief
die ze had geopend en die Becker ondertekend had.
Tegenover ons had ze juist gezegd dat ze zich niet kon herinneren dat er een naam onder stond. Ze had iemand nodig
die Floris voor haar zou ontvoeren. Ze deed een beroep op
Kars, en die wilde wel, omdat hij zelf nog een appeltje met
Floris had te schillen.'

'En,' zei Petersen, 'zij kon de opdrachtgever zijn die vanuit Amersfoort belde. Ze kon zelfs de moord gepleegd hebben. Ze had geen alibi.'

'Hoezo?'

'Kars Becker werd op de zaterdag van de moord om
16.05 uur vanuit de telefooncel in Amersfoort gebeld. We
wisten al dat Claire Huisman verteld had, dat haar schoonmoeder om 15.45 uur uit Maarsbergen was vertrokken. Inge,
die op dat moment bij Van der Zwan was, belde die dag om
tien over half vijf om door te geven, dat de ontvoerder gebeld
had. Toen was Mignon niet thuis. Een eenvoudige rekensom
toont aan dat ze toen al vijfendertig minuten onderweg was.'

'Ze kwam pas vijf over half zes in Driebergen aan', zei
Veenstra ter aanvulling.

'Hoelang is het rijden?', dacht Steven Bosma hardop.
'Twintig minuten? Hooguit vijf minuten meer als het druk op
de weg was.'

'Dus, waar is ze al die tijd geweest? We weten nu, dankzij de verklaring die ze afgelegd heeft, dat ze eerst naar
Amersfoort gereden is om naar het mobieltje van Becker te
bellen, en daarna naar Wijk bij Duurstede. Floris van der
Zwan werd volgens Van Barneveld waarschijnlijk aan het

eind van de middag vermoord. Na de moord ging zij naar huis.'

'Ik vind het vreemd, dat juist zij via haar vriendin jou erbij betrok toen Floris door Becker ontvoerd werd', merkte Bosma op. 'Heeft zij verteld waarom zij ons inschakelde?'

Bram Petersen knikte. 'Dat was bluf. Ze wist dat het op moord uit zou lopen, en dat wij er dan alsnog bij betrokken zouden worden. Door ons vóór de moord op de hoogte te brengen van de ontvoering, wilde ze dat wij ervan overtuigd zouden raken, dat zij niets wist van de criminele activiteiten van haar man. Want van tevoren stond voor haar vast, dat wij in die richting moesten zoeken. Als wij dan een verband zouden zien tussen moord en de onderwereld, en we zouden overtuigd zijn van haar onschuld op dat punt, zou zij vrijuit gaan. Zo werkte het. Ik heb geen moment gedacht dat zij de moord gepleegd kon hebben, tot ik hoorde van haar draagmoederschap. De ontvoering was een façade die haar de tijd gaf om ons van haar onschuld te overtuigen. Als Floris meteen vermoord was, was de criminele achtergrond eerder boven water gekomen en was het moeilijk overtuigend de onschuld te spelen. Juist door via een vriendin hulp te zoeken, wekte ze de schijn er niets mee te maken te hebben.'

'Het is een bizarre geschiedenis', vond Steven Bosma.

De anderen knikten instemmend. Het was een uitkomst waar niemand blij van werd. Ze hadden vaker misdaden opgelost, en de opluchting en de voldoening daarover, waren een beloning op zich geweest. In deze zaak niet. Het stemde iedereen somber, alsof ze iets fout gedaan hadden. Alsof het een vergissing was, waarvoor ze een berisping zouden krijgen.

Inge Veenstra liet een zucht horen.

'Wat zal er nu met haar gebeuren?'

M.P.O. Books bij uitgeverij Ellessy – andere zaken voor rechercheur Petersen

Bij verstek veroordeeld

Raimond van Vliet, directeur van een aannemingsbedrijf, neemt het met de regels niet zo nauw. Zo heeft hij het bedrijf weten uit te bouwen tot het imperium dat het nu is. Hij was van plan een uniek natuurgebied bouwklaar te maken om er een woonwijk te laten verrijzen. Maar veranderingen aan het bestemmingsplan hebben daar een stokje voor gestoken, tot grote woede van Van Vliet. Sindsdien leeft hij in onmin met de plaatselijke bevolking. Drie van zijn vrienden zijn hevig in de aannemer teleurgesteld en hebben het voornemen opgevat het recht in eigen hand te nemen. Maar bij de uitvoering van hun plan stuiten zij op onverwachte tegenstand die vriendschappen onder druk zet en levens in gevaar brengt.

ISBN 90-76968-32-2

De bloedzuiger

Het is de nachtmerrie van elke ouder. Het overkomt Peter en Antoinette. Altijd hebben ze hun vijftienjarige dochter op het hart gedrukt niet alleen over het fietspad door het bos te fietsen, op weg van huis naar school en andersom. Ze hebben haar gezegd niet van de officiële route af te wijken en voor het donker thuis te zijn. Maar hun dochter heeft de goede raad in de wind geslagen en het is mis gegaan. Rechercheur Petersen krijgt de opdracht uit te zoeken wie verantwoordelijk is voor dit drama. Maar ondertussen heeft hij zelf heel wat aan het hoofd door de komst van een nieuwe collega die niet echt in zijn team past.

ISBN 90-76968-66-7

Uit het crime-fonds van Uitgeverij Ellessy: